C L Smith

COLLECTION FOLIO

Georges Simenon

Le voyageur de la Toussaint

Gallimard

Georges Simenon naît à Liège le 13 février 1903. Après des études chez les jésuites, il devient, en 1919, apprenti pâtissier, puis commis de librairie, et enfin reporter et billettiste à *La Gazette de Liège.* Il publie en souscription son premier roman, *Au pont des Arches,* en 1921 et quitte Liège pour Paris. Il se marie en 1923 avec « Tigy » et fait paraître des contes et des nouvelles dans plusieurs journaux. *Le roman d'une dactylo,* son premier roman « populaire », paraît en 1924, sous un pseudonyme. Jusqu'en 1930, il publie contes, nouvelles, romans chez différents éditeurs.

En 1931, le commissaire Maigret commence ses enquêtes... On tourne les premiers films adaptés de l'œuvre de Georges Simenon. Il alterne romans, voyages et reportages, et quitte son éditeur Fayard pour les Éditions Gallimard où il rencontre André Gide.

Durant la guerre, il est responsable des réfugiés belges à La Rochelle et vit en Vendée. En 1945, il émigre aux États-Unis. Après avoir divorcé et s'être remarié avec Denyse Ouimet, il rentre en Europe et s'installe définitivement en Suisse.

La publication de ses œuvres complètes (72 volumes !) commence en 1967. Cinq ans plus tard, il annonce officiellement sa décision de ne plus écrire de romans.

Georges Simenon meurt à Lausanne en 1989.

Georges Simenon naît à Liège le 13 février 1903. Après des études chez les Jésuites, il devient, en 1919, apprenti pâtissier, puis commis de librairie, et enfin reporter à *La Gazette de Liège*. Il publie en 1921 son premier roman, *Au pont des Arches*. En 1922 il quitte Liège pour Paris. Il se marie en 1923 avec Tigy et [illegible] des contes et des [illegible] journaux. [illegible] en 1931, [illegible] 1930 il [illegible] contes, nouvelles, romans [illegible]

En 1931, le commissaire Maigret commence ses enquêtes. [illegible] l'œuvre de [illegible] romans, voyages et reportages, il quitte son éditeur Fayard pour les Éditions Gallimard où il rencontre André Gide.

Pendant la guerre, il est responsable des réfugiés belges à La Rochelle et vit en Vendée. En 1945, il émigre aux États-Unis. Après avoir divorcé et s'être remarié avec Denyse Ouimet, il revient en Europe et s'installe définitivement en Suisse.

La publication de ses œuvres complètes (72 volumes) commence en 1967. Cinq ans plus tard, il annonce officiellement sa décision de ne plus écrire de romans.

Georges Simenon meurt à Lausanne en 1989.

PREMIÈRE PARTIE

LE PASSAGER CLANDESTIN

I

Gilles Mauvoisin regardait sans voir et il avait les yeux rouges, la peau gercée de quelqu'un qui a beaucoup pleuré. Pourtant, il n'avait pas pleuré.

Le capitaine Solemdal lui avait dit de se tenir prêt et d'attendre dans le carré où, pendant la traversée, il avait pris ses repas.

Gilles attendait, vêtu du long pardessus noir qui n'était pas à lui, un bonnet de loutre noire sur la tête, sa valise à côté de lui, comme dans le couloir d'un train un peu avant l'arrivée, un mouchoir à la main, à cause de son rhume.

Et maintenant on était dans le bassin des chalutiers sans qu'il eût rien aperçu de La Rochelle. Son hublot était peut-être du mauvais bord ? En mer, on avait frôlé des bouées rouges et noires qui marquaient sans doute le chenal. Puis des tamaris avaient défilé très près de la coque du *Flint* et les manœuvres avaient commencé, les sonneries du télégraphe, demi-vitesse, stop, arrière, stop, avant…

Il cherchait toujours la ville des yeux et, tandis que le *Flint*, au milieu du bassin, tournait sur lui-même, il ne découvrait que des rails, des wagons qui semblaient abandonnés, un vieux bateau aux jointures plaquées de minium, puis un talus pelé, des bâtiments frigorifiques.

Il allait faire nuit. Il faisait déjà nuit. C'était un brouillard jaunâtre qui gardait un vague reflet de soleil. Encore des rails, un wagon-foudre et là, juste devant Gilles, tout près de lui, un couple enlacé à côté d'un vélo appuyé au wagon.

Ce couple fut, en somme, la première vision que Gilles Mauvoisin eut de La Rochelle. L'homme lui tournait le dos. Il portait un imperméable jaune. Il n'avait pas de chapeau et ses cheveux bruns étaient abondants. De la jeune fille, Gilles ne voyait que des cheveux, bruns aussi, et un œil grand ouvert, un œil qui le regardait, lui, tandis que les lèvres restaient soudées à celles de son compagnon.

Il y avait quelque chose d'étrange dans ce baiser qui n'en finissait pas et surtout dans cet œil dont le regard s'échappait en quelque sorte pour venir cueillir Gilles dans le carré.

Il tressaillit. Le *Flint* s'était immobilisé et Solemdal était là, rasé de très près comme chaque fois qu'il descendait à terre, ses cheveux blonds sentant l'eau de Cologne, le torse serré dans une vareuse neuve à boutons dorés.

— C'est le moment, annonça-t-il.

Et Gilles ne trouva pas les mots. Il aurait dû remercier. Il débordait de reconnaissance envers ce beau capitaine plein de vie qui avait eu pour lui des attentions presque féminines. Il eut envie de se jeter sur sa poitrine. Mais Solemdal n'eût pas aimé ça. Il lui serra la main, gauchement. Il renifla. Son rhume ! Il n'osa pas tirer son mouchoir qu'il avait mis dans sa poche. Sa valise à la main, il s'engagea dans l'escalier.

Le brouillard s'était dissipé et n'était maintenant qu'une buée bleue, avec des recoins violets, qui flottait sur le port. Les lampes électriques, au bout des longs poteaux, étaient allumées.

Un matelot attendait Gilles sur le pont, près de la rambarde, du côté opposé au quai. Il enjamba, se laissa descendre le long de l'échelle de pilote et se trouva debout à l'arrière d'un canot, sa valise à ses pieds.

Ainsi, il paraissait encore plus grand, plus maigre, plus étroit. Son pardessus trop long augmentait cette impression, et aussi le fait qu'il était en deuil, tout noir et blanc. Les avirons clapotaient dans l'eau du bassin où s'étiraient les reflets des lampes et voilà qu'au moment où Gilles allait sauter à terre il revoyait, juste devant lui, l'imperméable jaune, le dos de l'amoureux et l'œil de la jeune fille. On aurait pu croire que c'était le même baiser qui continuait.

Sur l'épaule du jeune homme, Gilles, maintenant, distinguait une main, des petits doigts féminins, et ces doigts se mettaient à tirailler la gabardine.

Il semblait à Gilles qu'il sentait la chaleur des deux corps, le goût de salive de ce baiser qui n'en finissait pas, le frôlement des cheveux sur sa joue. Ce petit geste de la main signifiait :

— Lâche-moi...

L'amoureux, qui tournait le dos au bassin, la serrait de plus belle et elle palpitait comme un oiseau qui tente de se dégager de la main qui le tient prisonnier.

Elle dut se débattre avec violence. Gilles vit le visage presque en entier, un visage si jeune qu'il en fut gêné. Entendit-il ? N'entendit-il pas ? Toujours est-il qu'il fut certain qu'elle disait :

— Regarde-le !

C'était lui qu'elle désignait et, alors seulement, il eut conscience de ce que ce débarquement clandestin pouvait avoir d'extraordinaire, de l'inattendu de sa longue silhouette, de son bonnet de loutre et de sa ridicule petite valise.

Intimidé, il se prit le pied dans des câbles, évita de justesse de s'étaler, atteignit enfin le bout du quai d'où, entre les bâtiments, il découvrit les lumières de la ville et le phare blême qui émerge curieusement des maisons du quai Vallin.

Juste au coin du quai, en face de la Ville en Bois, il y a un petit bar confortable, avec un haut comptoir en acajou, quelques tabourets, quelques tables, des verres de cristal sur des étagères.

Raoul Babin était assis à sa place, de tout son poids, car il s'asseyait avec tant d'énergie qu'il semblait vouloir écraser les sièges sous sa masse.

Il ne faisait rien. Il restait assis là des heures, chaque jour, allumant cigare après cigare, et tous ces cigares avaient fini par dessiner un cercle ambré dans les poils gris de sa barbe et de sa moustache.

Pas un client qui entrât sans se tourner vers lui. Les uns retiraient leur chapeau ; d'autres en touchaient le bord ; d'autres enfin lui tendaient la main. Babin, lui, avançait à peine la sienne, se contentait d'effleurer le bout des doigts.

Dans la Ville en Bois, dont les bâtiments en planches se dressent au bord des quais, le nom de Babin figurait sur une dizaine d'ateliers, forges, scieries, réparation de filets, montage de moteurs, et, dans le bassin que Gilles venait de quitter, vingt chalutiers portaient sur leur cheminée l'as de pique, qui était la marque de Babin.

Toutes les heures au moins, un camion passait, un camion Babin, transportant du sel, de la glace ou du charbon, et il y avait, près de la gare, puis encore à La Pallice, des entrepôts Babin.

De temps en temps le téléphone faisait entendre sa sonnerie, au Bar Lorrain.

— Voulez-vous dire à monsieur Babin que…

Et Babin ne quittait pas sa place, donnait ses

ordres sans lâcher son cigare, puis regardait dehors en soupirant.

Il avait froncé ses gros sourcils en voyant un canot se détacher de la coque noire du *Flint*. Quand Gilles passa, sa valise à la main, il tira un peu le rideau pour mieux le voir.

Mais il savait bien qu'il n'avait pas besoin de se déranger. Il savait tout. Il connaissait les rouages de la ville et du port comme s'il en eût été le grand horloger. Dix minutes plus tard, en effet, Solemdal passa devant le Bar Lorrain et Babin n'eut que trois pas à faire pour se camper sur le seuil.

— Solemdal !

Le Norvégien tendit la main.

— Vous allez chez Plantel ? Il ne sera pas chez lui avant huit heures. Il est allé à Royan voir un de ses bateaux qui est en panne. Qu'est-ce que vous prenez ? Qui est-ce, ce jeune homme que vous avez débarqué ?

— Un Français dont les parents viennent de mourir à Trondjhem et qui était là-bas sans ressources... Gilles Mauvoisin...

— Gaston ! appela simplement Babin qui considérait le patron du bar comme un de ses employés. Téléphonez donc dans les hôtels pour savoir si un certain Gilles Mauvoisin...

Près de la tour de la Grosse Horloge, Gilles était entré dans la lumière chaude des vitrines et c'était une sensation nouvelle pour lui d'écouter les passants. Ceux-ci, en effet, parlaient le français. Gilles comprenait tout ce qu'ils disaient et ne pouvait s'empêcher de se retourner curieusement sur eux...

Des joueurs de cartes, derrière les vitrines du Café Français... Une maroquinerie... Puis, quelques maisons plus loin, un magasin mal éclairé, profond, bourré de marchandises les plus variées, de paquets de cordages, de fanaux, d'ancres, de filins ; des tonneaux de goudron et des barils de pétrole ; des vivres aussi, comme dans une épicerie. On devinait, à l'intérieur, une odeur forte et agréable.

Sur la devanture : « *Veuve Éloi. — Fournitures pour la Marine.* »

Et Gilles, debout sur le trottoir, regardait de tous ses yeux. A gauche, dans le magasin, il y avait un bureau vitré qui devait être surchauffé, car la fonte du poêle était rouge. Une femme grande, un peu chevaline, entre deux âges : c'était sa tante Gérardine Éloi, la sœur de sa mère.

Elle portait une robe de satin au col très haut, ornée d'un camée serti d'or. Elle parlait. Il n'entendait pas ce qu'elle disait, mais il suivait le mouvement de ses lèvres. En face d'elle, un capitaine de navire, sa casquette sur les genoux, jambes croisées, approuvait de la tête.

— *... Ta tante... Éloi...*

Gilles se mouchait, mais ne pleurait toujours

pas. Pourtant, ce rhume dont il ne parvenait pas à se débarrasser rendait encore plus présent le drame de Trondjhem, en restituait jusqu'à l'odeur.

Son père, lui aussi, était enrhumé quand ils avaient débarqué, un soir, à Trondjhem, venant des îles Lofoden où la tournée s'était disloquée. Ils avaient cherché, comme d'habitude, un petit hôtel pas cher.

Ils étaient tous les trois dans la rue, son père, sa mère et lui, avec leurs bagages encombrants. Devant eux, deux portes faiblement éclairées : deux hôtels. Ils avaient le choix. Aucune raison d'entrer dans celui-ci plutôt que dans celui-là.

Hélas ! un des hôtels avait pour enseigne une grosse boule blanche et le père de Gilles avait murmuré en regardant sa femme :

— Cela ne te rappelle rien ?

Est-ce que n'importe quel hôtel ne devait pas leur rappeler des souvenirs ? Depuis que le couple avait quitté La Rochelle, avant même de se marier, n'avait-il pas été sans cesse d'hôtel en hôtel, de meublé en meublé ?

Gilles, qui n'avait jamais mis les pieds à La Rochelle, savait qu'il n'avait qu'à aller rue de l'Escale, une vieille rue aux pavés inégaux entre lesquels poussait de l'herbe, avec des maisons surplombant les trottoirs et les arcades. Au 17, il y avait jadis sur la porte une plaque de cuivre :

« *Monsieur et madame Faucheron, premiers prix de Conservatoire.* »

Une maison où il y avait de la musique dans toutes les pièces, car les parents Faucheron tenaient un conservatoire privé.

Un jeune homme maigre, un certain Gérard Mauvoisin, venait chaque jour de sa campagne, Nieul-sur-Mer, sa boîte à violon sous le bras.

Le soir, Élise, une des filles Faucheron, l'attendait sous les arcades et sans doute restaient-ils immobiles, rivés l'un à l'autre, dans l'ombre, comme le couple que Gilles avait aperçu à son débarquement.

Ils étaient partis pour Paris. Gérard Mauvoisin avait joué dans des orchestres de cinéma, rarement dans des concerts, puis, de ville en ville, d'hôtel en hôtel...

Est-ce que quelqu'un savait, à La Rochelle, que les Mauvoisin faisaient, dans les théâtres de variétés et dans les cirques, un numéro de prestidigitation et qu'Élise, en maillot rose...

Car c'est en maillot rose, qui moulait ses hanches larges, que Gilles revoyait toujours sa mère, tendant à son père en habit les brillants accessoires de son numéro...

Trondjhem... La boule blanche de l'hôtel...

— Écoute, Élise, tu devrais prendre une chambre séparée... Je vais me coucher avec un grog et deux cachets d'aspirine... Je transpirerai toute la nuit. C'est le seul moyen d'en finir avec ce rhume...

Mais non ! Il fallait regarder à l'argent !

— Je préfère être près de toi...

Il y avait dans la chambre, comme dans toutes les maisons norvégiennes, un poêle monumental, en faïence crème.

— Vous me ferez un bon feu, patron... Montez des grogs brûlants.

Mauvoisin avait laissé pousser ses moustaches, parce que c'est de tradition pour un prestidigitateur. Il les teignait, non par coquetterie, mais parce qu'un prestidigitateur ne doit pas paraître vieux.

Gilles les revoyait, ces moustaches d'un noir bleuté, sur la blancheur de l'oreiller, et le nez rouge de son père.

— ... Soir, papa... soir, maman...

Et le lendemain matin sa mère était morte, son père luttait encore un peu, un tout petit peu contre l'asphyxie provoquée par le poêle de faïence. Juste de quoi balbutier :

— Ta tante... Éloi...

Gilles était allé s'asseoir sur une bitte d'amarrage, le long du quai, près du débarcadère des bateaux de l'île de Ré, et il regardait de loin les vitrines, i' apercevait confusément, dans la lumière glauque du bureau vitré, la silhouette de sa tante.

Il connaissait encore beaucoup d'autres gens, qu'il n'avait jamais vus, des gens dont ses parents parlaient, et des noms de rues, des noms de commerçants.

— Tu te souviens du boulanger qui...

Il tressaillit. Une jeune fille à la jupe très courte passait près de lui, tressaillait elle aussi et se retournait pour le regarder avec de grands yeux curieux. C'était la jeune fille qui tout à l'heure, près d'un wagon, au bord du bassin...

Elle se retourna trois fois et finit par s'enfoncer sous la voûte glaciale de la Grosse Horloge.

Gilles ne savait pas qu'à la même heure, dans tous les hôtels de la ville, on prononçait son nom.

— Mauvoisin ?... Comme les cars ?... Non... Nous n'avons pas ce nom-là...

Un magasinier en blouse grise baissait les volets de la maison Éloi dont la porte restait entrebâillée, car le capitaine au long cours n'était pas encore sorti. La maroquinerie, un peu plus loin, fermait, elle aussi.

Un gros autocar peint en vert passa et Gilles eut un petit choc en lisant son nom sur la carrosserie : « *Cars Mauvoisin.* »

Sans doute son oncle, le frère de son père, qui s'était mis dans les transports.

Gilles n'avait qu'à traverser la rue...

— C'est moi, tante, votre neveu Gilles... Papa et maman sont...

Rien que d'y penser, il était pris de panique. Jamais une ville ne lui avait fait peur, lui qui en avait vu tant dans sa vie, et La Rochelle lui faisait peur.

— Demain..., se promit-il.

Il avait encore deux cents francs en poche. Les vêtements qu'il portait appartenaient au fils de son logeur de Trondjhem.

— Quand mon fils était en deuil de sa mère, vous comprenez... Ils sont comme neufs...

Et un capitaine de bateau, Solemdal, avait transporté Gilles gratuitement, l'avait débarqué en cachette, car il n'avait pas le droit de prendre des passagers.

Il y avait plus d'une heure que Gilles était à terre et il ne connaissait encore qu'un bout de quai, le bassin sombre au fond duquel il apercevait, dans l'obscurité, les deux vieilles tours : au-delà c'était le large d'où il venait.

Il se leva et, sa valise à la main, alla jusqu'à la Grosse Horloge. Sous la voûte qu'un courant d'air refroidissait, la foule déferlait, car c'était la sortie des magasins, cette foule qui parlait le français, de sorte qu'il tressaillait sans cesse, croyant que c'était à lui qu'on s'adressait.

Il n'avait que quelques pas à faire et il serait dans la ville. Il voyait les étalages illuminés : Prisunic, Nouvelles Galeries...

Il préféra foncer à nouveau vers les quais. Il n'avait pas l'habitude des cités où il n'y a ni cirque, ni music-hall. Dans toutes les villes où ils allaient, ils savaient d'avance où descendre. Partout, dans une petite rue près du théâtre, il y avait un hôtel où on retrouvait des gens de connaissance, les jongleurs chinois ou les clowns musicaux, la troupe de Marocains sauteurs ou la dresseuse de pigeons.

On n'avait pas l'impression d'avoir changé de pays. Les mêmes photographies étaient accrochées aux murs ou glissées dans le cadre des glaces. Le restaurant bon marché était le même aussi et on y laissait des messages pour ceux qui viendraient ensuite.

Gilles traversa une partie plus sombre des quais, plantée d'arbres, atteignit une place minuscule au centre de laquelle se dressait un urinoir qui paraissait énorme.

C'était à l'entrée du port, près des tours, près du marché aux poissons qu'il ne vit pas mais dont il renifla l'odeur. Il y avait un café précédé de quelques marches, une fenêtre étroite, un plancher couvert de sciure de bois.

Il entra timidement.

— Pardon, madame... Est-ce que vous louez des chambres ?

Et la grosse Jaja, célèbre à l'encan, celle-là qui attachait ses bas sous ses genoux avec de la ficelle rouge et qui portait des sabots sablais, le regarda avec un étonnement attendri.

— Entre toujours, jeune homme... Tu en as, un drôle de chapeau.

Il tortilla entre ses doigts son bonnet de fourrure.

— Ainsi, tu veux une chambre... Pour la nuit ou au mois ?

— Pour la nuit... Peut-être pour deux ou trois nuits...

Car il reculait déjà, en pensant à ses deux cents francs, le moment de se présenter à sa tante.

— On va voir à te loger, mon chérubin... Tu n'as pas dîné ?...

Gilles ne pouvait savoir que Jaja tutoyait tout le monde, y compris le grand Babin. C'était comme un privilège.

— Tu viens de loin, au moins ?... Mais tu es tout gelé, mon petit gars... Attends que je te serve un coup de remontant...

Il aurait voulu dire non. Il n'avait jamais bu d'alcool. Elle lui versa d'autorité un grand verre de quelque chose de très fort.

— Tu vas manger ici, j'espère ?... Ce soir, j'ai des harengs... je ne te dis qu'ça !... T'es en deuil ?... Ce n'est pas étonnant, puisque tu arrives la veille de la Toussaint...

Il se laissa faire comme un enfant. Il est vrai qu'il n'avait que dix-neuf ans et qu'il n'avait jamais vécu comme les autres.

— Ainsi, tu as de la famille à La Rochelle ?... Je ne te demande pas le nom... Elle est prévenue de ton arrivée ?... Ce que ça doit être froid, la Norvège !...

En tout cas, il n'avait jamais eu aussi chaud de sa vie. Le restaurant qui, le matin, débordait de clients, était désert à cette heure. De temps en temps seulement un pêcheur venait boire un verre sur le pouce, échanger quelques mots avec Jaja qui soignait son étranger comme un poulet tendre.

— Mais si... Encore un coup de cidre !... Je le fais venir de Bretagne... Parce que la plupart des marins, ici, sont Bretons... Alors, tu comprends...

Malgré tout, il y avait dans son regard le même étonnement que dans l'œil de la jeune fille au baiser. Gilles n'était pas comme les autres. Jusqu'à son pardessus si long et si étroit... Il était trop poli, trop timide...

— Je parie que tu n'as jamais quitté les jupons de ta mère...

C'était vrai. Mais pas tout à fait comme elle le pensait. Son berceau, jadis, était un panier d'osier qui était aussi souvent dans les trains qu'entre les quatre murs d'une chambre et, bébé, il lui était arrivé d'être gardé, entre deux montants de toile, par un clown ou par le pompier de service.

— Allons ! Il est temps que tu te mettes au lit... Viens, que je te montre ta chambre...

On suivit un parcours si compliqué, à travers des escaliers étroits et des couloirs enchevêtrés, que Gilles pensa en s'endormant qu'il ne retrouverait jamais son chemin tout seul.

La porte était fermée, mais on voyait dessous un trait de lumière. Babin savait que la veuve Éloi profitait de cette heure-là pour mettre ses comptes en ordre et il frappa.

— Qui est là ?

— Babin...

Elle vint ouvrir. Le magasin était dans l'obscurité. Seule la cage de verre était éclairée.

— Vous avez un bateau qui part cette nuit, monsieur Babin ?

— Ma foi, non... Je passais... Je me suis dit comme ça...

Le regard de madame Éloi signifiait :

— Qu'est-ce qui lui prend au vieux singe ?

Elle sourit de toutes ses dents.

— C'est toujours un plaisir...

— Alors, rien de nouveau ?

Il s'était assis près du poêle à la fonte rougie. Elle avait retiré ses lunettes qu'elle ne portait jamais en public.

— Que voulez-vous dire ?

— Rien... Hum...

Et elle se demandait avec angoisse :

— Pourquoi est-il entré ici ce soir ?

Quant à Raoul Babin, qui était un personnage

assez important pour se permettre de garder partout son cigare au bec, il se disait en observant la veuve sur ses gardes :

— Est-ce que, par hasard...

Gilles Mauvoisin n'était signalé dans aucun hôtel de la ville. Chez qui pouvait-il être descendu ? Est-ce que Gérardine, comme les armateurs l'appelaient entre eux, jouait la comédie ?

— Bob va bien ?

Bob, le fils de madame Éloi, était le plus mauvais sujet de La Rochelle et sa manie c'était, quand il était ivre, d'écraser les passants avec sa voiture.

— Il va très bien... Il est à Paris pour quelques jours...

— Eh bien ! voilà...

— Voilà quoi ?

— Rien... Je suis venu vous saluer, en passant... C'est fait... Maintenant, je vous dis bonsoir... A propos... Le brai que vous m'avez livré la semaine dernière... Mais ce n'est pas la peine d'en parler... Mon chef de fabrication a dû vous écrire une lettre...

Où diable le jeune Mauvoisin pouvait-il être passé ?

Babin, lourd et lent, longea les trottoirs en mordillant son cigare. C'était l'heure désagréable à laquelle il était bien obligé de rentrer chez lui. Il avait horreur de sa maison et de sa famille. Il se mettait à table en grognant et regardait les siens avec de gros yeux réprobateurs.

Sans attendre le dessert, il passa dans son bureau et décrocha le téléphone.

— Allô !... C'est vous, Armandine ?... Oui, ici Raoul... Si par hasard vous rencontriez un long jeune homme maigre, tout en noir, avec un bonnet de loutre sur la tête... Je ne peux rien vous expliquer à l'appareil... Mais enfin... Oui, je voudrais... C'est très important... Je ne serais pas fâché si.. Vous comprenez ?... Bonsoir, mon petit... Vous êtes seule, au moins ?

Il disait cela par politesse, car il savait fort bien qu'il partageait avec deux ou trois personnes au moins les faveurs de la belle Armandine.

II

— Eh bien ! mon garçon, tu n'as pas peur, toi, de montrer ça à Jaja !

Gilles s'éveilla en sursaut et s'aperçut qu'il était nu. Il s'était couché ainsi faute de linge de nuit propre et il s'était découvert.

— Une vraie peau de poulet..., affirmait la commère en ramassant des chaussettes par terre et en les retournant d'un tournemain. Tu n'en as pas d'autres ?... Reste encore dans ton lit un moment...

Et quand elle revint, une chaussette tendue sur son poing, elle maniait de l'autre main une aiguille enfilée de laine noire.

— Ça t'ennuie de t'habiller devant moi ? Même maintenant que je t'ai vu ? Bon, je descends... Quand tu seras prêt, tu viendras déjeuner...

Elle lui fit manger deux douzaines d'huîtres et boire du vin blanc et il n'osa refuser par crainte de lui faire de la peine ou seulement de la contrarier. Pendant ce temps-là, elle l'observait avec tant d'attention que, gêné, il plongeait le regard par la fenêtre.

— Ce n'est pas un jour pour te présenter à ta famille... D'ailleurs, elle sera sans doute allée au cimetière... A midi, je fais du civet de lapin... Tu aimes le civet ?

Retrouva-t-il jamais, par la suite, des minutes comme celles-là ? Et pourtant elles n'avaient rien d'extraordinaire. Il voyait la petite place et, derrière le gros urinoir de tôle, des barques de pêche qui avaient tendu leur voile dans le crachin. La maison de Jaja sentait l'alcool et l'oignon frit. Jaja avait de gros bras d'un rose comme artificiel.

Elle était parvenue à lui rendre à ce point l'impression qu'il était un enfant que, dehors, il donna machinalement un coup de pied dans une pierre, puis se retourna vivement pour s'assurer qu'on ne l'avait pas vu faire.

Les rues étaient vides. De loin en loin, une vieille femme en noir portant un chrysanthème dans un pot, ou un maigre bouquet. Gilles ne demanda pas son chemin et il mit près d'une demi-heure à trouver la rue de l'Escale qui était toute proche. Au numéro 17, il vit la grande porte en plein cintre qu'on lui avait tant décrite, mais, alors que jadis elle était peinte en vert sombre, elle était peinte maintenant en faux bois. Une porte plus petite, aménagée dans un des panneaux, était entrouverte et il aperçut une cour, un carré de terre noire, deux ou trois plantes vertes qui s'égouttaient.

Sans penser, il s'approcha d'une des fenêtres tendues de mousseline. Il essaya de voir à travers le rideau et un assez long moment s'écoula. Soudain, il comprit que, ce qu'il prenait pour le reflet de son visage dans la vitre, c'était un autre visage qui, de l'intérieur, le fixait avec étonnement. C'était un très vieux visage, qui lui parut d'une pâleur anormale, mais il ne sut jamais si c'était un homme ou une femme et il s'éloigna, tout honteux.

Il entra à la cathédrale alors qu'une grand-messe était à moitié et il resta jusqu'au bout. Puis il regarda défiler les fidèles en se disant qu'il cherchait sa tante Éloi, mais c'était bien plutôt la jeune fille de la veille qu'il aurait voulu retrouver.

La ville l'angoissait. Il ne savait où aller, ni que faire, et il n'osait pas entrer tout seul dans un café.

On se retournait sur lui et il avait pris le parti de mettre son bonnet de loutre dans sa poche. Mais son pardessus trop long ne suffisait-il pas à attirer l'attention ?

Ce fut avec soulagement qu'à midi, et même un peu avant, il rentra chez Jaja où son couvert était dressé près de la fenêtre.

— Tu as perdu ta fourrure ?

Il la montra, dans la poche de son pardessus, et elle la retourna en tous sens.

— C'est du vrai... Je me demande s'il y en a assez pour faire un col...

Des bougies étaient allumées devant la plupart des tombes et, à chaque bouffée d'air, toutes les petites flammes s'étiraient, comme vivantes, d'un même côté, paraissaient sur le point de mourir, puis se redressaient par miracle. Sur le gravier mouillé des allées, les gens marchaient à pas plus feutrés que d'habitude, parlaient à mi-voix.

Gilles lisait les noms gravés dans la pierre et il y en avait qu'il connaissait pour les avoir entendu prononcer par ses parents : Vitaline Basse, entre autres, une amie de sa mère, dont celle-ci parlait souvent et qui était bossue.

« ... *pieusement décédée à l'âge de 32 ans* »
« *Priez pour elle* »

Gilles pensa qu'il pourrait déposer quelques fleurs sur la tombe de l'amie de sa mère, car il n'y en avait pas, ni bougies. Il avait souvent des inspirations de ce genre. Mais alors, il réfléchissait. Il fallait sortir du cimetière, demander le prix des chrysanthèmes. La marchande le regarderait avec étonnement. En revenant, il tiendrait gauchement ses fleurs. Et si quelqu'un l'apercevait, déposant son bouquet sur une tombe presque inconnue ?

Il s'arrêta devant un des plus importants monuments funéraires, un immense caveau où l'on pouvait entrer debout. La pierre était encore toute blanche et un seul nom y était gravé : *Octave Mauvoisin.*

C'était le frère de son père, celui des autocars, et c'est par l'inscription que Gilles apprit que son oncle était mort quatre mois plus tôt.

Petit à petit, une sensation d'angoisse l'étreignait, qu'il n'analysait pas. Il tournait en rond dans le cimetière comme le matin il avait tourné dans la ville quasi déserte et le nombre des morts l'écrasait. Son père et sa mère étaient morts, là-bas, et il n'y aurait pas une fleur sur leur tombe. Son oncle Mauvoisin, dont on lui avait toujours parlé comme d'un ours puissant, était mort. Vitaline Basse, la bossue, était morte. Et cette Léontine Poupier, dont on voyait le portrait de vieille fille sur un médaillon de porcelaine, au milieu d'une couronne, n'était-ce pas la servante qui avait élevé sa mère ?

Il tressaillit, s'immobilisa derrière un cyprès, car il venait, à dix mètres de lui, de reconnaître sa tante Éloi accompagnée de deux jeunes filles qui devaient être ses cousines. Une des deux, l'aînée, louchait. L'autre, une petite boulotte, avait l'air de chercher quelqu'un des yeux, peut-être son amoureux ?

On sentait que les trois femmes étaient des personnages importants. Un jardinier, qui les avait accompagnées, rangeait des pots de fleurs devant une tombe. Gérardine Éloi, sans se baisser, donnait des indications, comme dans son magasin. Puis, quand tout fut paré, elle esquissa le signe de la croix et s'éloigna, toujours suivie de ses deux filles qui marchaient un peu en arrière, et le long du chemin les gens se retournaient pour les saluer.

Pourquoi Gilles les suivait-il ? Il ne voulait pas leur parler. Il avait encore assez d'argent pour passer une nuit, peut-être deux, chez Jaja.

Comme il franchissait la grille du cimetière, quelqu'un le regarda avec tant d'insistance qu'il rougit, surtout qu'il s'agissait d'une très belle femme, enveloppée dans un manteau de fourrure.

Il allait passer. Elle parla et les genoux de Gilles en tremblèrent.

— Pardon, monsieur... Excusez-moi si je me

trompe... Mais n'êtes-vous pas un Mauvoisin, sans doute un fils de Gérard ?..

Il fit oui de la tête.

— Mon Dieu ! Voilà déjà quelques instants que je vous observe. J'étais une amie de votre oncle. Saviez-vous qu'il est mort ? J'ai un peu connu votre père, dans le temps... En vous voyant... Cette ressemblance... Comment se fait-il que vous soyez à La Rochelle ?

— Mon père et ma mère sont morts, répondit-il comme on récite une leçon.

Un parfum l'enveloppait, qui émanait du manteau de vison.

— Vous êtes descendu chez des parents ?... Chez votre tante Éloi, sans doute ?

— Pas encore... Je... j'ai passé la nuit dans un petit hôtel...

— Vous ne portez pas de chapeau par ce froid ?

Il n'osa pas avouer qu'il l'avait dans sa poche et il se balança d'une jambe sur l'autre.

— Ne m'en veuillez pas si je vous importune... Peut-être accepteriez-vous de venir prendre une tasse de thé chez moi ?... Tenez ! Voici justement un taxi... Dans deux minutes...

Des femmes comme celle-là, il lui était arrivé d'en apercevoir dans les loges de théâtre, mais il ne les avait jamais approchées. Si elle avait vraiment connu son père, elle ne devait pas avoir loin de la quarantaine. Mais c'était encore une jeune femme, d'un éclat subtil, comme assourdi, tandis que la mère de Gilles, qui avait à peu près le même âge, avait déjà renoncé à toute coquetterie.

— Ainsi, vous êtes arrivé seul à La Rochelle...

Le taxi s'emplissait déjà de son parfum et, dans un geste de condoléance, elle avait posé sa main finement gantée sur le bras du jeune homme.

— Personne pour vous attendre à la gare !... Personne pour vous recevoir !... Si je n'étais pas une femme seule, je me ferais une joie de vous offrir l'hospitalité... Il est vrai que, dès que votre tante saura que vous êtes ici... Il me semble que je l'ai aperçue tout à l'heure au cimetière... Une grande personne sèche, au visage autoritaire...

— Je sais...

— Vous la connaissez ? questionna-t-elle vivement.

Et il dut avouer :

— Je l'ai aperçue dans son magasin...

— Mais si ! Mais si ! Vous allez prendre une tasse de thé et manger quelques gâteaux... Mettez-vous à votre aise... Pensez que j'ai connu votre père alors qu'il avait votre âge... Il a beaucoup voyagé, n'est-ce pas ?

Elle avait retiré son manteau sous lequel elle portait une robe de soie très serrée, qui moulait des formes assez abondantes.

— Jeanne ! Vous servirez le thé dans le petit salon...

Il faisait doux et tiède, dans cet appartement parfumé, plein de soies et de velours, de bibelots, de choses fragiles. Le téléphone lui-même cachait ses lignes trop utilitaires sous la crinoline d'une marquise au fin visage de porcelaine. La sonnerie résonna.

— Allô... Mais oui, mon ami... Oui... Oui...

Elle souriait, heureuse, en répondant, et son regard détaillait Gilles Mauvoisin.

— Mais oui... Si vous voulez... A tout de suite...

Et elle appela à nouveau la femme de chambre.

— Un couvert de plus, Jeanne...

Elle expliqua à Gilles :

— Un de mes amis... Un ami de votre oncle, lui aussi, qui va passer me voir... Mais non ! Je ne vous laisse pas partir... Il sera trop heureux de faire votre connaissance...

Déjà on entendait une auto s'arrêter dans la rue. Gilles remarqua avec un certain étonnement que l'ami annoncé entrait avec une clef. Il frappa, en habitué, à la porte du boudoir.

— Entrez, ami... Je vous ai réservé une surprise... Devinez qui j'ai le plaisir de vous présenter ?

Raoul Babin regarda un moment Gilles et secoua la tête.

— Mauvoisin !... Un neveu d'Octave Mauvoisin !... Le fils de Gérard... Vous voyez que j'ai meilleure mémoire des physionomies que vous... J'étais allée au cimetière sur la tombe de ce pauvre ami...

Sourcils froncés, Babin, qui avait tendu la main, questionnait :

— Vous seriez Gilles Mauvoisin ?

— Oui, monsieur...

— Mais alors...

Il jouait toute une comédie, se tournait vers la jeune femme, posait la main sur l'épaule du jeune homme.

— Voyons, mon jeune ami... Quand êtes-vous arrivé à La Rochelle ?

— Hier... Je suis venu à bord d'un bateau norvégien, le *Flint...*

— Je le connais d'autant mieux qu'il est en train de débarquer de la rogue de morue que j'ai commandée à Trondjhem... Solemdal est un vieux camarade... Ce que je me demande, c'est comment vous avez su... Vous n'avez pas encore vu le notaire ?

— Quel notaire ?

— Vous n'allez pas prétendre que vous n'êtes au courant de rien ?

La plus étonnée, à la même heure, c'était encore Jaja qui somnolait près du poêle, un chat roux sur les genoux. Elle avait vaguement vu une grosse auto s'arrêter sur la place et deux hommes en descendre. Elle n'avait pas pu penser que c'était pour elle et elle avait écarquillé les yeux en reconnaissant un des deux personnages qui tournait le bouton de sa porte.

— Qu'est-ce qu'il vient faire ici, celui-là ? grommela-t-elle en repoussant le chat pour se lever. Alors quoi, monsieur Plantel, on vient boire un verre chez la mère Jaja, maintenant ?

Le visiteur, qu'accompagnait le capitaine Solemdal, n'était autre, en effet qu'Edgard Plantel en personne, l'armateur de la maison Basse et Plantel, les cheveux d'argent bien lissés sur les tempes, le visage rose, un jonc à pomme d'or à la main.

— Dites-moi, Jaja... Il paraît que vous avez ici un jeune homme qui a débarqué hier...

— C'est bien possible...

— Il est dans la maison ?

Et monsieur Plantel restait debout, l'air si grand seigneur dans sa somptueuse pelisse que la pièce semblait trop petite pour lui.

— Qu'est-ce que vous lui voulez, à mon garçon ?

— Il est sorti ? Vous ne savez pas où il est allé ?

— Je ne m'occupe pas de ce qui ne me regarde pas... Est-ce qu'il est de votre famille ?... Parce que, si c'est ainsi, il ne paraît pas pressé d'aller vous voir...

Plantel hésita. Il faillit s'asseoir avec Solemdal dans un coin de la pièce et attendre. Mais des pêcheurs pouvaient entrer d'un moment à l'autre, des marins de ses bateaux. Il fit signe à Solemdal et tous deux s'installèrent dans la voiture. Le chauffeur se retourna sur son siège, attendant un ordre.

— Nous restons ici...

Depuis la veille au soir, depuis que Solemdal, qui avait dîné dans l'hôtel particulier de Plantel, avait parlé à celui-ci, par hasard, de son passager, on cherchait Gilles partout. Une fois de plus, tous les hôtels de la ville avaient reçu un coup de téléphone.

C'est par hasard, à midi, qu'un matelot du *Flint* avait aperçu Gilles chez Jaja et en avait parlé à son capitaine.

— Je me demande s'il est déjà allé chez Gérardine...

Armandine venait d'allumer les lampes et l'atmosphère était plus moelleuse encore dans son boudoir.

— Alors, mon jeune ami... Vous permettez que je vous appelle ainsi, car je pourrais être votre père... Alors, dis-je, vous n'avez reçu aucune communication, aucun avis... Vous n'avez pas lu non plus les annonces qui ont paru dans les journaux du monde entier, ou presque... Je me demande... Écoutez, il ne m'appartient pas de vous en dire davantage... Ne m'en veuillez pas de vous intriguer de la sorte, mais vous comprendrez tout à l'heure... Voulez-vous, amie, téléphoner pour savoir si maître Hervineau est chez lui ?... On répond ?... Passez-le moi...

« — Allô !... C'est vous, Hervineau ?... Je vous dérange ?... La goutte ?... Tant mieux... Mais non ! Je dis tant mieux parce que cela me vaut de vous trouver chez vous un jour de Toussaint... Figurez-vous que j'ai ici... Non, je ne suis pas chez moi... J'ai ici, dis-je, un jeune homme qui s'appelle Gilles Mauvoisin... Parfaitement... Absolument sûr... C'est bien ce que je pensais... Nous sommes chez vous dans quelques minutes... »

— Vous lui laisserez bien finir sa tasse de thé ? intervint Armandine, comme Raoul Babin endossait son lourd pardessus.

— Hervineau nous attend... Si vous pouviez vous douter de la nouvelle que ce jeune homme va apprendre de la bouche de cet estimable notaire !... Venez, mon ami... Et souvenez-vous que notre amie, ici présente, a été la première à vous accueillir dans cette ville...

Il ne put deviner que Gilles répliquait mentalement :

— Pas vrai ! C'est Jaja...

Et, sans savoir pourquoi, il se souvenait avec attendrissement des chaussettes qu'elle avait ravaudées, près de son lit.

— J'ai ma voiture à la porte... Hervineau habite rue Gargoulleau...

La nuit était tombée. Comme la pluie avait cessé, la foule du dimanche se promenait lentement dans les rues. On pénétra dans une cour obscure au fond de laquelle se dressait un vieil hôtel particulier.

Les visiteurs étaient attendus, car un domestique les introduisit aussitôt dans une bibliothèque où, à leur entrée, quelqu'un fit mine de se lever.

— Ne vous dérangez pas... Laissez votre jambe tranquille... Monsieur Mauvoisin, j'ai le plaisir de vous présenter maître Hervineau, le notaire de feu votre oncle...

C'était un vieillard tout en grisaille, vêtu d'une robe de chambre de ton neutre, et il remit en soupirant sa jambe gauche sur un tabouret.

— Asseyez-vous, monsieur Mauvoisin... J'ai eu assez de mal à vous retrouver...

— Pardon... C'est moi qui l'ai retrouvé...

— Mais enfin, comment se fait-il ?...

— Son père et sa mère sont morts... Un accident, là-bas, à Trondjhem... Alors ce jeune homme est arrivé ici et...

— Vous l'avez mis au courant ?

— Pas encore...

Gilles eut l'impression qu'ils échangeaient un clin d'œil. Puis Hervineau murmura :

— Nous ne ferions pas mieux d'avertir Plantel ?

— Si vous voulez... Maintenant que *ça y est...*

Le notaire attira à lui l'appareil téléphonique, parut étonné par ce qu'on lui répondait.

Ensuite les deux hommes parlèrent à mi-voix tandis que Gilles restait timidement assis au bord d'un fauteuil. Il devina :

— Où ?...

— Dans un petit café du port, avec Solemdal...

Babin étouffa un rire.

— Qu'est-ce qu'on fait ?

— Vous pourriez peut-être envoyer quelqu'un lui dire ?

Le valet de chambre fut appelé. Gilles avait chaud. La tête lui tournait un peu. Il refusa un cigare que lui offrait Babin.

— Merci, je ne fume pas...

— Un verre de porto ?

— Je n'ai pas l'habitude de boire...

Il y avait dans tout cela quelque chose d'équivoque, mais Gilles était trop troublé pour démêler ses propres impressions. Certes, on s'occupait beaucoup de lui, mais en dehors de lui, en quelque sorte. On le traitait avec égards et en même temps on le considérait comme quantité négligeable.

— Étant donné les fêtes de la Toussaint, l'ouverture officielle du testament ne pourra avoir lieu que dans deux jours, reprit maître Hervineau. En attendant, monsieur Mauvoisin, je puis vous annoncer que vous êtes le légataire universel de votre oncle. Voilà quatre mois que nous vous cherchons un peu partout...

Gilles entendait les mots nettement, voire avec une netteté anormale, mais c'est à peine s'il réalisait leur sens. C'est pourquoi les deux hommes qui guettaient ses réactions s'étonnèrent de ne lui voir marquer aucune surprise, aucune joie. Peut-être le crurent-ils idiot ?

— Votre oncle n'était pas seulement à la tête des Cars Mauvoisin, mais il avait des intérêts dans la plupart des grosses affaires de La Rochelle et de la région...

Le valet de chambre, qui avait terminé sa mission, introduisait Edgard Plantel et le capitaine Solemdal. Plantel était un peu pâle. Il toucha la main de Babin en murmurant :

— Félicitations...

— Il n'y a pas de quoi...

Solemdal, lui, contemplait avec étonnement, voire avec un certain respect, ce passager clandestin qui devenait d'une heure à l'autre un des plus importants personnages de La Rochelle.

— Monsieur Mauvoisin, ayant appris que vous étiez dans notre ville et que vous étiez descendu dans un restaurant du port, je m'étais fait un devoir... Croyez que je suis très heureux de vous rencontrer et...

Pourquoi Gilles se tourna-t-il vers le notaire toujours enfoui dans son fauteuil ? Le visage de maître Hervineau était mal éclairé et c'est peut-être à cause de cela que Gilles crut y voir un rictus qui lui fit peur.

— Asseyez-vous, messieurs, je vous en prie ! cria le notaire d'une voix grinçante. Il est très désagréable, quand on est cloué dans son fauteuil par la goutte, de voir des gens debout autour de soi... Qu'est-ce que je vous fais servir ?... Whisky ?... Porto ?... Babin !... Vous êtes à côté du bouton... Sonnez le maître d'hôtel, voulez-vous ?...

III

Au premier moment, il crut qu'il était à bord et cette pensée lui donna une courte joie. Ce mouvement de gauche à droite, cette élévation lente suivie d'une chute plus brutale... Et jusqu'à ce bruit d'eau qui coule... Cela rappelait les jours de forte houle, quand Gilles, malade, restait couché dans son étroite cabine ripolinée et que le bon capitaine Solemdal lui donnait des soins attendris et malicieux de nourrice...

Mais non ! Il avait débarqué du *Flint.* Il savait fort bien, maintenant, où il était : dans un hôtel particulier de la rue Réaumur, la rue la plus aristocratique de La Rochelle. Il ne pouvait deviner l'heure, car aucune lumière ne filtrait des persiennes hermétiques. En tout cas, il y avait des gens levés dans la maison, en dessous de Gilles. Un robinet coulait. Une femme et un homme parlaient. Chaque syllabe arrivait comme un coup de canon dans sa tête endolorie, mais c'était confus, si étrange qu'un moment il ne fut attentif qu'à cette canonnade :

— Boum boum boum... boum boum... boum...

Tiens ! Un bruit de tasses heurtées et de casseroles. Cela devait être dans la cuisine qu'on parlait. Quel dîner, mon Dieu ! Et pourquoi chacun s'était-il évertué à le faire boire ? Est-ce que cela lui faisait plaisir, à lui ? Non ! Alors, pourquoi lui tendre sans cesse des verres pleins, d'abord du porto, chez cet horrible notaire pâle et grinçant... Hervineau... Qu'avait-il encore dit quand Gilles était parti ?

— *Je vous souhaite bien du plaisir, jeune homme !...*

Après ?... Sur cette période, Gilles avait encore des idées assez nettes... On était venu tout de suite rue Réaumur... Il y avait de fort belles gravures sur les murs de l'escalier, des gravures qui représentaient le port de La Rochelle à toutes les époques...

— Mon fils vous les montrera..., avait dit monsieur Plantel. C'est Jean qui les collectionne. Il s'y connaît beaucoup en gravures et en tableaux...

Encore un maître d'hôtel, un petit gros aux

cheveux très noirs ramenés sur un crâne poli. Pourquoi Gilles le revoyait-il plus large que long, comme dans une glace déformante :

— Si monsieur Jean est à la maison, vous lui direz de descendre...

Et alors, le rythme s'était accéléré. Combien Gilles regrettait le moment où il était encore seul devant la grille du cimetière ! Il revoyait la marchande de bougies qui avait planté une table sur le trottoir, le tailleur de pierres qui vendait des pots de chrysanthèmes, un vieux mendiant assis par terre et montrant le moignon de sa jambe...

Un grand fumoir, des bûches dans l'âtre. De vastes fauteuils de cuir et une odeur de bois brûlé, de cigare, de liqueurs.

— Asseyez-vous, mon ami...

Pourquoi était-ce Plantel qui, maintenant, l'avait pris en main ? Était-il un personnage plus important que Babin ? Celui-ci avait suivi, mais sa contenance était plus modeste.

— Allô !... C'est vous, Gérardine ?... Venez donc dîner ce soir à la maison... Oui, sans cérémonie... Je vous promets une heureuse surprise... Mais oui... Bob est à Paris ?... Tant pis...

Il avait encore fallu boire. Plantel préparait lui-même, avec des gestes précieux de ses mains soignées, les cocktails dans un gobelet d'argent.

— Allons donc ! Cela n'a jamais fait de mal à personne. A dix-neuf ans !... Entre, Jean... Je te présente notre ami Mauvoisin, Gilles Mauvoisin, le neveu d'Octave...

Tant pis pour eux! A cause de toutes ces boissons, Gilles ne les voyait plus que comme des caricatures. Jean Plantel, qui devait avoir vingt-cinq ans, était long, maigre, le cheveu rare et blond et il faisait penser à une sauterelle. Il frottait d'ailleurs sans cesse ses mains sèches et craquantes comme les sauterelles se frottent les pattes de devant.

— A votre santé, Mauvoisin...

La tante enfin, Gérardine Éloi, qui faisait autant de bruit et remuait autant d'air à elle seule que tous les autres réunis.

— Ainsi, ma pauvre sœur...

Car on avait un peu oublié les deux morts de Trondjhem, le père et la mère de Gilles.

— Comment cela a-t-il pu arriver?

Et lui, qui avait trop chaud et qui était cramoisi, les yeux luisants, de répondre simplement :

— C'est le poêle...

Madame Plantel attendait dans la salle à manger, une vieille personne très digne qui portait des mitaines, sans doute parce qu'elle avait des taches sur la peau. Elle fut la seule à ne pas ouvrir la bouche.

— Il faudra, disait la tante Éloi, que nous l'installions à la maison. Je vais téléphoner à mes filles...

— Mais non... Cette nuit, il couchera ici, dans

une des chambres d'amis... N'oubliez pas, Gérardine, qu'ensuite, selon le testament, il doit habiter la maison du quai des Ursulines...

— Avec cette femme ?

— Vous le savez bien...

— Et Bob qui est à Paris !... Bob qui aurait été si heureux de l'aider...

— Jean est ici...

On ne lui demandait rien, à lui. On disposait de sa personne. On faisait des plans, des allusions à des choses qu'il ne connaissait pas et qu'on ne se donnait pas la peine de lui expliquer. Par contre, on remplissait sans cesse son verre.

Il le renversa, en se servant du poisson, se troubla, fut tellement confus qu'il resta un bon quart d'heure sans rien voir, sans même savoir qu'il mangeait et buvait.

— Boum boum boum... boum boum boum...

Une sonnerie. Un brouhaha dans la cuisine. Des pas dans le couloir et des heurts de porcelaine. On devait porter, dans une des chambres, le plateau du petit déjeuner. Quelqu'un, deux ou trois chambres plus loin, faisait couler un bain. Est-ce qu'il était tard ?

Gilles avait la tête douloureuse, tantôt à droite, tantôt à gauche, comme si une matière instable fût passée d'un bord à l'autre. Il devait y avoir une carafe d'eau quelque part, mais il tendit le bras sans rien rencontrer que le mur. Alors, du bout des lèvres, il balbutia :

— Papa...

Il avait envie de pleurer, se découvrait plus sensible qu'il ne l'avait jamais été. Et, chose étrange, c'était son père qu'il évoquait. Pourquoi pas sa mère ? C'était injuste, il s'en rendait compte. C'était sa mère qui l'avait élevé dans des conditions si pénibles, dans des chambres d'hôtel inconfortables. Elle était souvent triste, inquiète.

Son père, lui, affectait toujours une étrange bonne humeur, un détachement tragique.

— Nous avons mangé ce matin, n'est-ce pas ? Nous mangerons ce soir... Qu'est-ce que nous pouvons demander de plus ?...

Le soir, dans son habit de prestidigitateur, avec ses longues moustaches teintes... Lui qui avait tant espéré devenir un grand musicien !

Gilles eut l'impression que quelqu'un, en pantoufles, marchait dans le corridor et écoutait à sa porte, mais il ne bougea pas.

Il ne les considérait pas encore, tous, tant qu'ils étaient, y compris la tante Gérardine, comme des ennemis, mais il avait remarqué certains détails. Est-ce qu'il se les exagérait à cause de son ivresse ?

Leur façon de se regarder, après le dîner, dans le fumoir où on servait encore à boire... Ils étaient comme des complices qui se méfient les uns des autres, mais qui n'en sont pas moins d'accord et qui surveillent leur proie... La tante Éloi avait de grandes dents et, quand elle souriait — elle souriait tout le temps, sans raison, peut-être parce qu'autrement son visage était terriblement dur? — quand elle souriait, elle avait toujours l'air de mordre dans le vide...

Babin fixait Plantel avec un calme cynique, comme pour lui dire :

— Vous avez beau être le grand Plantel, de la maison Basse et Plantel, je vous ai eu, moi, Raoul Babin...

Il avait refusé les havanes de son hôte pour fumer un cigare très noir qu'il tira de sa poche. Gérardine fumait une cigarette. Plantel avait dit à son fils :

— Il faudra que, dès demain matin, vous vous occupiez de notre ami Gilles...

Car il y avait encore ça : il était mal habillé. Il leur faisait honte, avec son complet de cheviotte noire qui n'avait pas été coupé pour lui et qui était presque aussi long qu'une redingote ! Et sa gêne, quand le maître d'hôtel à large gueule lui passait des plats inconnus ! Ils avaient remarqué tout ça ! Ils l'épiaient ! Leurs yeux riaient ! Ils échangeaient de silencieuses plaisanteries !

On allait l'habiller, voilà ! On ne lui demandait pas son avis ! Puis on le conduirait dans la maison du quai des Ursulines. On ne se donnait pas la peine de lui apprendre quelle était cette tante avec laquelle il était obligé de vivre désormais, aux termes du testament.

Plantel, à certain moment, l'avait pris à part dans un coin du fumoir. Gilles n'était déjà plus très bien. La tête lui tournait. Il se souvenait néanmoins des détails.

— Dites-moi, mon ami, comment se fait-il que vous soyez allé chez cette Armandine que vous ne connaissez pas ?

Gilles n'avait jamais menti de sa vie.

— C'est elle qui m'a reconnu, à la sortie du cimetière...

— Comment peut-elle vous avoir reconnu, puisqu'elle ne vous avait jamais vu ?

— A cause de mon père et de mon oncle...

— D'abord, elle n'a pas connu votre père, car elle n'est pas de La Rochelle, où elle n'est arrivée que voilà cinq ou six ans... Quant à votre oncle, je vous montrerai sa photographie... Vous ne lui ressemblez pas du tout... Néanmoins, je comprends... Je vous expliquerai tout par la suite... Voyez-vous, mon jeune ami, il faudra vous méfier de Babin et, en général, de toutes les personnes qui...

Pendant ce temps-là, Babin les observait de loin, comme s'il comprenait parfaitement.

— Je crois, monsieur, que je ferais mieux de retourner ce soir à mon hôtel où j'ai laissé mes affaires...

Il avait envie de revoir Jaja, de regagner sa petite chambre.

— Vos bagages sont ici... Je les ai fait prendre par un domestique...

Il y avait des tableaux aux murs, d'énormes personnages en costumes anciens, et l'un d'eux, une sorte de mousquetaire, suivait Gilles du regard, où qu'il allât. Cela devenait une obsession.

— Buvez une gorgée de cette vieille fine qui vous remontera et demain...

Gilles était si angoissé à l'idée de dormir dans cette maison étrangère, où il croyait sentir une hostilité ricanante tapie dans tous les coins, qu'il vida le verre.

Alors, soudain, ses yeux s'agrandirent. Il comprit que c'était la catastrophe. Son estomac se soulevait. Il n'avait pas le temps de sortir de la pièce.

Et c'est là, sur un magnifique tapis persan, qu'il vomit brusquement, en même temps que des sanglots lui serraient la gorge.

— Vous n'auriez pas dû le faire boire, Plantel ! soupira Gérardine. Le pauvre garçon !...

Des larmes plein les yeux, Gilles voyait trouble. On le tenait aux épaules.

— Un verre d'eau, Jean...

— Mais non... Un peu d'ammoniaque...

— Pardon... Je vous demande pardon...

— Babin... Sonnez Patrice, voulez-vous ?...

Gilles se souvenait encore du nom du maître d'hôtel à la tête trop large.

— Si Monsieur veut se donner la peine de me suivre...

— On peut entrer ?

La tête vide et encore endolorie, Gilles venait de s'habiller. Le fils Plantel, chargé de s'occuper de lui ce jour-là, fut surpris, dès la porte, par son regard calme, indifférent.

— Vous avez bien dormi ?... Pourquoi n'avez-vous pas sonné pour votre petit déjeuner ?

— Je n'ai pas faim...

— Mon père a dû se rendre au port et s'excuse... Je me suis renseigné par téléphone... Il y a quelques magasins ouverts, bien que ce soit le Jour des Morts... Plus tard, il faudra que nous allions à Bordeaux ou à Paris pour vous habiller, car ici on ne trouve rien de bien... Votre tante nous attend tous les deux à déjeuner... Vous ferez la connaissance de vos cousines...

— Et mon autre tante ? questionna-t-il froidement.

— Laquelle ?

— Celle avec laquelle je vais vivre...

— Colette ?... Ne vous inquiétez pas de celle-là... Vous n'aurez pas beaucoup l'occasion de la voir et cela vaudra mieux pour vous... C'est la veuve de votre oncle Mauvoisin... Je vous raconterai un jour en détail... Il y a déjà des années qu'elle n'avait plus aucun rapport avec votre oncle... Ils vivaient dans la même maison sans s'adresser la parole... Sa conduite... Enfin!... Toujours est-il que, si elle ne continuait pas à habiter le quai des Ursulines, sa rente lui serait supprimée...

— Elle l'a trompé ?

— Un peu ! ricana Jean Plantel. Nous sortons, voulez-vous ? Ce n'est pas la peine de prendre la voiture...

De cette journée, Gilles devait conserver moins de souvenirs que de la veille, mais un de ces souvenirs au moins fut marquant.

Ils étaient, Jean Plantel et lui, dans un étroit magasin, sur une petite place appelée place de la Caille. Il y avait un horloger, à droite, un pharmacien en face, mais la pharmacie était fermée.

Le magasin était une chemiserie où l'on vendait aussi quelques vêtements anglais.

Jean Plantel, très à son aise, choisissait et, comme on ne trouvait pas de pardessus noir, il affirmait :

— Il n'est pas nécessaire d'être en grand deuil, puisque les gens d'ici ne savent pas... Ce raglan gris sombre vous va bien... Essayez-le avec ce chapeau bordé...

Gilles se sentait ridicule. Il était très pâle, ce matin-là. Ses paupières étaient un peu rouges. Son rhume n'était pas guéri et il en avait le nez luisant.

Il se voyait dans le miroir glauque, long et maigre, les bras ballants, écrasé par le large raglan comme par un éteignoir.

A ce moment, il leva les yeux. Au premier étage d'une maison d'en face, il surprit deux jeunes filles qui riaient. Elles étaient dans un bureau sur les vitres duquel on lisait le mot « *Publex* ».

Gilles s'immobilisa car, dans une des deux jeunes filles qui se moquaient de lui, il avait reconnu l'inconnue du quai.

— En attendant qu'on lui fasse un complet possible, vous aurez peut-être des pantalons de flanelle ! Il faudrait aussi une douzaine de chemises, des pyjamas, des gants, des cravates...

— Je vais vous montrer tout ça, monsieur Plantel...

Et, dans une loge qui s'ouvrait au fond du magasin, Gilles fut transformé des pieds à la tête. Il ne protesta pas. Il se laissa faire avec une morne indifférence.

Mais il n'oublierait pas ! Il n'oublierait rien ! Jean Plantel, étonné de sa docilité, s'était d'abord dit :

— C'est décidément un doux imbécile...

Chez sa tante Éloi, on avait cru, en son honneur, devoir préparer un dîner somptueux. Il traversa les magasins dont il aima l'odeur, surtout celle du goudron. Dans l'escalier en colimaçon où pendaient des ustensiles de marine, il entendit une voix affairée de jeune fille :

— Vite, Louise !... Le voilà !...

Sa tante ne cessait pas de sourire de toutes ses dents et l'appelait « mon petit Gilles ».

— Vous allez voir vos cousines... Mon Dieu, comme c'est dommage que Bob soit justement à Paris !... Je suis sûre que Bob et vous...

C'était moins prestigieux que dans les maisons où Gilles avait été reçu la veille, plus bourgeois, plus sombre, plus feutré.

Les deux cousines s'étaient endimanchées, celle qui louchait, en bleu, l'autre en rose fondant. Il y avait un piano à queue dans le salon.

— Merci, tante. Je ne boirai pas...

— Il ne faut pas vous frapper à cause de ce qui est arrivé hier. Il est naturel qu'après ce que vous avez souffert...

Il ne mangea pas de homard. Il répondit poliment aux questions, sans un mot de trop.

Par contre, il posa à son tour une question qui les surprit tous :

— Quand verrai-je ma tante Colette ?

— Mais j'espère, s'écria Gérardine Éloi, que vous ne verrez pas cette femme, je veux dire que vous n'aurez aucun rapport avec elle. C'est bien assez que ce testament stupide vous oblige à vivre sous le même toit et...

— Elle est du même âge que mon oncle ?

— Elle a vingt ans de moins. Quand il l'a

épousée, elle était ouvreuse au cinéma *Olympia*... N'est-ce pas, Jean, que cette fille ne mérite pas que...

Toujours est-il que, quand il rentra rue Réaumur, Jean Plantel avait changé d'avis sur le compte de Gilles et qu'il déclara à son père :

— Il faudra faire attention... C'est un sournois... Je l'ai étudié toute la journée et je sais ce que je dis...

La réunion eut lieu le lendemain de la Fête des Morts, à dix heures du matin, dans le bureau du notaire Hervineau.

Celui-ci, malgré sa goutte, présidait, avec, près de lui, un clerc qui sentait très mauvais. Raoul Babin était là, une chaîne de montre barrant son gros ventre, un cigare aux lèvres, selon son habitude.

En harnois des grands jours, Gérardine Éloi affectait une allure discrète tandis que Plantel, par ses attitudes, semblait prendre Gilles sous sa protection.

Il y avait un autre personnage, grand, mou, aux yeux chassieux, que tous appelaient Monsieur le ministre, car il l'avait été jadis pendant quelques jours et il occupait encore un siège de sénateur. Son nom était Penoux-Rataud.

— Messieurs, je vais donc procéder à l'ouverture officielle du testament de...

Le fit-il exprès ? Il lut si vite et si mal, en butant sur des syllabes, en en avalant d'autres, que Gilles ne comprit à peu près rien de ce fatras juridique.

— Je résume donc en quelques mots, monsieur Gilles Mauvoisin hérite de tous les biens meubles et immeubles de feu Octave Mauvoisin, sous quelques conditions, comme d'habiter la maison du quai des Ursulines et d'y tolérer la présence de madame veuve Mauvoisin. Tant que celle-ci vivra dans l'immeuble, mais à cette condition expresse, je suis chargé, en temps qu'exécuteur testamentaire, de lui verser une pension de douze mille francs par an, les frais de son entretien étant assurés par monsieur Gilles Mauvoisin...

« Jusqu'à sa majorité légale, celui-ci aura pour tuteur monsieur Plantel et pour subrogé tuteur sa tante madame Éloi...

« D'autres clauses du testament sont de moindre importance et feront l'objet... »

Le bureau du notaire était mal éclairé car, comme il était situé au rez-de-chaussée de l'immeuble de la rue Gargoulleau, on avait garni les fenêtres d'épais vitraux verts.

— Je dois maintenant, en votre présence à tous — et c'est pourquoi, monsieur le ministre, je me suis permis de vous convoquer à mon étude — je dois, dis-je, remettre à monsieur Gilles Mauvoisin un pli cacheté qu'il est tenu d'ouvrir devant vous. Ce pli que voici...

Il sortit de son tiroir une petite boîte scellée de cire rouge.

— Ce pli contient la clef du coffre-fort particulier que monsieur Mauvoisin a fait installer dans sa chambre à coucher. Ses instructions, à cet égard, sont précises, encore que quelque peu étranges. Je ne possède en effet pas le secret de la combinaison du coffre et ce secret ne serait inscrit nulle part. Or, la volonté du défunt est formelle : la serrure ne pourra en aucun cas être forcée.

« Ce qui revient à dire que le coffre ne sera ouvert par monsieur Gilles Mauvoisin que le jour où celui-ci, par un moyen quelconque, aura découvert la combinaison.

« Enfin, messieurs, je vous signale qu'un double de cette clef est déposé dans un coffre de la Banque de France. Je vais vous demander quelques signatures et, dès cet après-midi, je m'occuperai des formalités qui... »

Quand Gilles se retrouva dehors — c'était jour de marché et la rue Gargoulleau était animée — il avait dans sa poche une petite clef plate qui, d'après ce qu'on lui avait annoncé, ne lui servirait à rien.

— J'espère, monsieur le ministre, que vous accepterez de déjeuner avec nous ainsi que notre amie Gérardine...

Cela fit assez retour d'enterrement. Babin s'était excusé. Le ministre au ventre mou parlait peu et avait des yeux larmoyants.

— Je vous félicite, jeune homme, de ce... de cette... et j'espère que vous vous montrerez digne de la confiance que votre oncle, *qui était notre ami à tous,* vous a témoignée en...

C'était à leur tour d'être gênés devant ce jeune homme qui les regardait l'un après l'autre, tourmenté par son rhume de cerveau, mais dont il était impossible de deviner les pensées.

La vérité, c'est qu'il pensait à la jeune fille du quai, à ces deux êtres rivés l'un à l'autre, dans le soir qui tombait, dans la brume jaunâtre, et qui prolongeaient leur baiser jusqu'à extinction de souffle.

Il savait désormais où elle travaillait.

Mais elle s'était moquée, avec une amie, de son nouveau pardessus et de son nouveau chapeau.

IV

Ils marchaient le long du quai, sa tante Éloi et lui, dans le soir qui tombait, pointillé de lumières pâles. Et l'agitation de Gérardine ressemblait à celle d'une maman qui, pour la première fois, conduit son fils à l'école. Depuis midi, elle ne tenait pas en place. Elle avait envoyé les deux servantes, avec ses filles, dans la maison du quai des Ursulines. Après quoi, d'heure en heure, elle se souvenait d'un détail, téléphonait à un fournisseur, ou envoyait en course le garçon de magasin.

— Cela aurait été tellement plus simple, mon pauvre Gilles, que vous viviez avec nous !

On franchit un canal qui débouchait dans le bassin. Un quai paisible s'amorçait, très large, aux petits pavés ronds, et des dizaines de barriques étaient alignées devant un marchand de vins en gros.

C'était le quai des Ursulines, où Gilles allait habiter désormais. Ces masses sombres dans le clair-obscur, c'étaient les Cars Mauvoisin, qu'on appelait aussi les Cars Verts, et qui s'acheminaient les uns après les autres vers toutes les campagnes de la région.

Des gens stationnaient, chargés de paquets ou de paniers. On entassait les colis sur le toit des voitures. Tout se passait dans une étrange pénombre, car le quai n'était pas éclairé et on distinguait à peine les ampoules jaunâtres des autocars ; on voyait davantage leur feu rouge arrière qui, de loin, faisait penser au reflet d'un monstrueux cigare.

Le temps était humide et froid ; tante Éloi crut que cette agitation dans l'obscurité gluante impressionnait péniblement Gilles.

— Vous n'aurez guère à vous occuper des cars... L'affaire marche pour ainsi dire seule... Il y a un gérant, une sorte de brute... C'est ce qu'il faut pour mener ces gens-là...

Un énorme bâtiment en bordure du quai. C'était une ancienne église. La porte en était large ouverte et l'intérieur servait de gare aux cars Mauvoisin. Des guichets, à droite, dans des cloisons vitrées. Un homme entre deux âges, aux manches de lustrine, aux épais sourcils qui cachaient de bons yeux craintifs.

Partout des caisses, des tonneaux, des instruments agricoles rangés près des piliers de l'ancienne église, selon les destinations, des moteurs qu'on essayait de mettre en marche, deux lampes seulement, à la lumière crue, sans abat-jour, pendant de la voûte jadis sacrée, de la fumée, une odeur d'essence et enfin un homme court sur pattes, le gérant dont madame Eloi avait parlé, le bras gauche remplacé par un bras artificiel que terminait un froid crochet de fer.

— Il vaut mieux que ce soit Plantel qui vienne vous présenter. Allons à la maison...

Était-ce l'ancienne cure ? Tout de suite après l'église transformée en gare d'autocars, on retombait dans l'obscurité complète. Une grille clôturait une cour pavée et la maison, très ancienne, avait deux ailes.

— Si Mauvoisin l'a achetée, c'est parce qu'elle appartenait à un comte chez qui il a débuté...

— Comme quoi ? questionna-t-il.

— Comme chauffeur... Il y aura assez de mauvaises langues pour vous le rappeler...

On voyait des lumières aux fenêtres du second

étage, mais très tamisées. Gérardine déclencha une sonnette grêle comme une sonnette de couvent et on fut longtemps sans venir ouvrir. Enfin une petite vieille entrouvrit la porte et, sans mot dire, attendit.

Elle ne salua ni Gilles, ni Gérardine. Celle-ci tourna elle-même le commutateur électrique dans le corridor, tandis que la vieille, après avoir refermé la porte, s'éloignait.

— Quand Bob reviendra de Paris, il s'occupera avec vous de mettre la maison en état... Il a beaucoup de goût... Mauvoisin ne vivait pas comme les autres...

Elle ouvrit quelques portes. D'immenses pièces n'avaient pas été chauffées depuis longtemps et sentaient l'humidité. Mauvoisin avait acheté la maison toute meublée et il ne s'était pas donné la peine de changer de place un bibelot ou un tableau.

Le salon aurait pu servir de salle de danse, avec ses fauteuils dorés rangés le long des murs et son lustre de cristal qui tintait lorsqu'on marchait.

— Tout est à refaire..., soupirait Gérardine. Montons...

C'était, au premier étage aussi, un fouillis, un bric-à-brac. Qu'importait à Octave Mauvoisin, puisqu'il ne vivait qu'au second étage ?

— Vous êtes là, mes enfants ?

Louise se montra au-dessus des marches, un fichu sur les cheveux, car les deux filles Éloi avaient aidé les domestiques amenées de chez elles à nettoyer quelques pièces.

Encore un moment et Gilles serait seul enfin ! Il en avait les doigts qui frémissaient. Il était pris comme de vertige. Il n'écoutait rien.

N'était-ce pas étrange que Mauvoisin, le riche Mauvoisin, comme on appelait le propriétaire des cars, eût reconstitué dans cet hôtel particulier un appartement de petites gens ? On prétendait qu'il avait apporté les meubles de ses parents. La salle à manger avait une table ronde, un buffet Henri III, des chaises recouvertes de cuir à gros clous de cuivre.

En femme habituée à inspecter, madame Éloi s'assurait que tout était en ordre, qu'on avait bien mis dans les vases les fleurs qu'elle avait fait porter.

— C'est fini, mes enfants ? Voyons la chambre...

C'était celle de l'oncle. Elle avait été auparavant la chambre de ses parents, à Nieul-sur-Mer. Un lit paysan en acajou. Un fauteuil fatigué. Au mur, deux portraits dans des cadres ovales, un vieux et une vieille à bonnet, et Gilles était surpris de voir que son grand-père était court, puissant, avec une mâchoire formidable d'homme des bois.

— Il va falloir, mon pauvre Gilles, que nous...

Elle n'achevait pas sa phrase, se tamponnait les yeux de son mouchoir, comme si elle abandonnait son neveu à des dangers terribles.

— Allons, mes enfants... Demain matin, je viendrai voir comment les choses se sont passées.

Un baiser en coup de bec sur les deux joues de Gilles.

Il était seul enfin, dans une maison qui était désormais la sienne !

Il était seul, la gorge un peu serrée, et il n'y avait pour le rassurer que le bruit banal, dans la salle à manger proche, des assiettes et des couverts qu'on entrechoquait en dressant la table.

En écartant le rideau de velours sombre, Gilles apercevait le quai obscur, quelques becs de gaz, une buée plus lumineuse vers le centre de la ville et enfin, tout près, au bout de l'aile gauche de la maison, au même étage que lui, une fenêtre faiblement éclairée. C'était là que se tenait sa tante qu'il n'avait pas encore vue.

Il ne savait pas l'heure. Il ne pensa pas à regarder sa montre. La chambre de son oncle l'impressionnait. N'était-ce pas curieux que personne ne lui eût montré un portrait de cet oncle ? Il ne savait comment imaginer Octave Mauvoisin. Était-il grand et un peu mélancolique comme le père de Gilles ? Ressemblait-il, au contraire, au vieillard solide dont la photographie se trouvait au-dessus du lit ?

Quand, vers sept heures, la vieille à l'accueil

peu amène frappa à la porte, on ne répondit pas tout de suite. La voix de Gilles parvint d'une autre pièce qui communiquait avec la chambre.

— Entrez...

Étonnée, elle s'avança, les deux mains sur le ventre, l'œil inquisiteur.

— Entrez, madame Rinquet... On m'a dit que vous vous appelez madame Rinquet... Vous voyez... J'ai déménagé... J'ai découvert cette chambre plus petite et j'y serai davantage à mon aise...

Elle ne manifesta ni approbation, ni désapprobation. Elle se contenta de prononcer :

— Vous êtes le maître... Je suis venue vous demander à quelle heure vous désirez que le dîner soit servi...

— A quelle heure le servez-vous d'habitude ?

— A sept heures et demie...

— Eh bien ! il n'y a pas de raison de changer.

Il aurait voulu lui poser des questions sur son oncle, sur sa tante, mais il comprit qu'il était trop tôt pour essayer de l'apprivoiser.

— Dans ce cas, je vais prévenir Madame...

A sept heures vingt-cinq, déjà il était debout dans la salle à manger, étonné de sa propre émotion. Il y faisait chaud. Le décor était intime, rassurant. De bonnes odeurs arrivaient de la cuisine où on entendait madame Rinquet aller et venir sur ses chaussons de feutre.

Un léger craquement au fond du couloir, à

peine perceptible, et pourtant Gilles tressaillit et resta tourné vers la porte. Il en regarda bouger le bouton. L'huis s'ouvrit.

Il aurait été bien en peine d'analyser l'impression que lui fit sa tante. Elle ne ressemblait en rien à ce qu'il avait imaginé. A son entrée leurs regards s'étaient croisés, mais elle avait aussitôt baissé les yeux et, en guise de salut, elle avait incliné vivement la tête.

Puis elle avait regardé les couverts, comme pour savoir si sa place n'avait pas changé. Elle avait reconnu son anneau de serviette et elle était restée debout près de sa chaise.

Il n'osait pas s'asseoir non plus et la situation serait devenue ridicule si madame Rinquet n'était entrée, portant une soupière fumante en grosse faïence blanche.

Est-ce que Gilles avait dit bonjour ? Il ne s'en souvenait plus. Ses lèvres, en tout cas, avaient remué. Il s'était demandé longtemps, dans sa chambre, s'il devait dire *madame* ou *tante*.

Elle prit très peu de soupe. Il n'osa pas en prendre davantage, ni réclamer le pain qui était hors de sa portée et qu'elle lui tendit enfin.

Ce qui l'étonnait peut-être le plus, c'était qu'elle fût si petite, si menue et si jeune. Jamais femme ne lui avait donné pareille impression de fragilité. Elle le faisait penser à un oiseau qui frôle à peine la branche sur laquelle il se pose.

Des traits d'une finesse exquise, une peau

fraîche, transparente comme une porcelaine chinoise, des yeux bleus dans des paupières finement plissées. Ces paupières seules indiquaient qu'elle allait atteindre la trentaine.

Il sentit que son regard la gênait et qu'elle mangeait avec peine. Alors, il regarda ailleurs et bientôt c'était le regard de Colette qui se posait sur lui, timidement, à petits coups furtifs.

Le repas s'écoula tout entier sans qu'un mot fût prononcé. A la fin, Gilles avait le sang à la tête. Il avait eu le temps de préparer un petit discours. C'était aussi difficile à dire que le premier compliment de Nouvel An qu'il avait déclamé à ses parents quand il avait trois ans.

— Madame... Ma tante... Je voudrais vous demander... que rien... ne soit changé à cause de moi dans la vie de la maison... Je m'excuse de venir vous...

Elle avait froncé les sourcils. La tête un peu penchée — il avait déjà remarqué que c'était une habitude chez elle, comme chez les femmes qui ont beaucoup souffert — elle murmurait :

— Vous êtes chez vous, n'est-ce pas ?

Elle se levait. Elle laissait s'écouler quelques secondes, par pure politesse.

Puis elle inclinait la tête.

— Bonsoir, monsieur...

Il aurait aimé la retenir. Toute la soirée, il s'en voulut de ne pas l'avoir fait. Il lui semblait qu'il aurait suffi de quelques mots, d'un geste...

Sans se préoccuper de lui, madame Rinquet desservait. Elle lui dit cependant :

— Si vous sortez, prenez la clef qui est pendue derrière la porte. Quant à la grille, on ne la ferme jamais...

Il avait l'impression, ce soir-là, que l'atmosphère de la maison était si épaisse que les moindres mouvements y déclenchaient comme des vagues. Le silence, lui aussi, l'impressionnait. Il avait entendu madame Rinquet monter vers les mansardes où, sans doute, elle couchait. Elle avait marché quelque temps au-dessus de sa tête, puis il y avait eu le grincement d'un sommier.

Mais il y avait toujours de la lumière à la dernière fenêtre de l'aile gauche. Le quai des Ursulines était désert. Quand un passant s'y aventurait, on entendait longtemps résonner son pas, puis, quelque part, le bruit d'une porte qui s'ouvrait et se refermait.

Gilles avait commencé à se déshabiller. Sur une commode il avait rangé, comme d'habitude, les objets qu'il tirait de ses poches et il avait manié un instant la petite clef plate que lui avait remise, avec une étrange solennité, le notaire Hervineau.

A quoi bon cette clef, puisqu'il ne connaissait pas le mot qui permettrait d'ouvrir le coffre, aussi peu impressionnant que possible, scellé dans le mur à droite du lit, au-dessus de la table de nuit.

Il ouvrit l'armoire pour prendre un pyjama, tressaillit, car il avait entendu le bruit d'une auto et il lui semblait que ce bruit venait de cesser brusquement à proximité de la maison.

Il se précipita vers la fenêtre, écarta le rideau. Une voiture, en effet, s'était arrêtée le long du canal, à cinquante mètres. Les phares étaient encore allumés mais au même instant ils s'éteignaient, puis la portière claquait et un homme se dirigeait vivement vers la grille. Il l'ouvrit, traversa la cour.

Gilles courut à sa porte. Le long corridor était obscur : la lumière ne tarda pas à se faire tandis qu'une silhouette féminine se dirigeait vers l'escalier.

A quoi bon s'émouvoir de la sorte ? Ne lui avait-on pas appris que, depuis des années déjà, Colette avait un amant et que son mari ne l'ignorait pas ?

Il avait beau faire, il était bouleversé et il éteignit la lumière dans sa chambre, pour ne pas se trahir, resta en faction dans l'encadrement de la porte.

Il entendit nettement qu'on prenait la clef au clou que madame Rinquet lui avait désigné, qu'on ouvrait la porte d'entrée avec précaution. Puis un silence. Qu'est-ce qu'ils faisaient, en bas ? N'étaient-ils pas dans les bras l'un de l'autre ?

Maintenant, ils montaient. Le tapis de l'escalier étouffait le bruit de leurs pas. Tante Colette parut la première, tenant la main de l'homme qui la suivait, et elle eut un coup d'œil dans la direction de Gilles qu'elle ne put voir.

Les deux amants tournèrent le dos et disparurent enfin dans le corridor de l'aile gauche.

Il était trop surexcité pour réfléchir. Quel besoin, par exemple, d'aller, pieds nus, jusqu'à la porte de sa tante ? Il savait que le couple était dans la chambre. En quoi cela le regardait-il ? Il y avait de la lumière sous le battant et le murmure que l'on entendait ressemblait au chuchotement qu'on perçoit à proximité d'un confessionnal.

— Je vais me coucher..., se promettait-il.

Et il restait angoissé à l'idée que, d'une seconde à l'autre, il pouvait être surpris.

Ce fut la fatigue qui l'emporta. Il avait essayé de compter les coups frappés à l'horloge du clocher de Saint-Sauveur. Onze ? Douze ? Il n'était pas sûr.

Il rentra chez lui, harassé, maussade, en proie à un malaise inexplicable, et il se jeta sur son lit.

Il ne dormit pas tout de suite. Comme quand il était enfant, toutes les images de la journée défilèrent à ses yeux, et même d'autres images, la jeune fille et le jeune homme à l'imperméable jaune, les grosses jambes de Jaja et ses bas de laine noire retenus par des cordons rouges, sa tante Éloi qui avait l'air de le conduire en pension...

Il était triste, soudain. Il lui semblait qu'il avait lâché pied et qu'il flottait, inconsistant, dans un univers inconnu.

La dernière image qui glissa sur sa rétine fut celle d'un clown jadis rencontré dans un cirque de Hongrie et qui, quand il était maquillé pour la piste, ressemblait étonnamment au notaire Hervineau, dont il avait la voix sarcastique.

Cela se passa d'abord dans un domaine où les frontières entre le rêve et la réalité étaient indistinctes. Pourquoi serait-on venu écouter à sa porte, puisqu'il était seul et qu'il dormait ?

Il repoussait l'image du clown et essayait de ne plus entendre sa voix pour mieux percevoir des bruits infimes, aussi infimes que le trottinement d'une souris.

Et voilà que soudain sa gorge se serrait. Il était éveillé. Il avait la sensation d'une présence humaine tout près de lui. Quelque chose avait bougé, il y avait eu un frottement d'objet sur le marbre de la commode.

Il n'avait jamais possédé de revolver. Il avait peur. Et, moite au creux de ses draps, il se demandait où était placé le commutateur électrique. Il ne parvenait pas à s'en souvenir.

Au surplus, si c'était un voleur, à quoi bon intervenir ? Il n'y avait personne dans la maison pour accourir à son secours. On avait le temps de le tuer... Il imaginait un long étranglement...

Il était sûr, absolument sûr qu'il ne rêvait pas, qu'une porte s'était ouverte, celle, probablement, qui communiquait avec la chambre de son oncle.

Alors, il cessa de penser raisonnablement. Il s'agita comme s'il repoussait une agression. Ses bras qui battaient l'air rencontrèrent un obstacle et un fracas éclata dans la maison.

Ce n'était pourtant qu'une toute petite lampe de chevet couleur d'opale que sa tante Éloi lui avait apportée de chez elle parce qu'il avait dit qu'elle était jolie.

Le vacarme lui fit tellement peur qu'il se leva. Il vit une lueur sous une porte.

Il oublia la prudence. Il avait trop peur. Il était animé par un obscur besoin de savoir, de se rassurer. Il marcha vers cette porte et renversa une chaise. Malgré lui, parce qu'il s'était fait mal au genou, il cria :

— Aïe...

Il était sûr, rigoureusement sûr de ne pas rêver. La preuve, c'est qu'au moment précis où il ouvrait la porte de la chambre de son oncle, il y avait encore de la lumière dans cette chambre. Elle s'éteignit d'ailleurs aussitôt et il n'eut le temps de rien voir. Dans l'obscurité, il entendit des heurts, des pas. Une autre porte, celle qui donnait sur le couloir, se referma brutalement.

Il perdit du temps. Il ne voyait rien. Il n'était pas assez familier avec les lieux pour se diriger dans le noir.

Quand il atteignit le couloir, il n'y avait plus personne mais la preuve qu'il ne s'était pas trompé, c'est que les lampes étaient encore allumées.

— Qui est là ? demanda-t-il d'une voix qui résonna dans le vide.

Aucune réponse. Aucun bruit.

— Qui est là ?

Il marcha à grands pas vers l'aile gauche. Il écouta à la porte de sa tante. Il n'osa pas frapper.

Quand il revint, déçu, angoissé, madame Rinquet, qui avait passé un manteau noir, mais qui était pieds nus, descendait l'escalier des mansardes.

— Qu'est-ce qu'il y a ? s'informa-t-elle.

— Je ne sais pas... J'ai cru entendre du bruit...

Elle alluma dans la chambre de Gilles, vit la lampe de chevet en morceaux, la chaise renversée.

— Il me semble que ce bruit, c'est vous qui l'avez fait... Vous êtes souvent somnambule ?

Il ne répondit pas tout de suite. Les yeux écarquillés, il regardait la commode où la clef du coffre-fort manquait parmi les objets sortis le soir de ses poches.

Pourquoi articula-t-il :

— Je ne sais pas...

— Vous voulez que je vous prépare une tisane chaude ?

— Non... Merci...

— Vous êtes calme, maintenant ?... Je peux monter me recoucher ?...

Il parvint à sourire vaguement.

— Oui... Je vous demande pardon.

Quand elle fut partie, il courut à la fenêtre. L'auto, phares éteints, était toujours là. L'homme, sans doute, n'avait pas pu quitter la maison. Caché dans quelque coin, peut-être dans la chambre de Colette, il devait attendre que Gilles fût endormi.

— Il y a quand même une autre clef à la Banque de France..., se surprit celui-ci à prononcer à mi-voix.

Puis il répéta plusieurs fois :

— Pourquoi ?... Pourquoi ?... Pourquoi ?...

Il était aussi barbouillé que le soir où il avait été ivre. Ses paupières picotaient. Il contenait mal son envie de pleurer.

— Mais je resterai à la fenêtre aussi longtemps qu'il faudra !... Je le verrai !... Je saurai !...

Il ne vit rien, car il se réveilla le matin dans son lit où il s'était traîné, saoul de fatigue.

Des cars Mauvoisin commençaient à sortir de l'ancienne église et, dans le jour froid du quai des Ursulines, l'auto de l'inconnu avait disparu.

V

Aucun des événements de cette journée ne fut mémorable en lui-même ; cependant, de l'ensemble, se dégagèrent des conséquences telles que cette date devait rester une des plus importantes de la vie de Gilles Mauvoisin.

Tout au début, déjà il y eut des signes, de ces détails imperceptibles que nous ne voulons pas toujours comprendre et qui nous frappent par la suite, quand nous nous rendons compte enfin qu'ils constituaient des avertissements.

Ce temps ouaté, par exemple... Cet univers blanc et gris dans lequel les sons, particulièrement les sirènes des navires, devenaient plus aigus, sinon déchirants... Cela rappelait Trondjhem, cela rappelait à Gilles tant de villes du Nord où il s'était réveillé dans une chambre d'hôtel, pour ainsi dire toujours la même.

Et quand il se regarda dans la glace bordée de noir et or, il se trouva un visage plus mince, des traits plus pointus que les jours précédents : son rhume avait disparu. La fatigue d'une mauvaise nuit, les allées et venues chaotiques, ce flottement qui durait depuis si longtemps, tout cela se traduisait maintenant par une peau mate, par un nez à l'arête vive, par des lèvres étirées, par des prunelles qui n'étaient que deux paillettes sombres dans la fente des paupières.

La preuve qu'il y avait quelque chose de changé, c'est qu'il ouvrit sa valise, celle qui contenait ses effets personnels et que, comme il l'avait fait si souvent avec ses parents, quand ils descendaient dans une chambre anonyme, il rangea quelques objets, portraits glissés dans le cadre de la glace, une boîte à bonbons que sa mère avait reçue voilà longtemps et qui servait à ranger les cravates, un beau châle qu'ils avaient racheté à un jongleur oriental.

Dans son esprit, il s'enfermait. La maison du quai des Ursulines disparaissait et il n'y avait plus que cette chambre. La Rochelle se rétrécissait jusqu'à ne devenir que le paysage qui s'encadrait dans la fenêtre : un bout de canal, une échappée de quai, les deux tours fermant le port dans le lointain et, sur la gauche, cette fenêtre qui était celle de Colette et dont les volets n'étaient pas encore ouverts.

Il rougit quand sa tante Éloi fit irruption dans l'appartement et surtout quand elle le regarda avec un étonnement qui n'était pas exempt de reproche.

— Vous avez changé de chambre ?

Les lèvres de Gilles frémirent un peu, comme frémissent les lèvres des timides qui prennent une résolution. Il rendit sa voix aussi neutre, aussi nette que possible, pour déclarer :

— Oui... Je préfère celle-ci et je vais l'aménager à mon goût...

— Mais... j'ai télégraphié à Bob de rentrer de Paris... Il a un ami architecte-décorateur et nous avions décidé...

— J'aime mieux arranger ma chambre à mon idée...

Ce fut la première surprise qu'il donna à ceux qui l'avaient vu les jours précédents. Il gardait un maintien modeste, humble presque, mais on n'en sentait pas moins que sa décision était définitive.

— Comment cela s'est-il passé, hier au soir, avec cette femme ?

— Fort bien.

— Vous avez mangé à peu près convenablement ?

— Madame Rinquet fait de la très bonne cuisine...

— Qu'est-ce qu'elle a dit ?

— Madame Rinquet ?

— Votre tante...

— Rien de spécial.

Il feignait de ne pas remarquer que Gérardine Éloi était alarmée.

— A propos... Vous êtes invité à déjeuner chez notre ami Plantel... Il veut vous donner une première idée des affaires de votre oncle, qui sont désormais les vôtres...

Pourquoi n'irait-il pas jusqu'au bout ? Doucement, mais avec la fermeté d'un enfant boudeur, il articula :

— Vous direz à monsieur Plantel que je ne peux aller déjeuner chez lui. Je suis fatigué. En outre, j'ai un certain nombre de choses à faire...

— Je vous aiderai... Vous savez, Gilles, que je suis tout à votre disposition... Mes filles aussi... Elles vous adorent déjà... Quant à Bob, je suis certaine que vous vous entendrez comme de vieux amis...

— Sans doute..., laissa-t-il tomber, évasif.

— A quoi voulez-vous employer votre journée ?

— C'est difficile à dire, tante... A de petits riens... Voyez-vous, j'ai rencontré tant de gens, en si peu de temps, que j'ai besoin de me reposer...

— Est-ce que cette femme, cette madame Rinquet, a changé l'eau de vos fleurs ?

— Je ne sais pas...

Gérardine retira son manteau et changea l'eau des fleurs.

— Vous ne déjeunerez pas à la maison non plus ?... Tout à fait en famille ?...

— Merci, tante... Je déjeunerai ici...

— Quand vous verrai-je ?

— Demain, voulez-vous ?... Ne vous dérangez pas... Je passerai chez vous... A moins que cela vous ennuie...

Elle le quitta fort inquiète et donna à Plantel un

coup de téléphone qui assombrit l'humeur de celui-ci pour toute la journée.

Quant à Gilles, il descendit au premier étage et fit lentement le tour des chambres. Il choisit un secrétaire ancien, des rayonnages pour les livres, quelques cadres pour les portraits qu'il possédait de son père et de sa mère.

— Pardon, madame Rinquet. Voudriez-vous avoir l'obligeance de venir m'aider un instant ?

Elle se montra surprise et inquiète, elle aussi. Elle le suivit à l'étage inférieur.

— Pourquoi ne faites-vous pas monter ces meubles par un ouvrier du garage ?

— Parce que je préfère les monter moi-même...

Dans la chambre, elle jeta un coup d'œil aux photographies, puis à Gilles en qui elle croyait découvrir un autre homme. C'est d'une voix presque aimable qu'elle demanda :

— Vous n'avez besoin de rien d'autre ? Il y a, en bas, d'assez jolies carpettes...

Il alla les voir avec elle, en choisit une. Dans l'escalier, il rencontra sa tante Colette qui sortait, plus frêle que jamais dans ses vêtements de deuil, un voile de crêpe sur le visage.

Ils ne firent que se croiser en échangeant un salut assez cérémonieux.

Vers onze heures, Gilles sortit à son tour et c'était la première fois, depuis qu'il avait rencontré Armandine devant la grille du cimetière, qu'il se retrouvait seul dans la rue. Il resta un bon moment devant le porche de l'ancienne église, à contempler le mouvement des cars Mauvoisin et l'agitation de Poineau, le gérant au crochet de fer, qui, ne lui ayant pas encore été présenté, n'osait pas s'avancer.

Puis il se dirigea vers la rue du Minage où habitait le docteur Sauvaget, l'amant de sa tante. Le marché battait son plein. C'était le grand marché du samedi et, sous les arcades de la rue étroite et mal pavée, les paysannes criaillaient, debout au milieu de leurs paniers.

Entre la boutique d'un légumier et une mercerie sombre, une plaque de cuivre annonçait : « *Maurice Sauvaget, docteur en médecine, consultations de 2 à 6 h. — Le samedi de 10 à 12.* »

Il voulut sonner, mais il s'aperçut que la porte était entrouverte et qu'une autre plaque, en émail celle-ci, disait : « *Entrez sans frapper.* »

Au bout d'un couloir qui sentait la pharmacie, il pénétra dans le salon d'attente où il y avait déjà six personnes silencieuses et il s'assit sur une des chaises, devant une table en rotin chargée de vieilles revues.

On se regardait sans mot dire. On entendait un murmure derrière la porte. Une autre porte s'ouvrait pour laisser sortir le patient. Le docteur passait la tête :

— Suivant...

Dès sa seconde apparition, il remarqua Gilles et

fronça les sourcils. L'aurait-il aperçu dans la rue en compagnie de Plantel ou de Gérardine Éloi ?

Le tour de Gilles approchait et le médecin paraissait chaque fois plus soucieux. Il avait de longs cheveux bruns rejetés en arrière, un visage mobile, des yeux d'une vie extraordinaire qui ne lui permettaient pas de passer inaperçu. Le père de Gilles avait, lui aussi, cette flamme intérieure dans le regard et c'est pourquoi il détournait si souvent la tête ou s'empressait de sourire.

— Suivant...

Gilles entra, un peu oppressé, et il avait l'impression que son interlocuteur était aussi angoissé que lui.

— Je ne suis pas malade..., commença Gilles, debout au milieu du cabinet aussi pauvre que le salon d'attente. Je vous demande pardon de vous déranger, mais...

Ses lèvres frémirent à tel point qu'il eut de la peine à garder une voix normale pour achever :

— ... je suis venu vous demander de me rendre la clef...

N'est-ce pas la simplicité même avec laquelle cette demande était faite qui affola le médecin ? Il regarda autour de lui avec effroi, alla ouvrir une porte, très brusquement, murmura à mi-voix, comme honteux de ce qu'il disait :

— Excusez-moi... Il arrive souvent à ma femme d'écouter...

Le fils Plantel en avait parlé à Gilles. Depuis

des années, madame Sauvaget était infirme et circulait dans l'appartement dans un fauteuil mécanique qu'elle manœuvrait elle-même. Sa jalousie, peu à peu, avait pris une forme maladive, si aiguë qu'elle passait des heures derrière la porte à épier les bruits du cabinet de consultation.

— Asseyez-vous... Je vous demande pardon... Je... Je n'ai pas cette clef, je vous jure... Je ne comprends pas pourquoi vous avez pensé...

— Vous savez de quelle clef il s'agit, n'est-ce pas ?

Ils étaient aussi frémissants l'un que l'autre, le docteur par tempérament, Gilles parce qu'il était effrayé de son audace.

— Je suppose que vous faites allusion à la clef du coffre ?...

— Vous n'avez pas cherché, cette nuit, à vous la procurer ? J'ai reconnu votre auto devant la maison...

Le médecin baissa la tête. On le sentait tiraillé. Est-ce que vraiment ce n'était pas lui qui avait pénétré dans la chambre de Gilles, puis dans celle d'Octave Mauvoisin ? Était-ce Colette qui...

— Écoutez, monsieur, je ne sais pas ce que ces gens-là vous ont dit...

— Quels gens ?

Les yeux brillants de Sauvaget se fixèrent sur le visage du jeune homme. Il y avait de la surprise dans l'expression de son visage, et autre chose aussi, d'encore vague, une hésitation, peut-être un commencement de sympathie ?

— Ceux du *Syndicat*...

Il marcha à nouveau jusqu'à la porte et s'assura que la malade n'avait pas traîné son fauteuil jusque-là.

— Le Babin, les Plantel, le sénateur, maître Hervineau, d'autres encore...

— Pourquoi dites-vous le *Syndicat* pour les désigner ?

Toujours cette hésitation, cette envie de parler, cette réticence...

— C'est exact que vos parents étaient... étaient artistes de music-hall ?

— C'est exact...

— Vous ne connaissez donc rien aux affaires et vous n'avez jamais fréquenté des milieux de ce genre...

Une colère montait, qu'on devinait sourde mais terrible, une rancœur effrayante.

Et le docteur, les mains crispées :

— Pardonnez-moi si je ne peux rien vous dire, du moins maintenant... La situation de votre tante et la mienne... Croyez-moi, monsieur Mauvoisin, si je vous affirme que je n'ai pas cette clef... Cependant, je peux vous promettre qu'elle vous sera rendue, qu'il ne s'agit pas d'un vol, qu'on n'en voulait ni à vous, ni à votre fortune... Votre oncle était un monstre et...

Soudain, il changea de ton, Gilles aussi avait

perçu comme un grincement dans la pièce voisine.

— C'est entendu, monsieur... Je vais vous rédiger une ordonnance...

Son regard était devenu presque suppliant ; il était évident que madame Sauvaget était à l'écoute derrière la porte.

Le médecin s'assit à son bureau, traça quelques mots sur une feuille de son bloc et tendit cette feuille à Gilles qu'il accompagna jusqu'à la porte.

— Au suivant...

Dans la rue, Gilles lut les lignes griffonnées :

« *Pardon. On nous écoutait. Je vous supplie, ne torturez pas votre tante. Je vous rencontrerai où et quand vous voudrez.* »

Gilles parti, le docteur trouva-t-il le moyen de téléphoner à Colette Mauvoisin ? Gilles le supposa. En effet, quand il rentra dans la maison du quai des Ursulines et qu'il prit place à table, sa tante ne tarda pas à paraître, plus pâle et plus fébrile que la veille.

— Je m'excuse de vous avoir fait attendre..., prononça-t-elle du bout des lèvres.

Puis, sans s'inquiéter de la présence de madame Rinquet qui posait des hors-d'œuvre sur la table, elle plaça une petite clef plate à côté de l'assiette de Gilles.

Une fois assise, seulement, et sa serviette déployée, elle murmura sans regarder le jeune homme :

— Vous avez eu tort de vous en prendre au docteur... Il n'y est pour rien... Il était dans ma chambre et il ignorait ce que je faisais...

Elle se forçait visiblement à manger. Sans doute attendait-elle des questions et avait-elle préparé ses réponses ? On la sentait d'une sensibilité aussi exacerbée que certaines plantes qui se contractent à la seule approche d'un corps étranger et ce fut Gilles qui baissa la tête vers son assiette.

Plusieurs fois, elle lui lança des regards furtifs. Gilles en surprit quelques-uns et il y lut de l'étonnement, comme une tentation, peut-être celle de parler.

Elle ne le fit pas et il respecta son silence. Il était grave et cependant il y avait en lui une légèreté qu'il n'avait pas connue depuis longtemps.

C'est avec joie qu'il retrouva l'intimité de sa chambre, car c'était déjà sa chambre, et il regarda longuement une photographie de son père, il pensa que, plus jeune, celui-ci devait ressembler davantage au docteur.

Il imagina le couple de ceux qui n'étaient pas encore ses parents se retrouvant sous les arcades de la rue de l'Escale, non loin du conservatoire privé qui laissait toujours filtrer de la musique.

Un chiffre ou un mot de cinq lettres... La clef

du coffre s'était tiédie dans sa main... Il passa dans la chambre de son oncle, mais c'est en vain qu'il essaya de tourner la clef dans la serrure.

Il y avait le téléphone sur le bureau à cylindre, le seul meuble clair de la pièce. Gilles appela la maison Basse et Plantel. Il eut Edgard Plantel au bout du fil.

— C'est Gilles, ici, monsieur Plantel... Je vous demande pardon de vous déranger...

L'autre protestait, disait son regret du déjeuner refusé, son dévouement, son...

— Je voulais savoir s'il m'est possible de vous rencontrer demain dans votre bureau... Non ! Je préfère que ce soit dans votre bureau... C'est pour vous parler du *Syndicat...*

Une toux, à l'autre bout.

— Mais... Je... Certainement... Si vous désirez que j'aille chez vous...

Et Gilles, avec cette douceur ferme qu'il avait adoptée depuis le matin, de répéter :

— Je préfère que ce soit dans votre bureau... Merci, monsieur Plantel...

Après quoi, fatigué par sa nuit presque blanche, il s'étendit sur son lit. Il pensa beaucoup à sa tante et au docteur Sauvaget. Chaque fois, il croyait revoir, rue de l'Escale, le couple formé jadis par son père et par sa mère.

Dormit-il ? Ne fit-il que s'assoupir à demi ? Quand il se mit debout la nuit tombait et, sans allumer la lampe, il regarda les dernières traînées de lumière se dissiper sur le port.

Puis il mit son pardessus, son chapeau. Il faillit choisir le pardessus trop long de Trondjhem et le bonnet de loutre, mais il changea d'avis au dernier moment.

— Vous rentrerez pour dîner ? lança madame Rinquet en entrouvrant la porte de la cuisine, comme il passait dans le corridor.

Il sentit, à sa voix, qu'elle le considérait presque comme de la maison.

— Certainement..., répondit-il.

Il marcha vite, le long des quais. Il revit les vitrines éclairées qu'il avait détaillées le soir de son arrivée, la vitrine plus sombre de la maison Éloi. Il faillit aller chez Jaja. Mais la grosse horloge, au milieu de la tour, marquait cinq heures. Il ne savait pas à quelle heure fermaient les bureaux « Publex ». Il ne savait même pas ce qu'on faisait dans ces bureaux.

Il était très animé, très ému. A peine était-il posté place de la Caille, près de la devanture de l'horloger qui vendait aussi des bibelots anciens, qu'il vit des jeunes filles sortir comme des écolières de la maison d'en face.

Certaines, en vélo, s'envolaient par toutes les rues. D'autres s'éloignaient en groupe. Trois d'entre elles, dont une qui poussait sa machine, suivaient l'étroite rue du Temple où s'alignent des magasins d'alimentation.

La jeune fille que Gilles avait vue la première en débarquant à La Rochelle était dans ce groupe.

Il marcha derrière. Une blonde blafarde se retourna et donna un coup de coude à son amie.

Elles se retournèrent toutes et éclatèrent de rire.

Dès lors, ce jeu continua sans que Gilles fît demi-tour. Il les suivait, grave, obstiné, et elles se retournaient, elles se bousculaient et riaient de plus belle. Il ne savait plus où il était. Il reconnaissait vaguement la rue du Palais et les magasins Prisunic. Puis on rentrait dans l'ombre pour retrouver des vitrines un peu plus loin.

Place d'Armes, elles s'arrêtèrent et s'embrassèrent en riant toujours.

La jeune fille du quai fut la seule à s'éloigner dans la direction du parc où des lampes orangées répandaient une lumière théâtrale dans les allées.

D'abord, elle marcha vite, en se dandinant. Puis elle ralentit un peu le pas, mais elle évita de se retourner. Est-ce qu'elle n'écoutait pas le bruit des pas de Gilles ? Ces pas se rapprochaient. Il fut à sa hauteur, juste à l'angle de la rue et d'une allée qui s'enfonçait dans le parc.

Fit-elle vraiment deux pas dans cette allée ?

Une voix disait, tout près :

— Pourquoi riez-vous de moi ?

Elle se retourna tout d'une pièce, sans étonnement, un sourire sur son jeune visage aux traits pleins et, les yeux grands ouverts, elle riposta :

— Je ne ris pas de vous... Je ris avec vous...

Un instant, ils furent comme suspendus dans le temps et dans l'espace. Ils ne se rendaient pas compte que des autos passaient à moins de trois mètres d'eux. Plus loin, dans l'allée, deux amoureux étaient assis sur un banc peint en vert.

Ce fut vers cette allée, tout naturellement, comme si c'eût été décidé depuis des temps immémoriaux, que la jeune fille se dirigea.

Elle balançait les bras en marchant. S'il y avait eu des pâquerettes dans l'herbe, elle en aurait sans doute coupé une. Elle évitait maintenant de le regarder.

— Pourquoi portiez-vous un bonnet de fourrure ?

Et lui, aussi sérieux que s'il eût discuté avec monsieur Plantel :

— Parce que je revenais de Norvège...

— Je vous avais pris pour un passager clandestin...

Ils passaient d'un cercle de lumière à une zone d'ombre et c'était la première fois que Gilles faisait ainsi partie d'un couple comme ceux qu'il avait vus si souvent dans les rues ou dans les jardins publics et dont il enviait la tranquille nonchalance.

— Comment vous appelle-t-on ? risqua-t-il. Si cela vous ennuie que je vous demande ça, ne répondez pas...

— Alice... Vous, vous êtes le neveu Mauvoisin, n'est-ce pas ?

— Comment le savez-vous ?

Elle sourit encore, amusée.

— Parce que !

— Répondez... Comment pouvez-vous savoir ?...

— Devinez !

Ils croisaient un autre couple qui marchait la main dans la main et qui choisit juste le cercle de lumière d'une lampe électrique pour s'embrasser.

— Elle habite à côté de chez moi !... pouffa Alice.

— Comment connaissez-vous mon nom ?

— Cela vous intrigue ?

Il ne savait pas encore que les autres amoureux qu'ils rencontraient se posaient à l'infini des questions aussi innocentes.

— Vous vous moquez de moi...

— Je jure que non... Mais avouez que vous étiez drôle quand, dans le magasin de la place de la Caille, vous essayiez vos nouveaux vêtements... Et Pipi qui vous couvait comme un poussin !...

— Pipi ?

— Le fils Plantel... Tout le monde l'appelle Pipi... Il paraît qu'il ne peut pas entrer quelque part sans aller au petit endroit...

Elle avait les lèvres largement ourlées, de longs cils sombres, un jupe plissée qui formait corolle à chaque pas.

— Cela ne m'apprend toujours pas comment vous savez...

— Ce n'est pas bien malin, allez !... Et je suis sûre que cela ne vous fera pas plaisir...

— Pourquoi ?

— Parce que !

C'était son mot favori.

— En tout cas, poursuivit-elle très vite, pour ce qui est de Georges, c'est fini...

— Quel Georges ?

— Ne faites pas l'innocent... Vous savez bien...

Arrivés au bord de la mer, ils avaient fait demi-tour, et maintenant ils se rapprochaient de la grande avenue bordant le parc. Qu'est-ce qu'ils avaient eu le temps de se dire ? Rien du tout, en somme !

Elle s'était arrêtée. Cela signifiait sans doute qu'ils allaient devoir se séparer. Pour n'être pas trop petite auprès de lui, elle se haussait sur la pointe des pieds.

— Vous ne devez pas laisser choisir vos cravates par Pipi... Et vous faites le nœud beaucoup trop serré... On dirait un lacet de chaussure...

Il se rendit compte alors que le plus difficile allait être de se dire au revoir. Il cherchait une formule. Il n'osait pas lui prendre la main.

— Tenez !... s'écria-t-elle soudain, tournée vers l'avenue. Vous me demandiez tout à l'heure comment je savais... Voilà papa qui rentre et...

Le fit-elle exprès de lui toucher le bout des

doigts, comme par inadvertance ? Elle s'élançait et il voyait ses jambes musclées sous la jupe qui s'écartait. Avec une bonne humeur enfantine, elle se jetait au bras d'un homme qui passait et elle lançait de loin à Gilles un dernier regard.

Celui-ci connaissait l'employé moustachu qu'il avait aperçu derrière le guichet vitré de l'ancienne église, son employé, en somme, celui qui avait l'air d'un si honnête homme et qui répondait au nom d'Esprit Lepart.

Il les regarda s'éloigner. Il les suivit de loin. Dans une rue proche, faite de petites maisons toutes les mêmes, à un seul étage, précédées d'une grille et d'un jardinet grand comme une nappe, ils entrèrent au numéro 16.

En revenant sur ses pas, Gilles s'efforça de lire sur la plaque bleue le nom de la rue : rue Jourdan, 16, rue Jourdan ! Alice Lepart !

Les mains dans les poches, il fit demi-tour et se dirigea vers la place d'Armes. Et, chemin faisant, il se surprit, pour la première fois depuis longtemps, à siffloter.

VI

Quand Gilles revint quai des Ursulines, il était presque sept heures et demie et les deux couverts étaient dressés sous la lampe de la salle à manger. Il attendit quelques instants en silence et son âme était loin de toute impatience. Un petit monde s'organisait autour de lui. Des contacts encore timides se produisaient. Demain, il irait de bonne heure voir Jaja, en face du marché aux poissons, puis il se rendrait, comme c'était convenu, chez monsieur Plantel et il commencerait à se mettre au courant des affaires de son oncle.

Il y avait, sur la cheminée, une horloge de bronze flanquée de deux candélabres. Gilles fut tout étonné, à certain moment, de voir que les aiguilles marquaient huit heures moins le quart. Il crut la pendule arrêtée. Au même moment, madame Rinquet venait de sa cuisine, l'air contrarié.

— Vous préférez peut-être que je vous serve ? Madame est en retard...

— Elle est sortie ? se surprit-il à questionner.

A cet instant, on entendit tourner la clef dans la serrure de la porte d'entrée, puis le frottement des pieds sur le paillasson, des pas dans l'escalier. Madame Rinquet regarda vivement Gilles qui avait tressailli, car il était évident que deux personnes, et non une, avaient pénétré dans le couloir du second étage. La porte de la chambre de Colette s'ouvrit et se referma.

Enfin les pas légers de la tante qui parut, naturelle, à peine un peu préoccupée.

— Je vous demande pardon de vous avoir fait

attendre. Madame Rinquet aurait dû vous servir. Moi qui suis toujours à l'heure...

Elle sourit vaguement en s'asseyant. Madame Rinquet retira le couvercle de la soupière et la vapeur sépara un moment les deux visages. Quand elle se fut dissipée, Gilles remarqua que sa tante, pour la première fois, au lieu de lui lancer des regards furtifs, le regardait en face, longuement, profondément, comme quand on cherche à se faire une opinion précise sur quelqu'un.

Il ne détourna pas les yeux. Il nota qu'il y avait dans ses cheveux comme des gouttelettes du brouillard qui régnait dehors et il imagina sa tante et le docteur longeant les trottoirs, bras dessus, bras dessous.

— Vous ne me demandez rien ? questionna-t-elle enfin, après une crispation des doigts, comme si elle avait dû faire un effort pour parler.

Pourquoi étaient-ils si émus tous les deux ? Car, à la voix de la tante, Gilles avait rougi. Il avait avalé de travers une cuillerée de soupe et c'est après avoir toussé dans sa serviette qu'il répondit :

— Pourquoi vous demanderais-je quelque chose ?

— Vous savez bien que je ne suis pas rentrée seule.

— C'est votre droit, puisque vous êtes chez vous.

— Non, Gilles, je suis chez vous. Si j'ai forcé Maurice à venir ce soir, c'est parce que je crois préférable qu'il y ait entre nous une explication. Contrairement à ce que vous pourriez penser, Maurice ne venait jamais ici...

Elle comprit qu'il se souvenait de la nuit précédente et elle se hâta d'ajouter :

— Je sais ce que vous pensez. La nuit dernière aussi, c'est moi qui l'ai voulu, car j'ai espéré en finir...

Il sembla à Gilles que madame Rinquet lançait à sa tante un regard réprobateur. Elle lui déconseillait évidemment de faire des confidences au jeune homme.

— Tout à l'heure, quand nous aurons fini de dîner, j'appellerai Maurice et, devant lui, je vous dirai tout ce que vous devez savoir...

Elle parlait d'une voix égale, mais neutre. Elle avait longtemps préparé son discours, mûrement pesé sa décision. Et il y avait autour d'elle comme un voile de tristesse.

— Vous ne mangez plus ? questionna-t-elle.

— Je n'ai pas faim.

— C'est à cause de moi ?

La situation n'était-elle pas étrange ? Il avait dix-neuf ans. De toute sa vie, il n'avait connu que des pensions meublées où fréquentaient des artistes de music-hall et des acrobates.

Ce qui se passait dans ces maisons des villes qu'il traversait, il n'en savait rien, ni comment on y vivait.

Or, voilà que dans la plus mystérieuse de ces

maisons, il était debout, long et maigre, accoudé à la cheminée, près de la pendule de bronze qui marquait huit heures et demie. Sur une chaise, dans la pénombre, le docteur Sauvaget s'était assis, les mains jointes sur ses genoux, son regard ardent fixé sur Gilles.

Toute blanche et noire, les doigts jouant avec un fin mouchoir, Colette parlait et, de temps en temps, à son insu, elle se mordillait la lèvre qui semblait saignante.

— Il faut que vous sachiez, Gilles, qu'il y a huit ans que nous nous aimons, Maurice et moi. Je ne cherche pas d'excuses à ma conduite. Nous avons été imprudents et votre oncle nous a surpris.

« J'ai cru qu'il me rendrait ma liberté, car je ne le connaissais pas encore.

« Il a exigé, au contraire, que la vie continue comme par le passé. Deux fois par jour, nous nous sommes retrouvés à cette table, à la même heure, et nous avons mangé en tête à tête. Mais jamais plus il ne m'a adressé la parole.

« Or, je ne pouvais même pas m'enfuir et maintenant encore il m'est impossible de quitter cette maison... »

On entendait madame Rinquet aller et venir dans la cuisine. Le docteur regardait fixement un détail du tapis.

— J'ai une vieille maman qui habite rue de l'Évescot. Elle est sans ressources. Elle a eu, jusqu'à mon mariage, une existence pénible et, pour m'élever, elle faisait tous les gros travaux dans les ménages. Votre oncle lui a acheté la maison qu'elle occupe. Il lui a fait une rente de mille francs par mois. Ma mère est devenue impotente, ou presque, et elle a fini par ne plus quitter sa maison où elle s'est créé une vie assez douce.

« C'est à cause d'elle que je suis restée et que je reste encore... »

Gilles voulut parler, mais elle l'arrêta du geste.

— Je devine ce que vous allez dire. Croyez que si je vous raconte tout ceci, ce n'est pas pour vous attendrir. Mauvoisin a tout prévu. Par testament, il a exigé de moi que je vive dans cette maison, de vous que vous m'y supportiez... Comprenez-vous pourquoi ?

« Il nous empêchait ainsi, Maurice et moi, de nous réunir un jour...

« Maurice est pauvre, lui aussi. C'est le fils d'un facteur des postes et il a eu toutes les peines du monde à finir ses études et à s'installer.

« A cause de Mauvoisin et du *Syndicat,* il devra toujours se contenter d'une clientèle miteuse et de visites à vingt francs.

« Voilà pourquoi, la nuit dernière, quand j'ai appris que vous aviez la clef du coffre et quand j'ai su par madame Rinquet que vous l'aviez posée sur votre commode, j'ai tenté de prendre connaissance des documents. »

N'était-elle pas étonnante, cette tranquille énergie chez un être si frêle, qui donnait l'impression d'une précieuse statuette de porcelaine ?

— Vous savez ce qu'il y a dans le coffre de la chambre ? questionna Gilles.

— Je le sais et tous le savent...

Ses traits s'étaient durcis, deux petites rides s'étaient dessinées sur son front.

— Vous ne vous êtes jamais demandé comment votre oncle, qui a débuté comme chauffeur, a fait son énorme fortune ?

— Non ! N'entend-on pas souvent parler d'hommes partis de rien et arrivés par leur volonté aux situations les plus brillantes ?

— Tout le monde est au courant à La Rochelle et il vaut mieux que vous le soyez aussi. Ce sont des choses que j'ignorais comme vous. J'ignorais qu'à la tête de toutes les grosses affaires, qu'il s'agisse de pêche, d'armement, de charbon, de matériaux, de constructions ou d'entreprises publiques, ils n'étaient guère plus d'une douzaine, toujours les mêmes, à se partager les profits.

« Vous en connaissez déjà quelques-uns...

— Plantel ? questionna-t-il.

— Plantel, Babin, Penoux-Rataud, Hervineau, d'autres encore, dont vous connaîtrez bientôt tous les noms.

« Votre oncle a compris que ces gens-là se tenaient entre eux et barraient férocement la route aux nouveaux venus.

« Que vous montiez une affaire dans le pays, on

vous laissera faire tant que vous n'arriverez pas à une certaine importance. Mais, à ce moment-là, on vous fera comprendre qu'il est défendu de monter plus haut. Au besoin, on vous imposera des conditions telles que vous ne serez plus qu'une sorte d'employé dans votre entreprise.

« C'est ce petit groupe d'hommes puissants qu'on appelle le *Syndicat.*

« Eh bien ! Octave Mauvoisin, jadis chauffeur du comte de Vièvre, en était devenu pour ainsi dire le chef.

« Il n'avait pas de besoins. Il vivait comme un petit-bourgeois au deuxième étage de cette maison, où il ne voulait pas faire installer de salle de bains. Il ne sortait pas. Il ne voyageait pas.

« Ce qui l'intéressait, sa seule passion, c'était de devenir toujours plus puissant et plus craint.

« Car il aimait être craint. Loin de se montrer aimable, il était aussi désagréable que possible et il affirmait volontiers :

« — Je ne suis pas assez bête pour être bon. Je suis méchant !

« Et il était vraiment méchant, conclut-elle en reprenant haleine.

« Je vous demande pardon de vous dire ça, à vous, mais on vous l'aurait dit de toute façon un jour ou l'autre. »

Elle parlait de choses qu'elle avait pensées pendant tant d'années que les phrases succédaient aux phrases, précises, et que le temps en avait enlevé toute passion.

Elle avait vécu dix ans, elle, dans cette maison presque effrayante, en compagnie d'un homme qui se disait méchant et qui tenait à le prouver.

Est-ce qu'Octave Mauvoisin l'avait aimée ? Avait-il souffert quand il avait appris qu'il était trompé ?

Il n'en avait rien laissé voir. Peu lui importait le ridicule. Il était assez puissant pour le mépriser.

Il s'était vengé à sa manière.

— Nous avons continué à nous voir, Maurice et moi, dans la maison de ma mère, et c'est là que nous continuerons à nous rencontrer. Peut-être, si nous avions mis la main sur les documents du coffre, aurions-nous pu nous défendre, assurer tout au moins notre tranquillité. J'ai eu tort, je le sais.

Gilles se souvenait maintenant du sourire sarcastique de maître Hervineau quand il lui avait remis la fameuse clef. Il se souvenait aussi des regards que Plantel et Babin échangeaient, il revoyait le sénateur baveux dans son fauteuil.

— Il les tenait tous, comprenez-vous ? Je ne sais pas comment il s'y est pris. Toujours est-il que, peu à peu, il est parvenu à se procurer, sur chacun des puissants du pays, des documents plus ou moins accablants.

« Et ce qui n'était au début qu'un moyen d'arriver est devenu chez lui comme un vice.

« Vous avez vu Poineau, qui dirige toute l'affaire des cars. Poineau est un homme simple et rude. Il est marié et il a cinq enfants. Mauvoisin le payait mal, par principe. Il payait mal tous ceux qui travaillaient pour lui.

« Lors des dernières couches de madame Poineau, il a fallu une opération coûteuse et son mari a demandé une avance assez forte à Mauvoisin.

« Celui-ci l'a refusée.

« En même temps, il s'arrangeait pour faire passer des sommes importantes entre ses mains.

« Il l'épiait... Il espérait que l'autre aurait un mouvement de faiblesse et c'est ce qui est arrivé : il l'a pris la main dans le sac...

« C'est tout... Il ne l'a pas fait poursuivre... Il l'a gardé, mais désormais il le tenait corps et âme...

« C'est arrivé pour d'autres, pour beaucoup d'autres, pour votre cousin Bob, pour...

— Ma tante Gérardine ? questionna Gilles.

— Votre tante n'est même plus propriétaire de son commerce. A force de prêts, d'hypothèques, de manœuvres diverses, Mauvoisin s'en est emparé et maintenant vous pouvez, d'un jour à l'autre, mettre votre tante sur le pavé... Il n'y a pas qu'elle... On prétend que Plantel...

Gilles s'était figé.

— Qu'est-ce que vous avez ? questionna Colette. Vous m'en voulez de...

Il fit signe que non de la tête. Tout cela était trop rapide. Et combien vertigineux ! Ainsi, c'était lui, désormais, qui...

— Et vous croyez vraiment que ces documents sont dans le coffre ? questionna-t-il après s'être passé la main sur le front.

— Il ne l'a jamais caché... Est-ce que vous comprenez, maintenant, pourquoi j'ai voulu...

Il était las, soudain. Cette journée, jusque-là, avait été sa première bonne journée depuis le tragique accident de Trondjhem et Gilles avait senti une existence possible s'organiser autour de lui. Il n'y avait pas si longtemps encore, il errait dans le parc au côté d'une jeune fille et tous deux prononçaient d'un ton pénétré des paroles sans importance.

Tout s'expliquait, la façon dont Babin lui avait fait mettre la main dessus par Armandine, les attentions de Plantel, l'agitation de sa tante Éloi, le jeune Plantel qu'on voulait lui donner comme mentor et Bob qu'on rappelait d'urgence de Paris...

Et aussi le silence, la réserve de Colette, les regards anxieux qu'elle lui avait lancés lors de leurs premières entrevues.

Il était, lui, l'héritier de l'homme dont tout le monde avait peur !

— Vous connaissez la combinaison du coffre ?

Elle secoua la tête et il fixa machinalement les petits cheveux très fins de sa nuque.

— Non... Je croyais que c'était facile, que je trouverais... Ce que je voulais vous dire ce soir, en présence de Maurice, c'est que je resterai dans cette maison, comme le testament l'exige, parce que j'ai besoin de la pension que vous devez me verser... Je tiendrai aussi peu de place que possible... Je m'efforcerai de ne vous gêner en rien... Enfin, Maurice ne viendra plus ici et nous nous verrons chez ma mère comme par le passé... Je tenais à ce que vous connaissiez les faits exacts, afin que vous ne vous étonniez pas de certaines de mes attitudes et de mes démarches...

Elle sourit faiblement.

— C'est plus honnête comme ça, n'est-ce pas ?

Le docteur s'était levé. Plusieurs fois, il avait été tenté de prendre la parole, mais il s'était contenu. Maintenant, il était à bout. Pendant quelques instants, il arpenta la salle à manger et enfin il se campa devant Gilles.

— Je vous demande pardon de vous avoir assez mal reçu ce matin, articula-t-il. Je ne savais pas encore...

Qu'est-ce qu'il ne savait pas ? Que Gilles n'était pas un ennemi ?

— Colette et moi, voyez-vous, nous...

Non ! Gilles n'en pouvait plus. Il ne voulait pas entendre leurs confidences. Il était désemparé. Il avait besoin d'être seul, de réfléchir. Il se passa la main sur le visage d'un geste fébrile. On put croire qu'il allait pleurer. La jeune femme adressa un signe imperceptible au docteur qui tendit la main.

— Bonsoir, monsieur Mauvoisin...

Est-ce Gilles qui sortit le premier ? Est-ce le couple ? Il ne devait pas s'en souvenir. Il suivit le couloir, poussa une porte. C'était celle de la chambre de son oncle. Un peu plus tard, alors qu'il était toujours debout, immobile, au milieu de la pièce, il entendit le bruit d'une voiture qu'on met en route.

Il courut à la fenêtre. Il y avait de la lumière chez sa tante. L'auto du docteur s'éloignait et le pinceau de ses phares éclairait une façade blanche sur laquelle il était écrit en grosses lettres noires « Vins en gros ».

Les deux portraits, dans leur cadre ovale, au mur : celui du grand-père et de la grand-mère Mauvoisin.

Plus bas, contre le lit, tranchant avec le papier à fleurs, la porte métallique du coffre-fort.

Gilles était aussi las que si on l'eût roué de coups. Il franchit la porte de communication, se retrouva dans sa chambre où d'autres portraits l'accueillaient, ceux d'un homme qui avait espéré devenir un grand musicien et d'une femme qui l'avait suivi.

Il avait posé ses deux coudes sur la cheminée. Sa tête se pencha et son front toucha la glace.

Alors, en même temps qu'une impression de fraîcheur envahissait ses tempes, ses paupières devinrent brûlantes et il se mit à pleurer comme un enfant.

DEUXIÈME PARTIE

LES NOCES D'ESNANDES

I

Certes, il y avait des semaines que Gilles y pensait, mais le plus souvent dans des moments où on n'a pas les idées très nettes, avant de s'endormir, par exemple. Alors, les yeux clos, la tête chaude, tout paraît possible. Puis, le lendemain, au grand jour, on est gêné d'avoir pensé de telle sorte, ou effrayé d'avoir caressé pareil projet.

Or, celui-ci se réalisa, et quand, ce soir-là, Gilles revint par les quais, il était à la fois plus léger que d'habitude et vaguement angoissé ; il fredonnait en marchant, mais c'était à la façon dont les enfants fredonnent dans le noir pour se donner du courage.

Il poussa la porte de chez Jaja. Il y venait souvent, à cette heure-là. Elle s'approchait en essuyant ses mains boudinées et rouges à son tablier et elle questionnait :

— Comment ça va, mon petit ?

Elle lui servait du cidre, d'autorité, et il s'était

mis à aimer le cidre. Quand il n'y avait pas de clients, elle s'asseyait en face de lui, les coudes sur la table.

— T'as encore maigri depuis l'autre fois... Tu es sûr qu'on te donne assez à manger ?

Un soir, comme ça, elle lui avait déclaré, après l'avoir observé longuement :

— Vois-tu, mon garçon, si tu étais malin, je sais bien ce que tu ferais... Tu plaquerais cette grande baraque moisie, tu t'achèterais de beaux costumes, une belle auto, et tu irais profiter de ton argent ailleurs, je ne sais pas, moi, à Paris ou dans le Midi... J'ai toujours rêvé de me retirer à Nice... Quand je pense qu'à ton âge tu es à travailler du matin au soir et que ces gens-là se moquent de toi...

C'était vrai. Quand il était sorti de son entretien avec Edgard Plantel, Gilles avait une grosse serviette sous le bras. L'entrevue avait été presque comique. Plantel, plus élégant, plus homme du monde que jamais, les cheveux bien lissés, un cigare parfumé aux lèvres, des guêtres claires sur ses chaussures sans un brin de poussière, avait d'abord fait preuve, dans son bureau tapissé d'acajou et garni de maquettes de navires, d'une désinvolture suprême...

— Asseyez-vous, mon ami... De temps en temps, si vous voulez, vous viendrez bavarder un moment avec moi... J'essayerai de ne pas trop vous ennuyer... Les chiffres ne sont pas l'affaire des jeunes gens... D'ailleurs, on se fait une fausse idée des grandes affaires... Croyez-vous que Mauvoisin s'occupait personnellement des cars ?... Un employé suffit pour ça... Croyez-vous que j'assiste au débarquement de chaque chalutier, au départ des trains de marée ?... Dans une affaire ancienne et solide, où tous les rouages sont bien huilés... Vous ne fumez toujours pas ?

Stupeur de monsieur Plantel quand Gilles, qui avait une fois de plus son frémissement caractéristique des lèvres, lui avait déclaré avec une douceur ferme :

— Monsieur Plantel, je voudrais que vous me remettiez le dossier de toutes les affaires auxquelles mon oncle était intéressé...

— Mais, mon jeune ami...

Gilles avait tenu bon. Il était rentré quai des Ursulines avec son butin.

Un bureau avait été aménagé deux pièces plus loin que sa chambre, dans l'aile droite de la maison, juste en face des fenêtres de Colette.

Toujours poli, toujours timide, Gilles, dans le vaste hall des autocars, s'était approché un matin de Poineau. Il lui avait serré la main.

— Dites-moi, monsieur Poineau, est-ce que monsieur Lepart s'y connaît en comptabilité ?

— Mais... certainement... C'est son métier...

— Voudriez-vous me faire le plaisir d'engager un autre employé, afin que je puisse utiliser de temps en temps monsieur Lepart ?

Depuis lors, presque chaque jour, le père d'Alice, fier de sa nouvelle importance, un peu inquiet aussi, était appelé chez le jeune homme. Il portait des vêtements mous et tristes. Il posait avec soin sur son nez des lunettes d'acier.

— Asseyez-vous, monsieur Lepart... Voulez-vous que nous reprenions le dossier Éloi ?... Il y a des opérations que je ne m'explique pas, par exemple l'avalisation des traites Ducreux...

Et, des heures durant, un crayon à la main, Gilles travaillait comme un élève qui prend des leçons particulières.

A quatre heures, invariablement, il se levait.

— Je vous remercie, monsieur Lepart... A demain...

Esprit Lepart retournait dans l'ancienne église où Poineau, son chef direct, le regardait avec étonnement et n'osait pas le questionner.

Quelques minutes plus tard, Gilles passait devant le Bar Lorrain et Raoul Babin, toujours à son poste, écartait légèrement le rideau.

A l'encontre des autres amoureux, Gilles n'attendait pas à la sortie des bureaux, mais à la limite de la ville et du parc.

Jusqu'alors, à cinq heures, il faisait noir.

Maintenant, on était en février. Les jours allongeaient. Des gens se retournaient parfois pour regarder le neveu Mauvoisin en faction au coin d'une allée.

Alice paraissait, les jambes haut dégagées, les

cheveux en désordre, car elle ne portait pas de chapeau.

— Bonjour...

Depuis quelques jours, déjà, ils devaient attendre pour s'embrasser, car il faisait trop clair. Et, ce jour-là, il pleuvait à torrent, une pluie longue et froide de printemps.

— Il y a longtemps que tu es là ?

Il y avait, comme ça, un certain nombre de traditions, dont cette phrase qu'elle ne manquait pas de prononcer, de même qu'il ne manquait pas de répondre :

— J'arrive à l'instant...

Puis, d'un geste machinal qui le ravissait, elle s'accrochait à son bras et elle marchait un peu penchée, un peu sur la pointe des pieds aussi, dans une attitude qu'il avait souvent vue aux femmes amoureuses.

Il n'avait pas de parapluie. Elle s'était moquée de lui, un soir qu'il était venu avec un parapluie acheté le jour même.

— Tu es trop drôle avec cet outil... On dirait que tu portes un cierge à la procession...

Son imperméable était détrempé. Alice, elle, avait un vêtement de pluie en soie transparente et des gouttes limpides brillaient dans ses cheveux.

— On va à *notre* parapluie ?

Parce qu'ils se tenaient serrés, ils ne pouvaient pas toujours éviter les flaques d'eau. Leur « parapluie », c'était, près de la *Pergola,* au bord de la mer, un grand pin parasol sous lequel on était à peu près à l'abri, sauf des grosses gouttes qui s'amassaient dans les branches et qui se détachaient soudain.

Gilles regrettait les soirs plus sombres et plus froids, certains soirs de neige, entre autres, aux alentours de Noël, puis les fortes gelées qui avaient suivi, quand Alice enfonçait les mains dans ses poches pour se réchauffer et que le lendemain matin ils se réveillaient, chacun de son côté, les lèvres gercées.

L'eau de la rade, ce jour-là, était toute jaune et des bateaux rentraient en file indienne. Bientôt, à la même heure, il ferait grand jour et la plage serait couverte de baigneurs.

— A quoi penses-tu ?

— A rien...

Il l'embrassa justement au moment où une petite vieille passait, qui se retourna sur eux en hochant la tête d'indignation. Alice pouffa. Elle écarta son vêtement de pluie et il ouvrit son imperméable, et ainsi ils sentaient la chaleur de leurs corps. L'eau qui roulait sur les joues se mêlait à la salive des baisers. Tout près de lui, Gilles voyait, immenses, les yeux marron de la jeune fille.

— Tu es heureuse ?

— Pourquoi me demandes-tu toujours ça ? Tu n'es pas heureux, toi ?

— Tu es allée au cinéma, hier ? Avec qui ?

— Avec Linette et Gigi...

— Personne ne vous a parlé ?

— Albert, l'amoureux de Gigi, qui s'est assis à côté d'elle...

Il était jaloux. Et puis, non ! C'était plus compliqué. Il souffrait à l'idée de perdre bientôt ce tête-à-tête quotidien, dans l'obscurité du parc, de ne plus marcher avec Alice bras dessus bras dessous, en racontant n'importe quoi, de ne plus s'arrêter soudain pour la prendre dans ses bras et écraser longuement ses lèvres.

Le dimanche était son plus mauvais jour, parce qu'il ne pouvait pas la voir. Elle sortait en bande avec d'autres jeunes filles. Il savait que des jeunes gens les suivaient.

Plusieurs fois, dans la solitude de son lit, il avait pensé :

— On dirait que tu es triste... Tu ne crois pas que tu travailles trop ?

Il n'était pas triste. Il était anxieux. Des tas d'idées lui passaient par la tête, mais il n'aurait pas pu les définir. Il y avait un mot, un petit mot tout simple, qui suffisait à le rendre rêveur : le couple...

Et toujours il lui semblait revoir son père et sa mère dans l'obscurité de la rue de l'Escale.

Ils étaient morts ensemble dans une chambre de Trondjhem, et ils étaient enterrés ensemble. Sa tante et le docteur formaient aussi un couple. Rien n'avait pu les séparer et, s'il leur était arrivé de rester des semaines sans se voir, ils se savaient unis...

Alors, soudain, en fixant les bateaux qui labouraient l'eau vaseuse de la baie :

— Alice...

— Quoi ?

— Je pense qu'il vaudrait mieux que nous nous mariions...

— Qu'est-ce que tu dis ?

Elle le regarda, incrédule, de ces grands yeux qu'il connaissait si bien et dont pourtant il ne pouvait jamais deviner la pensée.

— Tu parles sérieusement, Gilles ?

Elle avait enfoncé ses ongles dans son poignet. Sa lèvre inférieure s'était soulevée. Elle avait été sur le point de rire. Elle avait essayé. Puis, au dernier moment, alors que le rire était déjà presque dessiné sur son visage enfantin, elle avait fondu en larmes.

— Gilles... C'est vrai ?... Tu...

Voilà ! Il en était encore comme endolori. Leur étreinte, du coup, était devenue plus grave. Jusqu'à leurs baisers qui n'avaient pas le même goût. Il est vrai qu'ils étaient salés par les larmes d'Alice.

— Ta tante Éloi ne permettra jamais...

— Elle n'a pas à permettre ou à ne pas permettre... Je suis émancipé...

— Tu as bien réfléchi, Gilles ?... Tu crois que c'est possible ?

Et, pour la première fois, tandis qu'ils marchaient côte à côte, il s'était senti vis-à-vis d'elle comme un protecteur.

— Demain, j'en parlerai à ton père... Nous ferons publier les bans tout de suite... Nous nous marierons à l'église Saint-Sauveur...

C'était décidé. Le sort en était jeté. Il n'y avait plus à y revenir. Et, comme il avait besoin d'en parler, il avait poussé la porte de chez Jaja.

— Vois-tu, mon garçon, se marier jeune, c'est tout bon ou tout mauvais...

— Alors, ce sera tout bon...

— Je le souhaite... C'est ton affaire, n'est-ce pas ?... Tu veux emporter quelques huîtres pour ce soir ?

C'était une manie de Jaja. Elle ne pouvait pas imaginer que madame Rinquet — Jaja connaissait toute la ville ! — pût soigner Gilles comme elle l'entendait.

— Cette femme-là, tu comprends, c'est une cuisinière de métier... Elle a servi chez le comte de Vièvre avant d'entrer au service de ton oncle... On ne me fera pas croire que ça fait de la cuisine comme Jaja...

Pour elle, Gilles était une sorte de poulet trop tendre à qui il fallait infiniment de soins. Elle le voyait toujours comme au premier matin, tout nu, tout pâle dans son lit, avec ses chaussettes trouées sur la carpette...

— Je vais te préparer un cageot de marennes...

D'autres fois, elle lui fourrait du poisson sous le bras, ou des coquillages, et Gilles était gêné, en déposant ces victuailles dans la cuisine du quai des Ursulines.

— On dirait que je vous laisse mourir de faim ! protestait madame Rinquet. Cette idée d'apporter du poisson à la dernière minute, alors que j'ai à peine le temps de le nettoyer !...

La nuit était enfin tombée et Gilles contournait les bassins pour rentrer chez lui. Il avait hâte d'annoncer à Colette... Est-ce qu'elle lui dirait la même chose que Jaja ? Est-ce qu'elle comprendrait ?

Au fond, c'était presque à cause d'elle que Gilles...

Il allongea le pas. Il se trouva devant la vitrine de la Veuve Éloi et soudain il tourna le bouton de la porte. Il y venait rarement. Le plus souvent, il ne faisait qu'entrer et sortir, surtout quand Bob était là.

— Bonsoir, tante...

— Bonsoir, Gilles...

Gérardine avait pris vis-à-vis de lui une attitude réservée, pleine de dignité, avec une pointe de tristesse. Elle se rappelait qu'un jour elle avait été obligée de pleurer devant lui et qu'elle avait été, dans un moment pathétique, jusqu'à lui lancer :

— Voulez-vous qu'une mère se jette à vos genoux ?...

C'était un peu oublié, mais il en restait quelque chose.

— Vous venez dire bonsoir à vos cousines ? Elles sont en haut... Justement, hier, elles parlaient de vous...

Non. Il préférait la cage de verre intime d'où on surveillait le magasin. Il s'asseyait à la même place que le capitaine de navire qu'il avait aperçu à travers les glaces le premier jour, quand il était, lui, assis sur une bitte du quai.

— Vous ne me demandez pas des nouvelles de Bob ?

Gilles n'avait aucune sympathie pour ce cousin qu'on avait essayé de lui jeter dans les jambes. C'était un grand garçon de vingt-cinq ans, sanguin, épais, aux grosses lèvres, aux yeux à fleur de tête, qui donnait l'impression d'un animal trop nourri.

Les relations entre les deux jeunes gens avaient mal commencé.

— Dites donc, Gilles... Il va falloir que vous achetiez une voiture... Comptez sur moi... Je m'y connais... Demain, nous irons voir une bagnole dont j'ai envie depuis longtemps et je vous apprendrai à conduire...

Gilles n'avait pas acheté la voiture. Il n'avait pas appris à conduire avec son cousin, qui en était à son troisième ou quatrième accident, mais avec un mécanicien du garage Renault.

— Je vous présenterai à quelques copains et copines... Ce n'est pas que La Rochelle soit folichon, mais quand on connaît les petits coins... Tenez, la nuit dernière...

— Je n'ai aucune envie de sortir...

Et Gilles devinait, derrière son dos, des scènes pénibles, la tante Éloi qui poussait son fils, qui le grondait.

— Tu l'effraies... Il ne faut pas aller si vite...

Après une semaine, déjà, le coup des dix mille francs ! Bob le prenait d'abord de haut.

— Vous ne pourriez pas me prêter dix mille balles ?... J'avais la cuite... Je me suis laissé entraîner à un poker... Si demain je n'ai pas payé...

Gilles avait donné les dix mille francs, sans un mot, avec un regard glacé. Trois semaines plus tard, Bob venait lui en demander vingt mille.

— Excusez-moi, mon vieux... J'ai horreur de taper les gens, mais je suis dans une passe de guigne... Un idiot de cycliste qui se jette dans mes roues... Il est à l'hôpital... C'est un père de famille nombreuse... Si je ne règle pas ça à l'amiable, nous aurons tous les ennuis du monde, surtout que le type a des protections...

Gilles avait refusé et c'est alors que sa tante Éloi était venue à la rescousse, qu'elle avait pleuré, qu'elle...

Elle avait eu gain de cause, certes.

— Seulement, tante, avait murmuré Gilles, j'aimerais que Bob ne vienne plus me relancer...

— Vous ne le connaissez pas, Gilles... C'est un cœur d'or. C'est justement parce qu'il a un cœur d'or que...

Il y avait quand même, dans les yeux de Gilles, une pointe d'ironie tandis qu'il regardait sa tante et commençait, en pensant aux deux cousines qu'on avait espéré tour à tour lui voir épouser :

— Je suis venu vous annoncer une grande nouvelle... Je me marie...

Gérardine fut obligée, par contenance, de saisir son face-à-main qui se trouvait toujours sur un registre ouvert.

— Ah !... Peut-on savoir avec qui ?

— Une jeune fille que je connais... Alice... C'est la fille d'un de mes employés.

— Je vous félicite, Gilles... Je suppose que vous avez pris vos renseignements et que vous savez ce que vous faites... Vous êtes jeune, mais vous avez vite acquis l'habitude de vous conduire tout seul... Bien que je sois la sœur de votre mère, je ne me permettrais pas...

— On publiera les bans demain ou après-demain... Le mariage se fera dans l'intimité... Je vous demanderai naturellement d'y assister...

Pauvre tante ! Il se montrait féroce avec elle, car il jouissait de son désarroi, et pourtant il ne pouvait s'empêcher de la plaindre.

Depuis dix ans que son mari était mort, elle se débattait dans la vie comme un homme. En difficulté d'affaires, elle s'était adressée à Mauvoisin et celui-ci, au lieu de la sauver, l'avait noyée davantage.

De la maison Éloi, jadis prospère, une des plus anciennes de La Rochelle, il ne restait en somme que la façade. Avec ça, Bob qui ne faisait rien de bon et qui restait des trois jours sans rentrer, Louise qui louchait et qui paraissait immariable, Germaine, la mieux lotie des deux, qui, affirmait-on en ville, avait une liaison avec un homme marié.

Toujours sur son quant-à-soi, Gérardine n'en menait pas moins de front affaires et famille dans l'espoir insensé de sauver sa nichée.

— Et... vous continuez à habiter le quai des Ursulines ? Il va falloir que vous aménagiez la maison...

— J'ai pensé à tout, tante... Ce sera prêt... Maintenant, il est l'heure de dîner...

— A propos, vous connaissez la nouvelle ?

Elle venait soudain de se ressaisir. Comment avait-elle pu oublier qu'elle avait une réplique au coup que Gilles lui portait ?

— Quelle nouvelle ?

— Votre tante Colette ne vous a rien dit ? Vous êtes toujours bien ensemble, n'est-ce pas ?

— Très bien...

— Elle doit être dans tous ses états... Ce matin, madame Sauvaget est morte... Seulement, il y a des complications imprévues, du moins on l'affirme... Bonsoir, Gilles... Si vous avez besoin de moi, n'oubliez pas que je suis la sœur de votre mère et que, malgré tout...

Elle appuya sur le « malgré tout » sans achever sa phrase.

Il était à peine sorti qu'elle se précipitait au téléphone.

— Allô ?... C'est vous, Plantel ?... Ici, Gérardine... Oui... Il sort d'ici... Il se marie... Vous dites ?... Tant mieux ?... Pourquoi tant mieux ?... Figurez-vous que c'est... Comment, vous êtes au courant ?... Eh bien ! oui, la fille d'un de ses employés dont j'ai oublié le nom... Si vous prenez la chose ainsi...

Gilles était détrempé quand il atteignit le quai des Ursulines, plus sombre que le reste de la ville. C'était l'heure où rentraient les derniers autocars. On voyait les masses sombres, piquées du feu rouge arrière, manœuvrer, pour rentrer, comme d'énormes bêtes, dans le garage.

Il passa sans s'arrêter. Il allait atteindre la grille

quand il s'arrêta net, surpris de voir sa tante Colette devant lui, toute menue devant la grille. Dans ses vêtements noirs, son visage seul ressortait, blafard. Et elle eut un geste angoissé pour lui saisir le bras en s'écriant :

— Gilles !...

— Bonsoir, tante... Pourquoi restez-vous sous la pluie ?...

— Gilles... Venez... Je vous parlerai en chemin... Si vous saviez...

— Elle est morte, je sais...

— Ce n'est pas tout... C'est affreux, Gilles !... Je n'ai pas osé entrer dans la maison... Ce matin, il m'a téléphoné pour m'apprendre la nouvelle... Je ne me suis pas inquiétée et pourtant il y avait quelque chose d'anormal dans le son de sa voix, dans les phrases qu'il a prononcées... On aurait dit qu'il venait de recevoir un coup terrible... Je me suis même demandé s'il l'aimait...

Elle lui tenait toujours le bras et elle l'entraînait le long du canal, d'une démarche saccadée, sans s'inquiéter de la pluie qui tombait, ni des flaques d'eau qui éclataient sous ses pas.

Ils franchirent la passerelle pour gagner plus vite le centre de la ville.

— Tout à l'heure, le frère de madame Rinquet est venu à la maison... Vous devez l'avoir déjà aperçu... C'est un inspecteur de police, toujours en civil... Il travaille dans le bureau du commissaire central... Il paraît...

Elle se mordait les lèvres jusqu'au sang et il faillit à ce moment, tant il la sentait désemparée, passer son bras autour de sa taille frêle.

— On vient de refuser le permis d'inhumer... Maurice a été prié de ne pas quitter la maison et il y a un agent à la porte...

— Vous dites ?

— Je vous jure, Gilles, qu'il ne l'a pas tuée... Je sais, vous entendez, je sais qu'il en est incapable... La preuve est qu'il a patienté si longtemps... Non... C'est impossible... Vous, vous avez le droit d'entrer dans la maison... Si j'y allais, cela ferait un scandale... J'ai rôdé dans la rue du Minage... On vient de clouer à la porte les tentures mortuaires, mais un fourgon a emporté le corps.

— Calmez-vous, tante... Je ne comprends pas... Que s'est-il passé ?...

— Rinquet a dit à sa sœur...

Elle ne pleurait pas ; elle étouffait et elle était obligée de s'arrêter de parler pour respirer, la bouche ouverte, comme un poisson hors de l'eau. Des passants se retournèrent. Gilles, qui n'était pas encore pris par le drame, pensa que si l'un d'eux les reconnaissait, on raconterait d'étranges histoires dans la ville.

— Avant de mourir, madame Sauvaget a écrit une lettre à sa sœur... C'est la femme d'un marchand de vélos de la rue Dupaty... A onze heures, celle-ci était déjà chez le procureur de la République avec la lettre... Madame Sauvaget y demande que, s'il lui arrivait malheur, on fasse procéder à son autopsie et elle précise que, depuis quelque temps déjà, elle a l'impression qu'elle est victime d'un empoisonnement progressif... Vous comprenez, Gilles?... Une information a été ouverte... Deux médecins ont été envoyés rue du Minage... Ils ont refusé le permis d'inhumer... Le commissaire central est chargé de l'enquête et c'est ainsi que Rinquet a pu venir mettre sa sœur au courant... Il faut absolument que vous voyiez Maurice... Comme je le connais, il est capable dans son affolement...

Elle butait sur les mauvais pavés de la rue Villeneuve, mais elle l'entraînait toujours à pas rapides.

— Dites-lui surtout que je sais qu'il n'a pas fait ça, que j'ai confiance en lui, que... Je n'en peux plus, Gilles!... J'avais peur que vous ne rentriez pas... Je n'ai pas eu la patience de vous attendre dans la maison... Je suis sûre, voyez-vous, que cette femme s'est vengée... Elle est capable, se sachant perdue, d'avoir pris elle-même du poison...

Ils traversaient le marché, désert à cette heure, s'engageaient sous les arcades de la rue du Minage. On voyait en effet un sergent de ville en uniforme qui faisait les cent pas et deux ou trois groupes de curieux qui discutaient.

— Ne venez pas plus loin, tante... On vous reconnaîtrait et...

Il cherchait où la laisser pendant qu'il rendrait visite au docteur Sauvaget.

— Vous ne pouvez pas rester dans la rue... Il y a un café, au coin...

Il en ouvrit la porte, d'autorité. Des gens jouaient au billard. On les regarda avec curiosité.

— Vous donnerez un rhum ou un cognac à madame...

Et, à voix basse :

— Promettez-moi de rester ici, d'être calme...

— Vous me croyez, Gilles, au moins ?... Il est innocent, je vous jure... Je le sens... Je le sais... Je...

Quand Gilles voulut pénétrer dans la maison du docteur, le sergent de ville s'approcha de lui.

— Où allez-vous ?

— Voir monsieur Sauvaget...

— Vous êtes un de ses malades ?

— Un ami... Gilles Mauvoisin...

— Vous savez que madame Sauvaget est morte et qu'il y a une enquête ?

— Je sais...

— Répétez-moi votre nom ?

Gilles le répéta et l'agent le nota sur son calepin à élastique.

— Vous pouvez entrer...

II

De jour, le corridor était dans la pénombre et c'est presque à tâtons qu'on trouvait la clinche du salon d'attente. Gilles fut surpris de découvrir, le soir, ce corridor si délabré. Une lampe électrique à l'abat-jour noir de saleté le faisait paraître plus long, plus étroit, et on voyait que les murs, irréguliers, s'écaillaient. Une porte vitrée, au fond, était ouverte sur une cour où traînaient des seaux et des poubelles.

Gilles se baissa et ramassa une fleur. Quelqu'un qui ne savait pas, sans doute, et qui avait apporté des fleurs comme pour une morte ordinaire ?

La porte du salon d'attente était large ouverte. Il y avait de la lumière, mais la pièce était vide, vide aussi le cabinet de consultation en désordre.

Gilles, saisi par le silence, par cette solitude sordide, toussa pour annoncer sa présence, mais aucun bruit ne répondit. Par contre, son regard tomba sur une armoire en tôle ripolinée, sur laquelle tranchaient les scellés de cire rouge.

Il atteignit enfin une pièce qui n'était ni un salon, ni une salle à manger, cette pièce où madame Sauvaget se tenait le plus souvent, dans son fauteuil roulant qui s'y trouvait encore, et d'où elle épiait son mari. Le même désordre y régnait. Un drap de lit par terre. Un oreiller douteux sur un divan sombre.

Soudain, Gilles se retourna et vit, dans l'encadrement d'une dernière porte, le docteur Sauvaget qui le regardait. Il le regardait si fixement qu'on aurait pu croire qu'il ne reconnaissait pas son visiteur. Ses cheveux étaient défaits. Il n'était pas rasé. Sans faux col, la chemise déboutonnée, les pieds chaussés de pantoufles de feutre brun, il restait là et, derrière lui, on apercevait le décor d'une cuisine pauvre et une étrange grosse fille qui fixait, elle aussi, le nouveau venu.

— Colette ? questionna le docteur d'une voix neutre.

— Elle est venue avec moi... Il vaut mieux qu'elle n'entre pas... Elle m'attend dans un café, au coin de la rue...

Le docteur esquissa un geste mou, comme pour dire :

— Entrez si vous voulez...

Il désignait la cuisine. Il y avait, sur la toile cirée de la table, une cafetière en émail blanc, deux bols, des miettes de pain. La grosse fille, qui était la bonne, était aussi ahurie que son maître. Elle ne pensa pas à avancer une chaise à Gilles. Elle était debout, les bras ballants, près du poêle, une mèche de cheveux couleur de chanvre dans la figure, et de gros seins informes gonflaient son corsage.

— Qu'est-ce qu'elle a dit ?

Maurice Sauvaget parlait bas. Il ne regardait nulle part. Et Gilles, la gorge serrée, pensait que c'était cet homme qui, depuis près de dix ans, aimait farouchement Colette, que c'était cet homme aussi que Colette aimait d'un si miraculeux amour.

Tout trahissait une vie mesquine, écœurante, ces pièces sombres qui prenaient jour sur la cour, ce divan qui servait de lit au docteur, cet escalier de fer qui conduisait à un entresol où était la chambre de la morte.

Cette femme impotente et pourtant jeune qui se traînait du matin au soir dans son fauteuil et cette fille ahurie qui faisait le ménage...

— Elle sait que vous n'avez pas fait ça...

Le visage du docteur ne s'éclaira pas. Regardant Gilles de ses yeux sans expression, il se contenta de questionner :

— Et vous ?

— Je pense comme elle...

Et pourtant jamais Gilles n'avait été aussi près de comprendre un crime, jamais, nulle part, il n'avait senti pareille atmosphère de crime possible, presque nécessaire.

— Ils ont tout fouillé, tout mis sens dessus dessous..., poursuivit le docteur. Ils ont emporté ma correspondance, mis les armoires sous scellés... Tout à l'heure ou demain matin ils viendront m'arrêter...

La servante laissa jaillir un sanglot rauque

comme un hoquet et se cacha le visage dans son tablier sale.

— Vous croyez qu'ils vous arrêteront ?

Sauvaget fit oui de la tête, s'assit sur une chaise de bois blanc, contempla rêveusement ses pieds chaussés de pantoufles.

— J'ai la conviction qu'elle s'est empoisonnée..., soupira-t-il. J'ai toujours senti que cela finirait mal... Depuis quelques jours, elle me traitait d'une façon étrange, elle était plus calme, comme plus sereine...

Un spasme le secoua et il se prit la tête à deux mains, se passa fiévreusement les doigts dans les cheveux, se calma aussi vite qu'il s'était crispé.

— Je vous demande pardon... Ces messieurs ne se sont pas donné la peine d'être polis... Quant à mes confrères, ils ont évité de m'adresser la parole... Vous feriez mieux de vous en aller, Gilles...

Et Gilles comprit que le docteur ne parlait pas seulement de quitter la maison de la rue du Minage, mais encore la maison du quai des Ursulines. La preuve, c'est qu'il ajoutait :

— Qu'est-ce que vous êtes venu faire là-dedans ?

C'était étrange : une impression floue et cependant précise, comme dans certains rêves... Gilles voyait, dans l'obscurité des rues, le couple tourmenté qui se cherchait, se joignait, se séparait et il se voyait lui-même, errant dans la ville, tantôt au bras de sa tante et tantôt tenant Alice par la main...

Cela faisait deux couples et on essayait de les disloquer, des gens, de tous côtés, les tiraillaient. Gérardine Éloi avec un rire féroce qui montrait ses grandes dents, Babin mordillant son cigare et guettant Gilles à travers la vitre du Bar Lorrain, Plantel, homme du monde au fin sourire ironique, Penoux-Rataud qui bavait et le sarcastique Hervineau à figure de clown...

— Vous avez choisi un avocat ?

Et le médecin, les yeux écarquillés :

— C'est vrai... Il va falloir que je choisisse un avocat...

— Vous en connaissez un bon ?

— Je ne sais pas... Je ne sais plus rien...

Un nouveau spasme. Cela naissait si brusquement, c'était si aigu que c'en devenait effrayant.

Et Gilles prononçait sans conviction :

— Il faudra bien qu'on reconnaisse votre innocence... Pour vous jeter en prison, on doit avoir des preuves contre vous...

— Oui... Bien sûr... Il vaut mieux que vous alliez retrouver Colette... Dites-lui... Dites-lui tout ce que vous voudrez... Qu'elle ait du courage, que... que je...

Il n'y tint pas davantage et, avec une sorte de cri, il s'enfuit de la cuisine, disparut dans l'escalier de fer. On l'entendit s'abattre, là-haut, sur un lit, et il hurla comme une bête.

— J'ai peur..., gémit la bonne aux yeux ahuris. Ne partez pas... Je n'ose plus rester seule avec lui... Dites, monsieur, est-ce qu'ils vont vraiment l'arrêter ?...

Gilles ne trouva rien à lui répondre et il s'éloigna sans mot dire, traversa à nouveau les pièces en désordre, suivit le long corridor au bout duquel il retrouva l'uniforme de l'agent.

Un homme en civil était avec lui, que Gilles avait l'impression d'avoir déjà vu, mais il n'y prit pas garde. Comme Gilles avait parcouru cinquante mètres sous les arcades, il entendit des pas pressés. Il se retourna.

— Je vous demande pardon, monsieur Mauvoisin... Je suis le frère de madame Rinquet... Je sais que madame Colette vous attend au coin... Je me demande si vous devez le lui dire, mais c'est pour ce soir...

— Pour ce soir ? répéta Gilles sans comprendre.

— J'attends le commissaire d'un instant à l'autre. Vous comprenez ?... Le procureur a peur qu'il se détruise... Alors, on va...

Dans le coin du café, ils restèrent silencieux tant que le garçon rendit la monnaie. Les joueurs de billard les regardaient avec une curiosité qu'ils ne cherchaient pas à dissimuler.

— Venez, Colette...

Il ne pouvait pas supporter le regard poignant de sa tante qui attendait une nouvelle, n'importe laquelle. Dehors, dans l'obscurité d'une petite rue dans laquelle il l'avait entraînée, il lui entoura les épaules de son bras et ils firent quelques pas en silence.

— Qu'est-ce qu'il a dit ? balbutia-t-elle enfin. Comment est-il ?

— Bien...

Gilles n'osait pas parler. Il avait peur d'éclater en sanglots. Il sentait sa tante toute menue, toute frémissante. Et, comme tout à l'heure dans la cuisine du docteur, il avait l'impression de faire partie du drame. Ils n'étaient pas deux, mais trois, mais quatre, à se débattre dans l'obscurité de la ville hostile.

— Il faudra bien qu'on reconnaisse son innocence...

Elle secoua la tête négativement.

— Ils sont trop contents de l'avoir, de *nous* avoir... Voyez-vous, Gilles, tous, tant qu'ils sont, ils nous détestent... Je ne sais pas comment vous expliquer...

Soudain elle posa cette question inattendue :

— Est-ce qu'il a mangé un peu, au moins ?

— Mais oui, petite tante... Il est beaucoup plus calme que je ne l'aurais pensé... Il m'a dit que vous ne deviez pas vous tracasser, que...

— Quand est-ce qu'ils vont l'arrêter ?

Ils avaient atteint le canal. On ne voyait qu'une seule lumière, au second étage de la maison du quai des Ursulines : celle de la salle à manger.

L'imperturbable madame Rinquet devait attendre, près de la table servie, sous la lampe qui dessinait un cercle de lumière chaude.

Un couple s'était formé, comme ça, il y avait bien longtemps, avait fui la ville, avait erré de pays en pays pour finir dans un petit port norvégien... Et tout à l'heure, dans le parc, sous le pin parasol, Gilles étreignait une jeune fille dont il voyait les grands yeux tout près des siens, lui demandait de s'unir à lui pour toujours...

Son bras serra davantage les épaules de sa tante. Il ne savait plus si c'était elle qu'il étreignait, ou si c'était Alice, ou si c'était sa mère... C'était la femme qui va, au côté d'un homme, sur un chemin inconnu, et qui souffre.

Alors, dans un mouvement de tendresse irréfléchie, il pencha la joue sur la joue de Colette ; il sentit ses petits cheveux fous sur sa peau. Il appuya. Ce fut un contact tiède, humide, car elle pleurait en silence.

— Ma pauvre petite tante...

Pour le remercier, elle lui serra un tout petit peu le bras, de ses doigts fragiles, et elle murmura dans un souffle :

— Gilles...

Elle ne mangeait pas. On la sentait lasse et pourtant elle n'avait pas le courage de quitter la tiède ambiance de la salle à manger pour aller s'enfermer dans sa chambre. Quand son regard se posait sur Gilles, elle s'efforçait d'esquisser un sourire, comme pour lui demander pardon d'être si triste, si abattue. Madame Rinquet faisait le service plus silencieusement que de coutume et de temps en temps elle s'arrêtait pour les observer tous les deux.

— Je vais vous apprendre une nouvelle, tante... Surtout, ne croyez pas que je ne pense qu'à moi...

Sa pensée était complexe, mais il était incapable de l'exprimer. S'il voulait lui parler d'Alice, c'était justement parce que, par elle, il se sentait plus près de Colette, parce que l'événement de l'après-midi, un pareil jour, prenait une résonance plus grave, plus profonde, parce que l'amour de Gilles l'associait plus étroitement au drame que vivaient sa tante et le docteur.

— Je vais me marier, tante...

Madame Rinquet s'immobilisa, des assiettes à la main. Colette leva la tête avec lenteur et ses yeux clairs exprimèrent une surprise comme attristée. Elle s'en rendit si bien compte qu'elle tenta d'effacer cette impression. Elle sourit, mais son sourire restait mélancolique.

— Vous marier, Gilles ?...

Son regard fit le tour de la pièce où ils avaient vécu ensemble tout l'hiver. On eût dit qu'elle essayait d'y imaginer la présence d'une nouvelle personne, d'une intruse.

Et Gilles, parce qu'au-dessous de tout cela il sentait des choses confuses qui risquaient de se faire jour, se hâta de prononcer :

— Je vais épouser la fille d'Esprit Lepart... Vous savez, cet employé aux gros sourcils qui était autrefois au guichet et qui monte maintenant travailler avec moi... Elle a dix-huit ans...

Les yeux de Colette étaient embués. Son visage se troublait.

— Vous avez raison, Gilles, soupira-t-elle en repoussant sa serviette et en se levant...

Elle avait encore de la peine à s'en aller.

— Je suis lasse... Je crois qu'il vaut mieux que je me repose... Bonsoir, Gilles... Bonsoir, madame Rinquet...

Mais celle-ci protesta :

— Je vais avec vous... Il faut que je vous mette au lit...

C'était sinistre comme un livide paysage d'hiver, quand on a l'impression que le soleil ne reviendra plus. Le journal était mal imprimé, avec des lignes qui menaçaient de se chevaucher et l'encre en était pâle, le papier pauvre.

« UNE GRAVE AFFAIRE D'EMPOISONNEMENT A LA ROCHELLE »

Tous les mots, toutes les phrases donnaient au drame un aspect laid et cru.

« *Une grave affaire d'empoisonnement, qui n'étonnera que ceux qui n'étaient pas au courant d'un scandale qui durait depuis longtemps...* »

Maurice Sauvaget devenait le docteur S... « *bien connu dans notre ville...* »

Colette était, elle, l' « *épouse d'une des principales notabilités rochelaises, décédée récemment et dont la succession a fait l'objet de nombreux commentaires...* »

C'était aussi cruel que certains dessins noir sur blanc, aux oppositions violentes, aux traits trop durs.

« *Le drame d'aujourd'hui n'est que l'aboutissement d'un drame qui, jadis...*

« *On n'a pas oublié le mariage inattendu d'une des plus riches personnalités de la ville avec une ouvreuse de cinéma...*

« *Or, deux ans après ce mariage, le mari avait la douleur de découvrir...* »

Tout cela devenait d'une vulgarité effrayante. La maison du docteur... Sa femme, malheureuse, infirme, se rongeant de jalousie, et pour ainsi dire abandonnée...

Les amants qui n'avaient plus la patience d'attendre sa mort et qui, délibérément, avançaient l'heure de celle-ci...

« *Il semble établi que, pendant des semaines, le docteur, qui avait tous les moyens voulus à sa disposition, a administré jour après jour à sa femme de petites quantités d'arsenic, en dosant le poison de telle sorte que...* »

Il était dix heures du matin. Le ciel, ce jour-là, était clair, la lumière particulièrement pure et on entendait de très loin les sirènes des navires. Gilles, de sa fenêtre, vit un homme vêtu d'un pardessus brun s'arrêter devant la grille et déployer le soufflet d'un énorme appareil photographique.

Bientôt, on viendrait contempler comme une curiosité la maison du quai des Ursulines.

Gilles, machinalement, se tourna vers la fenêtre de sa tante et aperçut celle-ci debout derrière le rideau de tulle. Elle avait vu le photographe, elle aussi.

Il courut à la cuisine. Un journal était sur la table, le même qu'il venait de lire.

— Vous ne le lui avez pas donné, j'espère ? dit-il à madame Rinquet.

— Malheureusement, elle est allée le chercher elle-même dans la boîte aux lettres...

— Qu'est-ce qu'elle a dit ?

— Rien... Ils l'ont arrêté... Mon frère est venu me voir ce matin... Madame lui a remis une lettre pour le docteur... Il paraît qu'il a choisi l'avocat

Causel... C'est un des meilleurs... Que va-t-il arriver, monsieur Gilles ?

Il sortit sans répondre, descendit et pénétra dans l'ancienne église. Il sentit que tout le monde le regardait avec curiosité.

— Vous voulez monter, monsieur Lepart ?

L'employé ramassa ses papiers, prit ses lunettes à monture d'acier, son porte-plume, son crayon rouge et bleu.

— Tout de suite, monsieur Gilles...

Il avait toujours l'air, quand on l'apostrophait, d'un homme pris en faute.

Gilles monta avec lui dans le bureau qu'il avait aménagé près de sa chambre.

— Vous voulez que nous continuions à étudier le dossier Éloi ?

— Non, monsieur Lepart... Ce n'est pas pour travailler que je vous ai prié de venir... Monsieur Lepart, j'ai une question importante à vous poser...

Justement à cause des événements, Gilles ne voulait pas attendre.

— Monsieur Lepart, est-ce que vous accepteriez de me donner votre fille en mariage ?

L'employé le regarda avec des yeux sans expression, puis s'efforça de sourire.

— Pourquoi me posez-vous une pareille question, monsieur Gilles ? Vous ne la connaissez pas et, d'ailleurs...

— D'ailleurs quoi ?

— Je ne sais pas, moi... Il n'est pas possible que vous...

— Monsieur Lepart, je vous demande officiellement la main d'Alice et je vous avoue que, tout cet hiver, je l'ai vue chaque jour en cachette...

— Ah !...

Ce fut toute sa réaction. Il était comme pétrifié.

— Hier, quand j'ai demandé à Alice si elle voulait être ma femme, on ne pouvait pas prévoir qu'il allait être question de notre maison dans les journaux... Réfléchissez, monsieur Lepart... Voulez-vous consulter votre femme ?... Voulez-vous me donner votre réponse cet après-midi ?

— Oui... Oui... Je vais...

Et il sortit en heurtant le chambranle de la porte.

Dans le corridor, Gilles aperçut monsieur Plantel que précédait madame Rinquet.

— Je vous dérange ?

— Entrez... Je viens de faire la demande en mariage...

Monsieur Plantel eut un geste comme pour dire :

— C'est sans importance... Ce n'est pas de cela qu'il s'agit...

C'était la première fois qu'il pénétrait dans le bureau de Gilles et il eut un sourire amer en apercevant les rayonnages de bois blanc sur lesquels les dossiers Mauvoisin étaient rangés.

— Vous permettez ? fit-il en s'asseyant... Deux

étages, c'est déjà haut... Je suppose que vous avez lu le journal ?...

— Je l'ai lu...

— Vous êtes allé hier soir rue du Minage, n'est-ce pas ?

— J'y suis allé...

— Eh bien ! à cette heure, la moitié de la ville le sait et on affirme que vous étiez d'accord avec votre tante...

— D'accord pour quoi, sur quoi ?

— Écoutez-moi, Gilles... Vous êtes jeune... Cet hiver, vous avez prétendu vivre à votre guise, sans écouter les conseils que des aînés vous donnaient et, hier au soir encore, j'ai appris que vous avez décidé de vous marier à je ne sais quelle jeune fille de la ville... Cela vous regarde... Je suis malheureusement obligé de vous rappeler que vous êtes l'héritier de votre oncle Mauvoisin qui était mon ami... Vous êtes ici dans sa maison... Vous n'ignorez rien de la conduite de sa femme... Dans ces conditions, il serait scandaleux que vous affichiez pour elle, surtout après ce qui vient de se passer, une sympathie qui serait étrangement interprétée... J'ai vu votre tante Éloi ce matin... Elle est votre tutrice aussi... Peut-être ignorez-vous la loi, mais l'employé que vous avez choisi comme conseiller vous apprendra qu'il existe des mesures que nous pourrions être amenés à prendre au cas où vous...

Il se leva, fit tomber la cendre de son cigare et

prit son chapeau qu'il posa lentement sur sa tête.
— C'est tout ce que je voulais vous dire, mon ami. J'espère que vous comprendrez...

III

On aurait dit que l'église ne les attendait pas. Elle était vide, comme désaffectée. Seules quelques bougies, derrière un pilier, brûlaient devant une image votive. La lumière était la lumière de tous les jours, celle de la rue, celle de partout, et les pas résonnaient aussi creux que dans une maison abandonnée depuis longtemps.

Personne pour leur indiquer ce qu'ils devaient faire, où ils devaient aller et ce fut Gérardine, familière des églises, qui les dirigea vers les premiers bancs de la travée de droite.

Ils n'étaient qu'un tout petit groupe. Gérardine et Bob représentaient seuls la famille de Gilles, car les deux filles Éloi étaient restées au fond de l'église. Du côté des Lepart, il y avait monsieur et madame Lepart, ainsi qu'un frère de celle-ci, un vieil oncle complètement sourd qu'il avait fallu inviter pour ne pas lui faire de peine, d'autant plus que depuis toujours il avait promis de laisser à Alice la petite maison qu'il possédait.

Le chœur était vide. On pouvait se demander si

on ne s'était pas trompé de jour. De l'autre côté de l'allée centrale, il y avait un autre groupe, sans doute un mariage aussi, qui attendait, et les deux noces commencèrent à s'épier comme pour savoir qui passerait la première.

— Je parie que c'est leur fille ! souffla Alice à l'oreille de Gilles.

Et, dans le vide de l'église, elle ne put contenir un éclat de rire. Le couple d'en face, en effet, était un couple qui avait dépassé la quarantaine. Probablement un faux ménage qui vivait ainsi depuis longtemps, et la gamine couverte de boutons qui les accompagnait devait être leur fille. Qu'est-ce qui les avait décidés à régulariser la situation ? La première communion de la gamine ?

Plusieurs fois, Gilles se retourna. De temps en temps, en effet, la porte du fond grinçait sur ses gonds, on entendait des pas sur les dalles, une chaise qu'on remuait. De loin, il reconnut Jaja qu'il voyait pour la première fois avec un chapeau sur la tête et qui s'était agenouillée devant l'image votive. Peut-être avait-elle allumé des cierges à son intention ?

Il était encore allé chez elle, la veille. Il n'y était jamais allé si souvent que depuis qu'il avait décidé de se marier. Jaja s'était assise en face de lui, les coudes sur la table, dans sa pose familière.

— Il faudra que tu fasses fort attention, demain, à la cérémonie. J'ai entendu murmurer qu'on te préparait un mauvais tour...

— Qui ?... Qu'est-ce qu'on pourrait faire ?

— Je ne sais pas, mon petit... Moi, j'entends ce qu'on chuchote et je te mets sur tes gardes... Tu aurais mieux fait de m'écouter, d'aller à Nice ou n'importe où, avec la petite si tu y tenais...

Il y avait trois semaines que le docteur Sauvaget était en prison, malgré les efforts de son avocat pour obtenir sa mise en liberté provisoire. Il se passait à ce sujet quelque chose de mystérieux qui troublait Gilles et qui l'irritait, justement parce qu'il ne comprenait pas.

L'opinion publique, au lieu de se désintéresser de l'affaire à mesure que le temps passait, se passionnait toujours davantage, hélas ! toujours dans le même sens, c'est-à-dire contre le docteur. Et maintenant, le dimanche par exemple, des gens prenaient pour but de promenade le quai des Ursulines où on venait regarder comme une curiosité la maison de la *maîtresse de l'empoisonneur.*

On aurait dit que de mystérieux mots d'ordre étaient donnés, que des nouvelles étaient sans cesse mises en circulation pour irriter l'opinion...

... Une porte qui s'ouvrait, enfin, à gauche du transept. Un enfant de chœur, qui portait de gros souliers à clous sous sa robe rouge et son surplis empesé, monta à l'autel et alluma deux cierges. Malgré lui, Gilles espérait qu'il les allumerait tous. Certes, il avait demandé à se marier dans l'intimité, mais il n'avait pas voulu ces deux flammes pâles qui faisaient pauvre.

Encore quelques instants et l'enfant de chœur revint, précédant le prêtre. En même temps, le suisse arrivait du fond de l'église.

— Nous sommes les premiers..., souffla Alice comme le suisse s'approchait d'eux.

Elle n'était pas émue. Elle portait une robe claire qu'elle avait fait faire à La Rochelle, un manteau de ville, des souliers neufs, un chapeau neuf aussi, car d'habitude elle allait nu-tête. Esprit Lepart, tout en noir, le plastron roide, était le plus solennel de tous et sa femme, une petite boulotte volontiers familière, dut se moucher tout le temps de la cérémonie.

Gilles, lui, regardait fixement le prêtre dont les lèvres s'agitaient, murmurant les prières rituelles, et, sans savoir pourquoi, il pensa à Còlette.

Elle n'était pas là. Il n'avait pas osé l'inviter, car sa présence aurait provoqué un scandale. Il n'avait pas non plus osé faire le déjeuner de noce quai des Ursulines car, dans ce cas, il aurait été pénible de l'empêcher d'y paraître. Or, la tante Éloi se refusait à la rencontrer.

— On fera le déjeuner chez moi..., avait-elle déclaré.

C'était Gilles, alors, qui avait refusé, car il savait que ses futurs beaux-parents ne seraient pas à leur aise dans la maison du quai Duperré.

On ne pouvait pas davantage se réunir dans leur

toute petite maison de la rue Jourdan. On ne pouvait pas déjeuner dans un restaurant de la ville.

Voilà pourquoi le repas était commandé dans une auberge d'Esnandes, à dix kilomètres de La Rochelle.

— Acceptez-vous de prendre pour...

Il dit oui, avec une gravité presque triste. Alice lança son oui comme une plaisanterie, se tourna aussitôt vers Gilles en souriant.

— Si ces messieurs-dames veulent me suivre à la sacristie..., murmura le suisse tandis que le second couple quittait déjà sa place.

En traversant à nouveau l'église, Gilles constata que plusieurs personnes, surtout des femmes, étaient venues assister à son mariage. Madame Rinquet était agenouillée près d'un pilier. Jaja adressait à Gilles un petit signe d'encouragement et elle devait lui dire plus tard :

— Si tu avais vu comme t'étais pâle, mon petit...

Il était ému, en effet, mais pas comme il l'aurait cru. Il se répétait :

— Maintenant, nous sommes mariés... Nous formons un couple...

Qu'est-ce qui manquait à sa joie ? Et pourquoi, une fois encore, était-ce Colette qu'il évoquait, Colette qui avait tant pleuré depuis trois semaines et qui était toute seule quai des Ursulines ?

Elle s'était pourtant efforcée de sourire, ce matin, en lui nouant sa cravate.

— Mes félicitations, Gilles... Et tous mes vœux de bonheur...

C'était un sourire tremblant comme un soleil d'avant l'averse. Déjà, sur les dernières syllabes, la voix se faisait plus rauque.

— A ce soir...

Comme le petit groupe approchait du fond de l'église, Gilles perçut un cri, dehors et il se demanda si Jaja avait eu raison.

Sur le parvis, quelques personnes étaient groupées, les mêmes qu'on a l'impression de reconnaître à tous les rassemblements. Gilles ne savait pas qu'il en était ainsi pour tous les mariages. Il se croyait personnellement visé. D'ailleurs, le cri recommençait.

C'était un marchand de journaux, d'une vingtaine d'années, qui allait et venait en lançant de toute la force de ses poumons :

— Demandez *Le Moniteur...* Numéro sensationnel... Le médecin empoisonneur... Exhumera-t-on Octave Mauvoisin ?...

Gilles s'était arrêté net. Il cherchait le vendeur des yeux. Quelqu'un lui prit le bras ; il s'aperçut que c'était sa tante Éloi, qui le poussa dans la voiture.

Une première auto, celle que Gilles avait achetée pendant l'hiver, emportait le couple et les parents Lepart. Dans la voiture de Bob, celui-ci emmenait sa mère et ses sœurs. La voix du crieur les poursuivait :

— Exhumera-t-on Octave Mauvoisin ?...

Déjà tout le monde avait appréhendé ce repas, à tel point que Gilles avait proposé de ne pas faire de déjeuner du tout.

— C'est impossible ! avait répliqué sa tante Éloi. Les parents de ta femme croiraient que c'est par mépris pour eux... Ah ! tu ne pourras pas m'adresser de reproches... C'est toi qui l'auras voulu...

Chose curieuse, c'est depuis qu'il avait parlé de mariage qu'elle s'était mise à le tutoyer, comme si ce mariage resserrait en même temps d'autres liens de famille.

Elle avait aussi parlé d'un voyage de noces, mais Gilles n'avait pu se résoudre à laisser Colette seule en un pareil moment.

C'était une belle journée de soleil, avec parfois des souffles tièdes qui annonçaient le printemps. Les deux autos, à Esnandes, s'arrêtèrent l'une derrière l'autre en face de l'Hôtel du Port.

Le patron et la patronne, épanouis, les attendaient sur le seuil et une petite fille présenta un bouquet de fleurs à la nouvelle madame Mauvoisin.

— Je me demande ce qu'ils ont..., murmurait

un peu plus tard le patron en retournant à son fourneau.

En tout cas, c'est gauchement qu'ils s'installaient dans la salle à manger qui leur avait été réservée. L'endroit était simple, plus que rustique, mais c'était considéré comme le meilleur restaurant de la région et, dans le bistro, on pouvait entendre les pêcheurs qui commandaient des chopines de vin blanc.

— Donnez-moi votre pardessus, pa...

Il y eut un temps d'arrêt.

— Papa...

Esprit Lepart fut le premier surpris, le premier gêné d'être appelé ainsi.

— Vous oubliez que je suis votre gendre et qu'il faut m'appeler Gilles...

Gilles se forçait. Ce « papa » avait été dur à passer. Il avait revu, l'espace d'une seconde, le visage de son vrai père sur son lit mortuaire, les longues moustaches cirées tranchant sur la blancheur du drap.

Gérardine, qui avait décidé de faire tout ce qu'il faudrait, avait entrepris Alice.

— Vous n'avez pas été trop émue ?

— Pourquoi ?... Ce n'était pas impressionnant du tout, n'est-ce pas ?... Je pensais à l'autre couple qui attendait et...

— Vous allez vous faire habiller à Paris, dorénavant ?

— Peut-être... Je ne sais pas... Nous n'en avons pas encore parlé avec Gilles...

— Mes filles sont à votre disposition si vous avez besoin de conseils...

Alice avait tellement de sang-froid qu'à cette proposition elle pensa à lancer un clin d'œil à Gilles qui balbutiait :

— Nous pourrions peut-être prendre du porto, n'est-ce pas ?

Il aurait fallu un animateur, un maître de jeu. Le patron, tout à sa cuisine, ne s'occupait pas d'eux. La patronne venait de temps en temps jeter un coup d'œil et c'était un vrai souillon qui servait.

Tant qu'on était encore debout, Gilles s'approcha de sa tante.

— Vous avez entendu ce qu'il a crié ?

— Hélas !...

— Qu'est-ce qu'il a voulu dire ?

— Ce qu'il a dit... Il y a deux jours que Plantel m'en a parlé... Ce n'était pas encore sûr... Maintenant non plus, du reste... C'est le sénateur Penoux-Rataud qui l'a appris de son ami le procureur...

— Mais pourquoi ?

Il remarqua que les doigts de sa tante étaient agités, qu'elle tendait le cou et étirait les lèvres comme quand elle manquait de véritable assurance.

— Mon pauvre Gilles, je ne t'ai rien dit plus tôt parce que ce n'était pas le moment de t'inquiéter à la veille de ton mariage... Je ne voudrais pas te faire des reproches un jour comme aujourd'hui... Mais souviens-toi... Tu es arrivé ici ne connaissant rien de la ville, rien de la vie... Ce n'est pas sa faute si ma pauvre sœur n'a pas pu te donner l'éducation qu'il t'aurait fallu... Nous avons essayé, tous, de t'aider, de te conseiller... Edgard Plantel te considérait presque comme son fils... Tu l'as profondément peiné le jour où, refusant sa collaboration, tu as exigé tous les dossiers dont il avait la garde... Mais parlons d'autre chose... Si on se mettait à table ?

Un nuage, pendant quelques minutes, cacha le soleil et la pièce parut vraiment ce qu'elle était, une salle à manger de campagne aux murs passés à la chaux, aux recoins pas très propres, aux objets d'une vulgarité triste.

Il y avait des huîtres sur la table, des palourdes, des crevettes et on sentait une chaude odeur de mouclade qui venait de la cuisine. Mais les fourchettes étaient en fer et la vaisselle ébréchée.

Comme d'un commun accord, on ne parlait plus de l'exhumation d'Octave Mauvoisin, mais il était évident que chacun y pensait, sauf Alice qui était exactement la même que lors de ses rendez-vous dans le parc. Les demoiselles Éloi laissaient errer sur leur visage un sourire poli et condescendant. Impressionné, Esprit Lepart n'osait pas se servir. Quant à Bob, à un bout de la table, il se désennuyait en buvant force vin blanc du pays.

— Et voilà, se disait Gilles, la journée la plus importante de toute ma vie, celle qui décidera du reste de mon existence ! Dans trente ans, dans quarante, on continuera à en célébrer l'anniversaire. Si nous avons des enfants, c'est de cette journée encore, en somme, que toute une lignée sortira, que d'autres familles naîtront, d'autres couples, d'autres mariages...

Or, c'était tout bête, sans la moindre solennité. Quand il avait embrassé sa femme, pour la première fois devant tout le monde, dans la sacristie, il avait espéré un tremblement de sa main, un frémissement de ses lèvres, de l'humidité dans ses yeux.

Mais non ! Alice lui avait serré le bout des doigts d'un geste complice et il se demandait s'il ne lui en voulait pas.

— A quoi penses-tu, Gilles ?

— A rien...

Hélas si, il pensait ! Il pensait beaucoup trop. Jamais il n'avait été assailli par autant de pensées à la fois. C'était dans sa tête comme un buisson de petites branches enchevêtrées et il essayait en vain de s'y retrouver.

Puisque Jaja l'avait prévenu dès la veille, c'était donc exprès qu'on était venu crier *Le Moniteur* à la sortie de l'église. Qui avait envoyé le marchand de journaux ?

C'était Jaja encore qui, depuis plusieurs mois, lui répétait sans espérer être entendue :

— Tu ferais mieux de t'acheter de beaux vêtements, une belle auto, et d'aller t'amuser à Paris ou dans le Midi... Ici, *ce n'est pas pour toi...*

Elle ne s'était jamais expliquée franchement.

— Tu n'as rien à voir avec eux, tu comprends ?... disait-elle sans jamais préciser qui elle entendait par *eux.*

Ou encore :

— Ce n'est pas un métier pour toi... *Ils* finiront par t'avoir...

Il n'y avait pas cru. Il se refusait encore à y croire. Et pourtant, il commençait à concevoir la possibilité d'une conjuration sournoise.

— Vous avez tout ce qu'il vous faut ? venait parfois questionner le patron.

— Mais oui...

— Alors, tout va bien...

Et il retournait annoncer à la cuisine :

— J'ai vu des repas d'enterrement plus gais que cette noce.

On mangea trop, par contenance, parce que personne n'animait la conversation, et Bob buvait tellement qu'à la fin du repas, il était cramoisi, les yeux hors de la tête.

— Moi, je f... le camp ! annonça-t-il en se levant.

Sa mère dut courir après lui, lui adresser des

remontrances à voix basse, et il vint se rasseoir en grommelant :

— Compris !

Gilles, parce que c'est l'habitude, fit servir du champagne. Puis il passa dans la pièce voisine pour régler la note. A quatre heures, déjà, tout était fini. Il trouva encore le moyen d'échanger quelques mots avec sa tante Éloi.

— Vous croyez vraiment, tante, que mon oncle Mauvoisin a été empoisonné ?

Elle frissonna, sourit, mordit l'air de ses grandes dents.

— Qu'est-ce que tu veux que je te dise, mon garçon ?... Tout le monde sait que tu es *pour elle*... Ton oncle était aussi solidement bâti que son père, qui était un paysan de Nieul... Il est mort en quelques mois... Il fondait à vue d'œil... Il y a des gens pour se souvenir de certains détails... Tu es libre d'agir à ta guise, tu me l'as dit... Mais il ne faudra pas, un jour, me reprocher de ne t'avoir pas prévenu...

Tous étaient debout, la porte était ouverte. Bob faisait marcher le klaxon de sa voiture.

L'auto Éloi partit la première, après des politesses balbutiées du bout des lèvres.

Esprit Lepart, qui d'habitude avait la couleur des papiers sur lesquels il s'était penché toute sa vie, avait les pommettes roses et, à la fin du repas, sa femme lui avait repris un verre de fine qu'il était sur le point de boire.

Gilles passa par la rue Jourdan pour déposer ses beaux-parents et Esprit proposa, tandis que bougeaient les rideaux des maisons voisines :

— Vous entrerez bien un instant ?... Mais si !... Venez donc prendre un verre d'armagnac...

— Voyons, Esprit !... Tu sais bien que Gilles et Alice...

Il eut horreur de ce regard qu'elle leur lançait et qui précisait trop de perspectives.

— Mais non... Nous avons bien un moment..., dit-il.

Il le faisait pour les voisins, pour faire plaisir à Esprit, pour que la voiture restât devant la porte, pour qu'on sût que Mauvoisin ne dédaignait pas de venir s'asseoir dans la petite maison de la rue Jourdan.

— Mais tout est en désordre ! Nous nous sommes tellement pressés ce matin !...

Tout était minuscule, dans cette maison-là, le corridor, les portes, le salon aux quatre chaises et au canapé dorés, au guéridon Louis XV, la salle à manger dont on ne se servait jamais parce qu'il était plus pratique de manger dans la cuisine vitrée.

— Ne faites pas attention, Gilles...

Elle enlevait des objets qui traînaient, du linge, une paire de chaussures et même, sur la table du salon, dans lequel il y avait le meilleur miroir de la maison, un fer à friser.

— Je ne sais pas pourquoi mon mari vous a fait

entrer... Il est vrai qu'il n'a pas l'habitude de boire et je crois qu'aujourd'hui il a un peu abusé... D'ailleurs leur mouclade était beaucoup trop poivrée... Quant au poulet...

Lorsqu'ils quittèrent la rue Jourdan, le soir tombait et des gamins entouraient la voiture. C'était l'heure où, les autres jours, ils se retrouvaient à l'entrée du parc et où ils erraient dans les allées en cherchant les coins les plus sombres. Aujourd'hui, ils avaient la voiture. Il ne leur fallut que quelques minutes pour atteindre le quai des Ursulines. Alice avait accroché tout naturellement sa main au bras de Gilles qui conduisait.

Sans doute avait-on posté un guetteur près de l'ancienne église car, dès que l'auto stoppa, une dizaine de personnes se montrèrent à l'entrée du garage Mauvoisin, Poineau en tête, et une vieille employée remit à Alice une gerbe de fleurs.

— Au nom du personnel des Cars Mauvoisin, je me fais un devoir...

Poineau débita son compliment du mieux qu'il put, le regard inquiet, les yeux cernés.

Dans la maison, ce fut madame Rinquet qui accueillit le couple en compagnie d'une petite bonne, Marthe, qu'elle avait choisie pour le jeune ménage. Une question brûlait les lèvres de Gilles :

— Ma tante ?

— Elle est là-haut... Cela ne va pas mieux...

Ils montèrent au premier étage que, les derniers jours, Gilles avait fait aménager tant bien que mal. Les pièces avaient été nettoyées, aérées. L'aile gauche avait été transformée en un appartement vieillot, mais confortable.

Le salon était plein de fleurs. Il y avait des corbeilles, des gerbes, Alice allait de l'une à l'autre, lisant les noms sur les cartes : Raoul Babin, Edgard Plantel, Penoux-Rataud, Comte de Vièvre, maître Hervineau... D'autres encore, tous les fournisseurs, tous les clients de la maison Mauvoisin.

— Je me demande où on va les mettre ! murmura Alice. Il y en a pour des milliers de francs. Le malheur, c'est que dans deux ou trois jours elles seront toutes fanées...

S'il s'était écouté, il ne se serait même pas arrêté au premier étage, il se serait précipité aussitôt au second, pour reprendre contact avec Colette.

Elle n'était pas descendue, par discrétion. La veille, ils s'étaient presque disputés à ce sujet. Puisqu'ils habitaient la même maison, Gilles aurait voulu que la vie continuât comme par le passé.

— Mais non, Gilles ! Une jeune femme tient à être seule avec son mari et, si je suis en tiers à tous vos repas...

Il s'était obstiné. Tout ce qu'elle avait obtenu, c'était de ne pas dîner avec eux ce soir-là.

— Je vous assure qu'elle vous en voudrait et qu'elle me détesterait si je lui volais ce premier tête-à-tête.

— Tu permets une seconde, Alice ? Il faut que...

Il regardait le plafond. Elle comprenait.

— Tu ne penses pas que je ferais mieux d'y aller avec toi ?

Que répondre ? Qu'il avait envie d'être seul un instant avec sa tante ? Il ne se l'avouait même pas.

— Attends une seconde, que je me donne un coup de peigne... Je l'ai rencontrée souvent en ville, mais je ne lui ai jamais été présentée...

— Bien, ma chérie...

— Cela t'ennuie ?

— Non... Pourquoi ?

Il s'en voulait. Il aurait dû ne penser qu'à sa femme.

Ils montèrent. Sur le palier du deuxième étage, Gilles se demanda s'il allait conduire Alice vers la chambre de sa tante ou s'il ferait demander à celle-ci de les rejoindre dans la salle à manger.

— Où est-ce ?

Il n'eut pas à prendre de décision. On entendait des pas menus. C'était Colette, qui profitait de la pénombre du corridor pour s'essuyer une dernière fois les yeux d'un geste furtif. Bravement, elle s'avançait, la main tendue :

— Bonjour, madame... Vous permettez que je vous embrasse ?...

Puis elle se tournait vers Gilles, mais elle restait immobile et c'est lui qui la prit dans ses bras et qui, pour la première fois, effleura ses deux joues de ses lèvres.

Il la sentait frémissante des pieds à la tête.

— Tous mes vœux..., balbutia-t-elle. C'est du fond du cœur, Gilles, que je souhaite...

Il détourna la tête. Une bouffée chaude lui était montée au visage. Il avait l'impression d'être très rouge, alors qu'au contraire il était devenu plus pâle.

— Ne vous occupez plus de moi ce soir, voulez-vous ?... Je vous remercie tous les deux d'être montés... Je serais descendue, mais je ne voulais pas vous déranger et...

Elle s'éloigna si vivement dans la direction de la salle à manger que Gilles comprit qu'elle n'était plus maîtresse de ses nerfs.

— Qu'est-ce qu'elle a ? questionna Alice, comme ils redescendaient chez eux.

Et, découvrant enfin, parmi les fleurs, celles de ses anciennes camarades de « Publex », elle s'exclama :

— Mince ! Les copines ne se sont pas fendues...

IV

L'appareil téléphonique était placé sur une table de chevet, du côté de Gilles. Encore engluée de sommeil, les yeux clos, Alice laissa sonner longtemps avant de se rendre compte de la nature du bruit, puis elle pensa qu'elle était mariée, que Gilles était là, qu'il allait répondre, et enfin elle se mit brusquement sur son séant et se frotta les yeux.

Elle venait de se rendre compte qu'il n'y avait plus personne à côté d'elle, que le lit était froid, et la sonnerie s'obstinait. Tournée vers la porte de la salle de bains, elle appela :

— Gilles... Tu es là ?

Debout, pieds nus, un sein hors du pyjama, elle décrocha le récepteur et, avant de le porter à son oreille, elle entendit une voix vibrante qui, résonnant dans le microphone, devait être perçue de toute la pièce.

— Je suis bien chez monsieur Gilles Mauvoisin ?

— Oui, madame...

— Donnez-moi monsieur Gilles à l'appareil, s'il vous plaît.

— De la part de qui ?

Tout La Rochelle connaissait l'effet de clairon

que faisait au téléphone la voix de Gérardine Éloi. On pouvait poser l'écouteur, aller et venir dans la pièce sans cesser de l'entendre.

— C'est sa femme ?... Appelez-le, voulez-vous ?... C'est à lui personnellement que je voudrais parler... Comment ?... Vous ne savez pas où il est ?...

A ce moment, Gilles entra dans la chambre, venant du grand escalier, et il parut gêné de trouver Alice debout.

— C'est ta tante...

— Allô, tante... Oui, c'est moi... Comment ?... Que j'aille sans faute vous voir au début de l'après-midi ?... Oui... Bien... Si c'est nécessaire... Vous ne pouvez pas me le dire au téléphone ?

Assise au bord du lit et ne pensant pas à voiler sa poitrine qu'elle avait plaisir à montrer, Alice questionna d'abord :

— Où étais-tu ?

— J'étais monté un instant... Je ne pouvais plus dormir... Alors, pour ne pas t'éveiller, je suis allé dans mon bureau.

Il mentait. Il y avait des heures qu'il ne dormait plus, qu'il était couché dans l'obscurité de la chambre, les yeux ouverts. Et quand enfin le jour avait mis de fines rayures dans les persiennes, il s'était levé sans bruit.

Il avait besoin d'aller là-haut, de retrouver le contact avec Colette. Il ne l'avait pas vue dans la salle à manger et madame Rinquet avait demandé avec quelque étonnement :

— Déjà levé, Gilles ? Il est à peine huit heures et demie... Vous avez besoin de quelque chose ?

Non ! Il n'avait besoin de rien. Il allait et venait dans la salle à manger, pénétrait dans la cuisine, se versait une tasse de café. Il était en pyjama et en robe de chambre. Par la fenêtre, il regarda la fenêtre du bout de l'aile droite et fut étonné de la trouver ouverte. Puis, sur un plateau, il aperçut les restes d'un petit déjeuner.

Alors seulement il osa demander :

— Ma tante est déjà levée ?

— Il y a une demi-heure que Madame est sortie...

Il pleuvait, ce matin-là. Les rues étaient lisses et glauques, le jour terne.

— Je crois que j'entends la sonnerie du téléphone, en bas.

Il l'avait entendue, lui aussi, mais il n'y avait pas pris garde. Il ne se rendait pas encore compte que « chez lui », c'était le premier étage. Il descendit, trouva Alice à l'appareil.

Et ce sein nu qu'elle montrait si naturellement le gêna. Cela le gêna aussi de lui voir appeler la bonne qui pénétrait ainsi dans l'intimité de la chambre en désordre.

— Le petit déjeuner, Marthe... Tu n'as pas mangé, Gilles ?... Alors, le petit déjeuner de Monsieur aussi...

Elle s'étirait. Elle était contente. Elle allait ouvrir les persiennes et s'écriait :

— Tiens ! Il pleut...

Puis elle passait d'une idée à l'autre.

— Tu as vu ta tante ?

— Elle est sortie...

— Tu ne penses pas que ce ne sera pas toujours drôle qu'elle prenne ses repas avec nous ?

Il aurait voulu fermer la porte de la salle de bains à clef pour faire sa toilette, mais il n'osait pas. Et Alice le regardait. Elle remarquait :

— Tiens ! Tu as un grain de beauté sur l'omoplate gauche... Moi, j'en ai un ici, sur la cuisse, mais il est plus petit... Regarde...

Elle était devenue femme tout simplement. Cela l'amusait.

— Qu'est-ce que nous faisons, ce matin ?

— Il faut d'abord que je descende un moment au bureau...

— On dirait que tu es préoccupé... Tu penses toujours à cette histoire du docteur ?...

Oui... Oui et non... C'était plus complexe et c'était avant tout une appréhension vague... Peut-être avait-il trop pensé pendant son insomnie ?... Peut-être avait-il eu le tort de se poser trop crûment certaines questions ?...

— Est-ce que je suis heureux ?

Et surtout :

— Est-ce que je l'aime ?

Maintenant, il ne savait plus. Tout gamin déjà,

il regardait les couples avec des yeux pleins d'envie, certains couples surtout, qu'on sent si préoccupés d'eux-mêmes que le reste du monde n'existe plus.

Sa première vision, en débarquant à La Rochelle, avait été un couple étroitement enlacé, et une bouffée chaude lui était montée au visage, il avait ressenti un désir violent de serrer contre lui un être qui s'abandonnerait en toute confiance.

Le spectacle quotidien de sa tante, qui ne vivait que de son grand amour, avait entretenu en lui ce qui était devenu un besoin.

Alice pénétrait dans la baignoire, murmurait :

— Tu ne me regardes même pas...

Il fut gentil, presque naturellement. Mais s'il allait maintenant ne plus l'aimer ? S'il allait ne pas être heureux et ne pas la rendre heureuse ? Elle ne se doutait de rien. Elle ne réfléchissait pas. Devenue femme du jour au lendemain, elle jouait à la femme comme elle avait joué à la jeune fille et comme elle avait joué jadis à la poupée.

— Je reviens tout de suite...

Pourquoi, pendant toute cette longue journée de la veille, s'était-il surpris à penser sans cesse à sa tante, même à l'église, même au moment de répondre aux questions rituelles du prêtre ?

Il traversa la cour, pénétra, le dos rond, à cause de la pluie, dans le hall toujours glacé où les colis étaient rangés et où l'on réparait un car qui avait eu un accident la veille.

Esprit Lepart, modeste, avait remis ses manches de lustrine et avait repris sa place dans la cage vitrée où il fit à son patron le même salut respectueux que les autres jours.

— Dites-moi, monsieur Poineau...

Quand celui-ci le regarda, Gilles comprit que quelque chose n'allait pas, mais il feignit de ne pas s'en apercevoir.

— A partir d'aujourd'hui, mon beau-père ne fera plus partie des bureaux proprement dits, mais travaillera avec moi là-haut toute la journée. Vous voudrez bien prendre vos dispositions en conséquence et...

— J'ai un mot à vous dire, monsieur Gilles...

— Je vous écoute...

Le contremaître regarda autour de lui pour s'assurer qu'on ne pouvait les entendre. Un moteur qu'on venait de mettre en marche couvrait en partie sa voix.

— Voilà... Je suis obligé de vous quitter...

— Comment ?... Vous voulez quitter les Cars Mauvoisin ?

— Je vous demande pardon, mais il m'est difficile de faire autrement...

— Puis-je vous demander pour quelle raison ?

— J'aurais autant aimé pas, monsieur Gilles... Depuis quelques jours, il se passe ici des choses qui ne sont pas très nettes... Hier encore, un inspecteur de police est venu me poser un tas de questions... D'autres policiers attendent les chauffeurs et les employés à la sortie...

Gilles avait compris, maintenant, mais il voulait en savoir davantage.

— Je suis entré ici du temps de votre oncle et je peux dire que j'ai toujours été son homme de confiance... Ma situation est délicate... Avec tout ce qui se raconte sur sa mort...

— Et qu'allez-vous faire, monsieur Poineau ? questionna Gilles en affectant un air détaché.

— Je ne sais pas encore...

Il sentit que son interlocuteur mentait et il insista.

— Vous en êtes sûr ?... Je n'oublie pas que vous avez une nombreuse famille et que des maladies successives ne vous ont pas permis de faire des économies...

— Je pense que je trouverai du travail...

— Et vous avez déjà trouvé, n'est-ce pas ?

— C'est-à-dire qu'on m'a vaguement proposé...

— Qui ?

Ils étaient toujours debout dans le hall mal éclairé et le contremaître se tourna vers la porte pour balbutier :

— Monsieur Babin... Il y a longtemps que je savais qu'il me prendrait volontiers pour diriger ses transports...

— Quand l'avez-vous vu pour la dernière fois ?

Devant ces questions nettes, précises, Poineau ne parvenait pas à mentir.

— Hier...

— Vous avez donc quitté le travail ?

— Un quart d'heure à peine...

— Il vous avait téléphoné ?

— Il m'a simplement demandé de passer au Bar Lorrain... J'y suis allé... Il m'a fait comprendre...

— Vous êtes seul à quitter les Cars Mauvoisin ?

Cette fois, l'embarras de Poineau fut à son comble.

— Je crois que deux ou trois mécaniciens, parmi les plus anciens, entreront en même temps que moi chez monsieur Babin... Voyez-vous, dans les circonstances actuelles, tous ceux qui ont travaillé pendant des années avec monsieur Octave...

Alors, simplement, Gilles laissa tomber :

— Fort bien, monsieur Poineau... Je vais avertir mon beau-père...

— Il doit s'en douter...

— Les comptes seront préparés pour ce soir...

Esprit Lepart avait assisté de loin, à travers les vitres, à la conversation. Quand Gilles entra dans la cage, il se leva, embarrassé.

— Qu'est-ce que vous allez faire, monsieur Gilles ?

— Vous êtes capable de diriger le service des

cars et des colis pendant quelque temps, n'est-ce pas ?

— Je ferai mon possible... Ce qui me manquerait le plus, c'est l'autorité... Mais, du moment que ce n'est que provisoire...

— Préparez le compte de ceux qui veulent partir... Je ne cherche à retenir personne... Dites-moi... *Ils* ne vous ont rien dit, à vous ?

Lepart comprit qu'il ne s'agissait pas de Poineau et des mécaniciens et il hocha affirmativement la tête.

— Babin ?

— Non... Vous savez que ma femme fait de la lingerie pour quelques personnes de la ville... C'est madame Plantel qui lui a fait comprendre...

— Quand ?

— Il y a une semaine !

Ainsi, avant le mariage déjà, on avait essayé d'impressionner Esprit Lepart qui n'en avait rien dit à personne !

Gilles lui tendit la main, la serra avec plus de force que d'habitude.

— Merci...

Il resta dix bonnes minutes sur le seuil de l'ancienne église, à regarder tomber la pluie, et il se demandait où sa tante pouvait être allée de si bonne heure.

Enfin, avec un soupir, il remonta chez lui. Alice, toujours en peignoir, les pieds nus dans de jolies mules, était assise sur un coin de la table de cuisine. A même cette table, la bonne épluchait des légumes. Toutes deux riaient. Qu'est-ce qu'Alice était en train de raconter à la domestique ?

— C'est toi, Gilles ?... Je viens... Je donnais des ordres pour le déjeuner...

Quand il arriva, à deux heures et demie, dans le magasin de sa tante Éloi, il fut surpris de ne pas trouver celle-ci dans le bureau où elle passait ses journées. Par contre, Bob, qui s'occupait rarement des affaires, était là, en conversation avec un homme en casquette de marin.

— Ma tante est ici ?

— Elle attend là-haut...

Il gravit l'escalier en colimaçon qui s'amorçait au fond du magasin. Lorsqu'il atteignit l'étage, une porte s'ouvrit. Comme il faisait très sombre, une voix questionna :

— C'est toi, Gilles ? Entre...

Et il pénétra dans le salon et s'étonna à peine d'y trouver monsieur Plantel installé dans un fauteuil. L'armateur, tiré à quatre épingles, selon son habitude, ne se leva pas et lui tendit une main nonchalante.

— Asseyez-vous, mon ami...

Il y eut un silence au bout duquel Gérardine murmura :

— Donne-moi ton pardessus, Gilles... Il est détrempé...

La tante et Plantel échangèrent un regard. Plantel introduisit le bout de son cigare dans un fume-cigare en ambre, fit sauter quelques cendres blanches de son revers et commença, après avoir croisé les jambes :

— J'ai le regret de vous annoncer que le Parquet a ordonné ce matin l'exhumation de votre oncle Mauvoisin...

Gilles le regardait en face. A cause du temps pluvieux, le salon était mal éclairé et on entendait les gouttes d'eau tambouriner sur un auvent en zinc.

— Vous croyez qu'on l'a empoisonné, monsieur Plantel ?

Cette simple question désarçonna un instant l'armateur.

— Je n'ai pas à avoir d'opinion... Mauvoisin nous a confié en mourant, à votre tante et à moi, un certain rôle... Jusqu'ici, il nous a été très difficile de remplir notre mission, étant donné votre mauvaise volonté évidente...

— Avoue, Gilles, intervint Gérardine, que tu n'as rien fait pour...

Du geste, Plantel lui ordonna de se taire.

— Mon ami Mauvoisin savait sans doute ce qu'il faisait en prenant ses dispositions testamentaires... A la suite de l'empoisonnement de madame Sauvaget, l'opinion publique s'est émue.

De nouvelles accusations ont été formulées... On s'est demandé si l'homme qui a froidement tué sa femme n'a pas été capable de faire disparaître de même le mari de sa maîtresse. Désormais, rien n'arrêtera le scandale.

— Que la vérité ! dit Gilles.

Et Plantel souleva légèrement les épaules.

— Il n'y a pas de vérité, mais autant de vérités qu'on veut bien en fabriquer... Vous avez tenu à vous marier et il a bien fallu vous laisser faire... Vous avez voulu vous afficher avec votre tante et vous en voyez le résultat... Hier, les plus anciens membres de votre personnel sont allés trouver mon ami Babin et lui ont fait part de leur décision de ne pas rester à votre service...

— Babin leur avait téléphoné auparavant...

Plantel feignit de ne pas entendre.

— Vous êtes jeune. Vous ne connaissez rien à la vie et encore moins aux affaires. Vous avez poussé l'inconscience, lors de la mort de madame Sauvaget, jusqu'à rendre visite à son mari, tandis que votre tante vous attendait dans un café voisin... Tout cela se sait, jeune homme... Tout cela se chuchote, se raconte, sera peut-être publié demain... Dieu sait jusqu'où iront les mauvaises langues une fois lancées sur ce qu'on appelle déjà l'Affaire Mauvoisin... Déjà votre conduite a provoqué des dénonciations anonymes et voilà l'exhumation de votre oncle ordonnée... Votre tante Éloi et moi avons décidé...

Il se leva et alla secouer dans l'âtre la cendre de son cigare.

— ... nous avons décidé, dis-je, qu'il faut éviter que le scandale prenne de plus grandes proportions... Nous sommes tous plus ou moins solidaires... Votre mariage, puisque mariage il y a, arrange passablement les choses... Il est d'usage, en effet, que les jeunes mariés fassent un voyage dans le Midi ou en Italie... Vous resterez absents aussi longtemps qu'il le faudra et, lorsque vous reviendrez, j'espère qu'il ne sera plus question de cette femme et de son amant...

Gérardine lut la réponse sur les lèvres de son neveu et s'empressa d'intervenir.

— Ne parle pas trop vite, Gilles... C'est plus grave que tu ne le crois... Prends le temps de réfléchir...

— C'est tout réfléchi... Je reste...

Plantel regarda son amie et son regard signifiait :

— Qu'est-ce que je vous avais dit ?

Puis, comme quelqu'un qui pèse ses mots :

— Écoutez-moi bien, jeune homme... Je n'ai pas l'habitude de menacer... j'étais tout disposé à vous aider dans la vie, en souvenir de mon vieil ami Mauvoisin... Dès les premiers jours, vous vous êtes dressé plutôt comme un ennemi... Je ne sais si c'est cette fortune subite, à laquelle vous ne pouviez vous attendre, qui vous a tourné la tête... Toujours est-il que vous n'avez voulu écouter ni conseils, ni avis, et que vous avez entendu vivre à votre guise...

Gilles s'était levé et avait pris son pardessus posé sur le bras d'un fauteuil.

— Je ne ferai pas de sentiment... Vous comprendrez un jour à quel point votre conduite a pu être injuste, voire odieuse... Maintenant, je vous déclare ceci : nous sommes quelques-uns qui défendrons la mémoire de notre ami Mauvoisin, fût-ce contre son héritier... Nous vous avons proposé notre aide... Nous vous la proposons encore... Vous refusez : soit !... Ce sera donc la guerre...

— Gilles !... appela encore Gérardine. Écoute ce que te dit Plantel et ne t'obstine pas dans une attitude qui...

— Laissez, chère amie... Dans quelques jours, c'est lui qui viendra nous supplier...

Gilles avait endossé son manteau, saisi son chapeau. Avec son habituel frémissement de la lèvre, il questionna, tendu :

— C'est tout ce que vous avez à me dire ?

— C'est tout.

Et, comme il faisait demi-tour pour gagner la porte, monsieur Plantel ne résista pas au désir de lui lancer :

— Vous êtes un gamin, monsieur Mauvoisin !

V

Au moment où Gilles poussait la clef dans la serrure, le vent se levait, la marée se renversait, les bateaux, dans l'avant-port, viraient lentement sur leur ancre et Gilles recevait une rafale de pluie qui le trempait des pieds à la tête.

Il fronça les sourcils, parce que cette gifle d'eau, son goût fade sur les lèvres, un filet qui lui coulait dans le cou lui rappelaient un souvenir. Mais lequel ? C'était dans le Nord ou dans l'Europe centrale...

Cherchant toujours, il refermait la porte avec soin, s'essuyait les pieds et s'engageait dans l'escalier qui sentait toujours un peu le moisi. C'est alors, peu avant d'atteindre le premier étage, qu'il entendit la voix d'Alice et il s'arrêta machinalement, sans songer qu'il commettait peut-être une indiscrétion.

— ... Oui... oui... Comment ?... Non, c'est plutôt rigolo... Qu'est-ce que tu dis, ma petite ?... Je n'ai jamais promis ça... Tu verras bien toi-même... Gilles ?... C'est un « mari-chou »... Oui... Figure-toi qu'à l'heure qu'il est, je suis encore en peignoir, à traîner... Comment ?... Oui... C'est cela, embrasse-les pour moi... Si j'irai au cinéma avec vous dimanche ?... Ah ! non, alors !... Merci bien !...

Gilles dut faire du bruit et elle l'entendit.

— Adieu, ma petite... Je crois qu'*il* rentre...

Déclic du téléphone. La porte du salon était restée entrouverte et Alice s'élançait vers son mari, lui jetait les bras autour du cou.

— Ce sont les copines qui me téléphonaient..., expliqua-t-elle avec une toute petite pointe d'embarras.

Et il traduisit que c'était elle qui avait appelé à l'appareil ses amies de la maison « Publex ».

— Pas de mauvaises nouvelles, au moins ?

— Pas trop mauvaises, non...

— Tu es mouillé... Va vite enlever ton pardessus... Marthe !... Vous servirez le chocolat et les gâteaux...

Elle avait fait préparer le goûter sur un guéridon. Il remarqua aussi qu'elle avait changé plusieurs objets de place et il y avait, sur la table, des cigarettes orientales qui n'y étaient pas quand il était parti. Sans doute les avait-elle fait acheter par la bonne ?

— Cela ne t'ennuie pas que je fume ?

— Non, ma chérie...

— Même si cela te coûte fort cher ?... Tu sais, c'est vingt-deux francs cinquante le paquet...

Alors, en la regardant ainsi jouer à la dame, il eut des remords. Il s'en voulut de ne pas lui manifester plus de joie, plus de tendresse, et il se reprocha même ses inquiétudes secrètes.

— Je n'ai pas fait allumer les lampes, ni fermer

les volets... J'aime, quand il pleut et qu'on est bien au chaud dans la maison... Et toi ?...

Elle courut se blottir sur un canapé et il l'y suivit. C'était leur heure, d'ailleurs, celle à laquelle, pendant plus de trois mois, ils s'étaient retrouvés chaque jour dans le parc.

— Tu t'imagines, Gilles, comme ce serait gai, par ce temps-ci ? Tu es content, au moins ?

— Je suis content...

Et il restait contre elle. Il sentait sa chair chaude sur sa joue. Elle s'était parfumée et il n'osait pas encore lui avouer qu'il n'aimait pas les parfums.

Marthe, en tablier blanc, servait le chocolat, approchait le guéridon monté sur des roulettes.

— Attends... Je vais allumer la petite lampe qui est sur le piano... Avec son abat-jour rose, cela fera encore plus intime...

Elle se levait avec une vivacité de jeune animal, découvrant dans chaque mouvement son corps jeune et impatient.

— Beaucoup de chocolat ?... Un gâteau à la crème ou sans crème ?

Et, quand elle fut à nouveau dans ses bras et que ses cheveux lui chatouillèrent la joue, il laissa son regard errer sur le salon.

Les meubles en étaient anciens et luisants, le tapis et les tentures de teintes passées. Il se souvenait de salons tout pareils qu'il avait entrevus parfois, l'hiver, dans les villes, à l'heure où les volets ne sont pas encore clos. Il y jetait un coup d'œil furtif et regagnait sa chambre d'hôtel, ou les coulisses pleines de courants d'air de quelque music-hall.

— Tu ne parles pas…, remarqua-t-elle.

— Je suis bien…

C'était vrai, Il pensait encore. Il pensait toujours. Déjà quand il était petit — c'était un garçon pâle et maigre, mais qui n'avait jamais été malade — on disait de lui :

— Il pense trop…

Ce n'était pas sa faute. Avec qui aurait-il joué ? Quand, d'aventure, ses parents s'arrêtaient plusieurs mois dans une ville et qu'on le mettait à l'école, le plus souvent il ne comprenait pas la langue de ses camarades. Il était habillé autrement qu'eux. Il avait d'autres coutumes. Il était l'étranger.

Puis on repartait et cela recommençait ailleurs. Il ne rencontrait que des grandes personnes. Et ce n'étaient pas des grandes personnes comme les autres, qui ont une maison, qui forment une famille, qui vivent selon des règles.

On discutait contrats, imprésarios. Imprésarios surtout, ces gens qui mentent, qui trompent les artistes, qui les volent et avec qui on est obligé de se montrer aimable…

— A quoi penses-tu ?

— A toi…

C'était presque vrai… Il pensait à Alice aussi… Parce qu'il avait toujours été pauvre, parce qu'il avait toujours entendu parler d'argent, il avait cru qu'une gamine pauvre serait en quelque sorte de la même race que lui.

Il avait pensé, par exemple, qu'il serait très bien, comme chez lui, le soir, dans la petite maison de la rue Jourdan. Il y était allé la veille et il avait été dépaysé, aussi dépaysé que chez sa tante Éloi.

Tout à l'heure, Alice avait prononcé des mots... « *C'est rigolo...* » « *C'est un mari-chou...* »

Il s'efforçait de ne pas en être choqué. C'est lui qui avait tort. Elle était comme elle était. Et il l'avait épousée.

— Quand est-ce que tu as acheté un violon ?... Tu n'en avais pas en débarquant du cargo norvégien, n'est-ce pas ?... J'en ai vu un tout à l'heure dans le placard...

Non ! Ce n'était pas le violon de son père, qu'il avait dû vendre, à Trondjhem, avec d'autres objets, pour payer les obsèques. Celui-ci, il l'avait acheté deux semaines auparavant et il n'en avait joué qu'une seule fois, dans sa chambre, là-haut.

— Tu ne veux pas me jouer quelque chose, Gilles ?...

Il le fit et, dans la pénombre, elle le contemplait avec une admiration neuve.

— Tu joues du piano aussi ?

— Et de la clarinette... Et même du saxophone...

Il alla chercher ces instruments qu'il s'était

offerts. Il joua des airs de cirque, de ces airs chers aux clowns musicaux, ou encore de ceux qui accompagnent les numéros de jongleurs. Plusieurs fois, quand il était petit et qu'il y avait un trou dans le programme, il avait paru en scène, vêtu d'un costume marin à grand col blanc brodé.

Il savait encore d'autres choses. Pas de celles qu'on apprend d'habitude aux enfants. Ainsi, il connaissait presque tous les tours de prestidigitation de son père, et ses longues mains pâles le servaient à merveille.

— Regarde... Je prends cette cuiller... Elle est dans ma main, n'est-ce pas ?... Tu en es sûre ?... Eh bien ! non... Ma main est vide et la cuiller se trouve derrière toi sur le canapé...

Il riait. Il avait un peu de feu aux joues, comme les enfants que le jeu excite et qui ne se sentent plus. Alice ne l'avait jamais vu comme ça.

— Encore un...

— Il me faudrait un jeu de cartes...

— Il y en a dans un tiroir de la salle à manger...

Pendant qu'elle allait le chercher, il joua de la clarinette, un air endiablé que connaissent tous les clowns du monde. Il était heureux, et cependant il avait les larmes aux yeux, des larmes qui n'étaient pas des larmes tristes.

— Encore !

— Choisis une carte... Ne la montre pas... Remets-la toi-même dans le paquet et mélange...

Maintenant, je parie que la carte que tu as choisie est dans ta mule...

Dans son enthousiasme, elle venait l'embrasser à pleines lèvres, puis elle se gavait de gâteaux en réclamant :

— Encore !... Joue-moi du piano, maintenant...

Parfois, une bourrasque secouait les volets. L'eau des bassins était agitée d'un ressac rageur qui éclaboussait les quais. Des bateaux amarrés les uns contre les autres s'entrechoquaient et les passants courbaient l'échine, essayaient de maintenir leur parapluie contre le vent.

Pendant deux heures, Gilles ne pensa pas à son oncle Mauvoisin, ni à sa tante Colette. Par contre, il pensa à son père et à sa mère, à des chambres qu'il avait habitées, et il retrouva soudain le souvenir vague qui lui était venu en ouvrant tout à l'heure la porte.

C'était dans une petite ville de Hollande, aux rues pavées de briques, et les péniches amarrées les unes derrière les autres étaient presque aussi hautes que les maisons. Il faisait noir. Il tenait la main de sa mère. Celle-ci était entrée dans une charcuterie et, comme ailleurs on lui aurait donné un bonbon, la charcutière avait tendu au gamin un petit morceau de lard cru.

— Rejoue-moi le morceau de clarinette, tu sais, celui qui...

Il venait de le commencer quand on frappa

timidement à la porte. Il s'interrompit net. La porte s'ouvrit et Colette entra, venant du dehors, ses vêtements de deuil collant au corps, ses chaussures et ses bas couverts de boue.

— Pardon..., murmura-t-elle. Je vous dérange, n'est-ce pas ?

— Mais non...

— Il est sept heures et demie et j'ai pensé...

— Mon Dieu ! Et moi qui ne suis pas encore habillée ! Vous ne m'en voulez pas, madame ? Je ne sais même pas si le dîner est prêt...

La maison n'était pas organisée de façon définitive. En attendant, on avait décidé que la tante descendrait pour le repas de midi et celui du soir. Gilles, en effet, était gêné à l'idée qu'elle mangerait toute seule là-haut et, dans l'après-midi, madame Rinquet venait donner un coup de main à la nouvelle bonne.

— Débarrassez-vous, tante...

Elle regardait avec étonnement les instruments de musique, les cartes éparses sur la table, un chapeau haut de forme dont Gilles s'était servi pour des tours de prestidigitation. Il y avait encore des tasses vides et des gâteaux sur le guéridon. Les coussins du canapé gardaient la trace des corps.

— Vous tenez vraiment à ce que je reste ?

Dans le regard qu'elle lançait à Gilles, on sentait qu'elle avait envie de lui parler, mais elle n'osait pas le faire en présence d'Alice.

— Je vais voir si c'est servi..., annonça celle-ci en bondissant vers la cuisine.

Alors, il lui dit à mi-voix :

— Vous êtes sortie toute la journée ?

Ce n'était pas seulement une question. Il y avait comme l'ombre d'un reproche dans sa voix, parce qu'elle était partie dès le petit matin sans rien lui dire et qu'elle était restée dehors jusqu'à si tard.

— Je suis allée à Nieul..., expliqua-t-elle en retirant son manteau et son chapeau.

— On peut se mettre à table, annonça Alice en revenant. La bonne allait justement prononcer : Madame est servie...

C'était le premier repas qu'ils prenaient tous les trois, puisque Colette n'avait pas paru au déjeuner. La salle à manger était plus vaste qu'au second étage, plus riche aussi. Sur les murs, on voyait des portraits d'ancêtres, ceux du comte de Vièvre, car Octave Mauvoisin avait racheté l'hôtel dans l'état où il était, y compris les tableaux de famille.

— Eh bien ! madame...

— Vous m'aviez promis de dire tante...

— Eh bien ! tante...

Alice s'efforçait d'être gentille et Gilles lui en sut gré.

— Servez-vous... Mais si, je veux que vous vous serviez la première... On dirait que, malgré ce mauvais temps, vous avez pataugé dans la campagne...

— Je suis allée à Nieul-sur-Mer..., répéta-t-elle.

Elle hésitait. Elle semblait demander à Gilles si elle devait parler.

— Toute la nuit dernière, dit-elle enfin, j'ai pensé au coffre...

Et Gilles expliquait à sa femme :

— C'est le coffre-fort qui est dans l'ancienne chambre de mon oncle... J'en ai la clef, mais nous ne connaissons pas la combinaison...

— Qu'est-ce qu'il contient ?

— On ne sait pas au juste... Sans doute des documents importants... Si nous avions ces documents, peut-être serait-il possible de décider certaines personnes à changer d'attitude...

— Ah !...

Cela ne l'intéressait pas. Gilles faisait signe à sa tante de continuer.

— Je me suis souvenue que Mauvoisin, presque chaque semaine, prenait la voiture et s'en allait à la campagne... Il n'emmenait jamais personne, sinon Jean, son chauffeur, qui conduit maintenant un car... Je suis descendue de bonne heure pour questionner Jean... J'ai eu toutes les peines du monde à le faire parler...

Octave Mauvoisin, qui circulait peu, n'avait qu'une vieille voiture familiale et, comme il ne conduisait plus lui-même, il était obligé de faire appel à Jean.

— J'ai fini par apprendre que Mauvoisin allait

voir, à Nieul, une de ses cousines qui habite la maison où il est né...

Gilles regardait avec un étonnement admiratif cette femme si frêle qui déployait tant d'énergie pour sauver son amant.

Ainsi, presque sûre d'être mal reçue, elle était allée à Nieul et...

— Pourquoi ne m'avez-vous pas demandé de vous y conduire en auto ?

Il n'aurait pas dû dire cela, car Alice lui jeta un coup d'œil mécontent.

— Ce n'était pas un jour à vous mettre à contribution... J'ai pris l'autobus... La cousine ne s'appelle pas Mauvoisin, mais Henriquet... C'est la femme du facteur...

Alice pressa la poire électrique pour faire continuer le service et elle fixait la nappe avec ennui. Gilles, au contraire, après le court entracte de cette fin d'après-midi, était repris par le drame dans lequel il s'était trouvé plongé dès son arrivée à La Rochelle.

Maintes fois, il avait eu envie, lui aussi, d'aller à Nieul, où son père était né. La veille encore, pour se rendre à Esnandes et en revenir, ils avaient traversé le village.

— C'est une brave femme..., poursuivait Colette. Elle m'a reconnue tout de suite... Malgré ça, elle m'a fait entrer et m'a offert un verre de pineau... Il paraît que Mauvoisin avait toujours promis de laisser de l'argent à ses enfants... Elle en a six.

Alice s'efforçait de ne pas laisser voir son impatience. Toutes ces histoires Mauvoisin l'ennuyaient. Mais Gilles était trop pris par ses pensées pour s'en apercevoir.

Souvent, le soir, il s'était assis dans la chambre à coucher de son oncle, à la place de celui-ci, devant le bureau à cylindre. Là, des heures durant, il s'efforçait de comprendre.

Personne n'avait pu lui montrer un portrait d'Octave Mauvoisin, qui avait les photographes en horreur. C'est tout juste si, chez sa tante Éloi, il avait trouvé un groupe représentant les deux Mauvoisin, Octave et Gérard, alors que l'aîné avait une dizaine d'années. La photo était pâlie, les visages flous. Le père de Gilles était le plus grand des deux, mais on sentait qu'alors déjà la volonté était du côté d'Octave, au visage massif, à la silhouette trapue.

Quelle avait été, en réalité, la vie de cet homme-là ? Les parents de Gilles, eux, toute leur vie, avaient couru après un peu d'argent, après la nourriture quotidienne, hantés par des problèmes de souliers à réparer ou de vêtements à acheter.

Lui, seul dans sa maison du quai des Ursulines...

A quel sentiment avait-il obéi en épousant Colette ? Quels avaient été leurs rapports ? Y avait-il jamais eu entre eux une véritable intimité ?

Gilles détournait le regard. Cette intimité existerait-elle un jour entre lui et Alice ?

Sa tante continuait :

— Je ne vous ennuie pas, Alice ?

— Mais non, tante...

— Mauvoisin venait, en effet, chaque semaine chez sa cousine Henriquet, et celle-ci s'est souvent demandé pourquoi ?... Elle habite une maison assez délabrée sur le chemin de la mer... Les gens du village connaissaient l'auto qui s'arrêtait au bord du chemin et Jean restait au volant à lire un journal... Mauvoisin entrait et ne se donnait, paraît-il, jamais la peine d'embrasser les enfants... On aurait pu croire qu'il ne les voyait pas... Seulement, quand ils faisaient trop de bruit, il fronçait les sourcils et leur mère les poussait dehors... Il n'apportait ni bonbons, ni chocolat, ni jouets, fût-ce aux alentours de Noël...

Gilles vivait la scène. Il en oubliait de manger et, pour la première fois, Alice adoptait le sourire résigné des épouses.

— Il disait en entrant :

« — Ça va, Henriette ?

« Et il s'asseyait devant l'âtre, dans un fauteuil d'osier réparé à l'aide de ficelles... Il paraît que c'est l'ancien fauteuil de son père et qu'il ne voulait pas qu'on le changeât...

« Il allumait sa pipe ou un cigare... Il gardait son chapeau melon sur la tête...

« Si sa cousine faisait mine de se débarrasser de son ouvrage, il lui ordonnait :

« — Continue ce que tu faisais...

« C'était devenu une habitude... Plusieurs fois, quand il est venu de la sorte, il n'y avait personne dans la maison... Madame Henriquet ne l'en a pas moins trouvé à sa place en entrant, car il connaissait la fenêtre qui donne sur le jardin et qui ferme mal...

« Il ne parlait presque pas... Il posait parfois des questions fort simples :

« — Combien as-tu fait de haricots cette année ?

« Ou bien il s'intéressait aux lapins...

« Je me demandais, Gilles, s'il ne parlait jamais de ses affaires... C'est tellement rare, un homme qui ne parle à personne !... »

N'est-ce pas la même préoccupation que Gilles avait quand il allait s'asseoir dans la chambre de son oncle ? Il lui semblait, à lui aussi, que dans ce bloc inhumain il y avait fatalement une fissure.

Même la passion de l'argent, ou de la puissance qu'il donne, n'expliquait pas à ses yeux cette solitude farouche, cette absence de toute détente, de tout abandon.

Or, voilà qu'on connaissait, grâce à l'intuition de Colette, les détentes de Mauvoisin. Il allait là-bas, dans la bicoque où il était né et où il avait passé son enfance. Il s'asseyait dans le fauteuil de son père et il ne disait rien, il ne faisait rien, il partageait pendant une heure ou deux la vie d'un ménage pauvre.

Une fois, pourtant, Henriette s'en souvenait, bien qu'elle n'eût jamais compris tout à fait :

— C'est dommage que tes enfants ne s'appellent pas Mauvoisin...

Parce que, sans doute, il en aurait fait ses héritiers, au lieu de léguer tous ses biens à un neveu qu'il n'avait jamais vu...

— Et ici, Gilles, rien de nouveau ?

— Rien d'important...

— L'exhumation ?...

— Je crois que oui...

Ils avaient fini de dîner. La tante s'était levée.

— Je vous demande pardon de venir vous déranger de la sorte... Je vous assure, Gilles, qu'il vaudrait mieux que je prenne mes repas là-haut, comme par le passé... J'ai tellement l'habitude d'être seule !...

Mais Gilles secoua la tête avec obstination.

— Vous vous amusiez si bien quand je suis arrivée !... Allons !... Il est temps que je monte... Bonsoir, Alice... Bonsoir, Gilles...

Il attendait le moment d'avoir sa main toujours un peu fiévreuse dans la sienne. Puis, quand elle fut partie, il y eut un silence. Alice soupira. Elle le regarda, debout au milieu de la salle à manger, et peut-être sentit-elle confusément qu'en esprit il suivait sa tante dans l'escalier, qu'il était déjà là-haut, qu'il était repris par ses histoires Mauvoisin.

— Tu me feras encore un peu de musique ?

Il sauta sur l'occasion, s'assit au piano, laissa errer ses longs doigts sur les touches et bientôt résonnaient dans le salon des phrases mélancoliques ou passionnées de Chopin.

*

Il n'osa pas, cette fois, se lever avant sa femme et, comme il se réveillait de bonne heure, il resta longtemps à fixer les fentes blêmes des volets que le vent secouait toujours. Il entendit qu'on sonnait à la porte d'entrée, que Marthe allait ouvrir, mais que le visiteur montait directement à l'étage supérieur où il ne restait que quelques instants.

Dans son demi-sommeil, Alice tendit enfin la main, rencontra le corps de son mari et elle sourit.

— Tu es là ! balbutia-t-elle avec reconnaissance.

Puis elle s'éveilla tout à fait.

— Allume, Gilles... On dirait que la tempête continue... Si nous prenions le petit déjeuner au lit ?... J'ai toujours rêvé de prendre le petit déjeuner au lit, mais mon père ne voulait pas... Alors, il fallait que je sois malade... Sonne Marthe, veux-tu ?

Il n'eut pas le courage de la décevoir. Cependant il était gêné d'être vu avec sa femme dans un lit par cette fille qu'il ne connaissait pas.

— Qu'est-ce que nous faisons, aujourd'hui ?...

Sais-tu ce que j'ai pensé en m'endormant?... Nous prendrons la voiture et nous passerons dans tous les magasins... J'ai déjà dressé une liste d'objets qui manquent...

Il entendait madame Rinquet aller et venir au-dessus de sa tête.

— Qui a sonné tout à l'heure?

— Le facteur, Monsieur, avec une lettre recommandée pour madame Mauvoisin...

Elle comprit qu'il pouvait y avoir confusion et elle précisa naïvement :

— Pour la madame Mauvoisin d'en haut...

Ce ne fut qu'une demi-heure plus tard, pendant qu'Alice était à sa toilette, que Gilles put monter chez sa tante. Elle était déjà prête. Elle lui tendit le pli officiel qu'elle avait reçu le matin.

Le juge d'instruction lui faisait savoir que l'exhumation d'Octave Mauvoisin avait été décidée, qu'elle aurait lieu le lendemain à dix heures au cimetière, et lui annonçait qu'elle avait le droit d'y assister ou de se faire représenter.

VI

Le dimanche après-midi, comme il pleuvait toujours — on annonçait que la tempête ne finirait qu'avec la lune — Gilles et Alice étaient allés au cinéma. La bande de filles, ainsi qu'Alice appelait ses amies, était là, quelques rangs devant eux, et des jeunes gens installés derrière elles s'appuyaient familièrement à leur fauteuil.

Georges, qui était du groupe, se retournait souvent vers le couple. Il avait les cheveux gominés, les sourcils noirs, le teint mat, un regard bêtement agressif de bellâtre. Est-ce pour se faire pardonner les baisers sans fin du bassin des chalutiers qu'Alice glissa sa main dans celle de son mari ?

Colette était allée chez sa mère, rue de l'Evescot. Une fois, tandis qu'elle prenait son lait à la marchande, Gilles avait aperçu la mère de sa tante, une femme énorme, aux contours indécis, qui s'avançait comme en flottant, ses jambes d'hydropique entourées d'épais tissus, la face ronde et blafarde, les cheveux du même blanc, les yeux clairs comme des yeux d'enfant, les lèvres molles figées dans un sourire bienheureux.

— Tu m'en veux toujours ? questionnait Alice.

— De quoi ?

— A cause de Georges... Tu sais, c'était seulement pour le plaisir de le chiper à Linette.

Et les autres, devant eux, menaient grand tapage. Des rires fusaient. On devinait dans la pénombre les visages se tournant les uns vers les autres, les chuchotements. Elles s'amusaient de rien. Elles se retournaient vers le couple et c'est ainsi que Gilles fut tout surpris de découvrir ce que sa femme était quelques jours plus tôt encore.

— Tu m'aimes? souffla-t-elle en sentant une pression longue et tendre de sa main.

— Je t'aime...

Quand la foule sortit en se bousculant, ils pénétrèrent au « Café de la Paix » où ils trouvèrent difficilement deux places, car c'était l'heure de l'apéritif. Alice était fort animée. Pour la première fois, elle se montrait devant tant de monde avec son mari et elle sentait qu'on les regardait, qu'on échangeait des commentaires à leur sujet.

— Moi, je prendrai un porto... Tous les dimanches, avec les filles, nous buvions un porto après le cinéma...

Les femmes, pour la plupart, avaient des manteaux garnis de fourrure. Les hommes, endimanchés, se sentaient plus d'assurance que les autres jours. Mais il n'y avait là aucun de ceux que Gilles connaissait, aucun des personnages importants de la ville.

Ceux-là ne se montraient pas au café. Ils vivaient dans leurs hôtels particuliers et peut-être n'allaient-ils pas au cinéma?

Ceux qu'on apercevait, c'étaient les petits commerçants, les comptables, les commis, les voyageurs de commerce, les agents d'assurance, et plusieurs employés des Cars Mauvoisin se levaient à demi, gênés, pour saluer leur patron.

Vers sept heures, le couple, bras dessus, bras

dessous, se serrant sous la pluie, regagnait la maison du quai des Ursulines. Comme il passait devant le Bar Lorrain, le rideau crème bougea. Puis, quand Gilles et sa femme eurent encore fait quelques pas, la porte s'ouvrit, une voix appela :

— Monsieur Mauvoisin...

C'était Raoul Babin qui se tenait sur le seuil, un noir cigare entre les dents. Il s'inclina devant la jeune femme toujours accrochée au bras de son mari.

— Excusez-moi, madame...

Puis, se tournant vers Gilles, et sans l'inviter à entrer :

— Je voulais vous dire ceci... Il se pourrait que, ce soir, vous ayez besoin de me parler... Dans ce cas, vous me trouverez jusqu'à minuit chez Armandine... Vous vous souvenez de l'adresse ?... 37, sur le Mail...

Et, après un salut que Gilles trouva ironique, il rentra dans le bar qui lui servait de quartier général.

— Qu'est-ce qu'il a voulu dire ?

— Je ne sais pas...

Quelques instants plus tard, Gilles, soucieux, vaguement inquiet, introduisait la clef dans la serrure de la maison du quai des Ursulines. Alice s'ébrouait et, en montant l'escalier, retirait son chapeau dont elle faisait tomber les gouttes d'eau.

Madame Rinquet les attendait sur le palier du premier étage.

— Monsieur Gilles...

Elle hésitait à parler devant la jeune femme qui continuait son chemin vers la chambre à coucher pour se débarrasser de ses vêtements mouillés.

— Je voudrais vous dire un mot avant que madame Colette rentre... J'ai reçu tout à l'heure un billet de mon frère... A cause de sa situation dans la police, il préfère ne plus venir ici, car cela pourrait lui attirer des ennuis... Il voudrait vous voir... Il a des nouvelles importantes à vous communiquer... Il demande si vous voulez bien aller ce soir chez vos beaux-parents... Comme il habite rue Jourdan, à deux maisons de chez eux, il lui sera facile de vous rejoindre sans être remarqué... Il me dit en terminant qu'il a prévenu monsieur Lepart et que celui-ci vous attend... Je pense, pour ma part, qu'il vaudrait mieux n'en pas parler avant de savoir à madame Colette, qui est déjà si nerveuse.

Celle-ci rentra à sept heures et demie et on se mit à table. La maison commençait à avoir ses habitudes. Colette, pour ne pas ennuyer la jeune femme de ses affaires, s'adressa à Alice et lui fit raconter le film de l'après-midi.

Puis, comme un déjà vieux ménage, le couple s'habilla et sortit. Ils traversèrent la ville, fouettés par le vent et par la pluie qui avait un arrière-goût de sel, à cause des embruns. Au lieu de sonner, Alice toqua à la boîte aux lettres, comme elle le faisait quand elle était gamine, et ce fut son père qui vint leur ouvrir.

On se débarrassa devant le portemanteau de bambou et tout de suite Alice se précipita vers la cuisine dont on voyait la porte vitrée au fond du corridor, tandis que Gilles était introduit dans le salon.

Bien qu'avertis tard de cette visite, les Lepart n'avaient pas manqué de préparer un plateau avec des liqueurs, des verres à bord doré et des petits fours secs. Esprit Lepart était tout en noir, comme chaque dimanche, le plastron empesé, et son crâne chauve luisait sous la lampe, ses épais sourcils et ses grosses moustaches essayaient en vain de lui enlever son air de brave homme humble et besogneux.

— Monsieur Rinquet m'a demandé d'aller frapper à sa porte dès que vous serez arrivé... Asseyez-vous, je vous en prie... Vous vous servez, n'est-ce pas ?

On entendait le rire d'Alice dans la cuisine, puis la porte de la rue, que Lepart avait laissée contre, s'ouvrit et Paul Rinquet, l'inspecteur de police, sans chapeau et sans pardessus, pénétra dans le salon.

Il était grand et mou, terne. Il appartenait à la même race qu'Esprit Lepart, celle des petits qui puisent leurs seules joies, teintées d'amertume, dans la satisfaction du devoir accompli, dans la conscience de leur honnêteté scrupuleuse.

Cette entrevue secrète le troublait. Il en avait honte. Il s'efforçait de l'excuser.

— Ma sœur, voyez-vous, se ferait tuer pour madame Colette. C'est pourquoi, malgré le secret professionnel...

Lepart, discret, voulait se retirer et rejoindre sa femme dans la cuisine.

— Restez, papa, lui dit Gilles. Il n'y a rien que vous ne puissiez savoir... N'est-ce pas, monsieur Rinquet ?

Celui-ci, qui donnait volontiers une certaine solennité à ses attitudes, esquissa un geste qui signifiait :

— Vous êtes le seul juge...

Il n'osait pas s'asseoir sur les petites chaises dorées.

— Je vous sers un verre d'alcool ?

Et Lepart, parce que c'est l'habitude quand on reçoit quelqu'un, remplissait les verres minuscules. Il fallut quelques minutes pour se mettre en place, pour réchauffer l'atmosphère.

— Voici, monsieur Mauvoisin... Vous savez que l'autopsie du corps de votre oncle a été pratiquée par le docteur Vital... On vous dira que le docteur Vital est un ami de monsieur Plantel, chez qui il dîne chaque vendredi... Néanmoins, l'avocat de monsieur Sauvaget était présent... Je le signale parce que cela écarte certaines hypothèses...

« Les viscères, vous le savez, ont été envoyés à

l'Institut médico-légal de Paris... Le rapport officiel n'est pas encore parvenu au Parquet de La Rochelle. Par contre, à la police, nous avons eu un coup de téléphone... »

Il tenait à la main, ne sachant où le poser, son petit verre à bord doré dans lequel il hésitait à tremper les lèvres.

— J'étais dans le bureau du commissaire quand cette communication téléphonique a été reçue... J'ai tenu à vous avertir aussitôt... L'analyse des viscères, monsieur Mauvoisin, a fait découvrir des traces importantes d'arsenic...

Esprit Lepart regardait fixement par terre. On entendait toujours le babil d'Alice dans la cuisine.

— Vous voulez dire, questionna Gilles, que mon oncle aurait vraiment été empoisonné ?

— C'est ce qui ressort de l'analyse... Si on nous a prévenus les premiers, c'est que l'enquête, par le fait, va prendre une nouvelle ampleur...

Un instant, Gilles eut devant les yeux la légère silhouette de sa tante. Un instant, il douta, et le sang se retira de ses joues.

— Je ne comprends pas comment c'est possible...

— Moi non plus... Dès demain, madame Colette sera sûrement interrogée... A la police, nous avons reçu pour mission de reconstituer les faits et gestes d'Octave Mauvoisin pendant les journées qui ont précédé sa mort... Malheureusement, plus de six mois se sont écoulés... Ce sera une besogne difficile, sinon illusoire... En tout cas, il est impossible que le docteur Sauvaget ait personnellement empoisonné votre oncle, car le docteur ne mettait plus les pieds au quai des Ursulines et n'avait aucun rapport avec Mauvoisin...

Et Paul Rinquet poursuivait :

— Vous me permettez, monsieur Gilles, de vous faire part de mes idées ?... Je ne suis qu'un petit inspecteur de police et je n'ai pas beaucoup fréquenté l'école... Mais je connais bien La Rochelle... Je vais dans des endroits où vous n'allez pas, dans les petits cafés, dans les bars, sur les marchés, partout où l'on parle, et on ne se méfie pas trop de moi...

« Jusqu'à ce soir, j'ai cru qu'on cherchait à vous écœurer...

— M'écœurer ? répéta Gilles en essayant de comprendre.

— C'est un terme de sport... Quand on ne peut pas avoir raison d'un adversaire autrement, on le mène de telle manière, on lui fait de telles petites saletés qu'il perd son sang-froid, qu'il s'indigne et finit par se décourager... Vous savez bien, n'est-ce pas, qu'il y a à La Rochelle un certain nombre de personnes qui préféreraient vous voir vivre ailleurs...

Lepart leva la tête, regarda les deux hommes avec embarras, gêné, lui qui avait été toute sa vie un modeste employé, de se voir soudain mêlé aux affaires de grands patrons.

Quant à l'inspecteur, il se décida à boire une gorgée d'alcool.

— Voyez-vous, monsieur Mauvoisin, votre oncle était parvenu à prendre une place importante, trop importante peut-être, dans les affaires de la région... Je ne sais pas si je puis me permettre...

— Je vous en prie...

— Tout le monde le détestait, aussi bien les gros que les petits... Vous n'auriez pas trouvé en ville une seule personne pour dire du bien de lui... Les petits, eux, ne pouvaient rien faire... Il y en a pourtant qui nous ont adressé des lettres anonymes pour nous affirmer que votre oncle était un voleur et que sa place était en prison...

Lepart aurait donné gros pour être en ce moment dans la cuisine avec sa famille et il ne comprenait pas l'audace de l'inspecteur, qui n'était qu'un homme comme lui, et qui se permettait de parler de la sorte.

— Quand il a augmenté le prix des places dans les cars, par exemple, il y a eu presque une émeute et la maison du quai des Ursulines a été gardée pendant quinze jours par la police... On a même renversé un car sur la route de Lauzières et tenté d'y mettre le feu... Seulement...

— Seulement ?

— C'est dommage que vous ne connaissiez pas

davantage La Rochelle. Il y a des questions que j'aimerais mieux ne pas aborder... Ceux qui détestaient le plus votre oncle, parce qu'ils avaient peur de lui, c'étaient les gens du *Syndicat*... Est-ce que vous en avez entendu parler ?...

Gilles fit oui de la tête. Puis, après un silence :

— Vous croyez que ces messieurs du *Syndicat* se sont débarrassés de mon oncle ?

— Je vous en prie, monsieur Mauvoisin, ne me faites pas dire ce que je n'ai pas dit... monsieur Plantel est certainement incapable d'un crime... monsieur Babin aussi... monsieur Penoux-Rataud est sénateur et le préfet est son meilleur ami... Maître Hervineau est le fils de... Voyez-vous, je ne sais comment m'exprimer... Si j'en crois ce qu'on raconte dans certains petits cafés, vous seriez tombé comme un cheveu sur la soupe, excusez-moi l'expression...

« Il paraît que vous n'avez rien voulu comprendre, que vous êtes ce qu'on appelle un *original*... Les gens, ici, n'aiment pas les originaux... Jusqu'à votre mariage... »

Il essaya de se rattraper, se tourna vers Esprit Lepart et balbutia :

— Je vous demande pardon, monsieur Lepart... Ce que je voulais dire, c'est qu'on détestait déjà votre oncle... Et que, quand vous êtes arrivé pour prendre sa succession et que vous avez prétendu vivre à votre manière, sans suivre les conseils de ces messieurs... Vous ne m'en voulez pas de...

— Je vous en prie...

— J'ai presque fini... J'ai cru que cette histoire d'exhumation et tous ces bruits qu'on faisait courir, c'était pour se débarrasser de vous... Pour vous écœurer, comme je disais tout à l'heure... Vous seriez allé vivre n'importe où avec vos millions et ces messieurs... Enfin !... Vous me comprenez... Voilà pourquoi j'ai été stupéfait quand le coup de téléphone est arrivé de Paris... Si votre oncle a été vraiment empoisonné...

Il faudrait trouver un coupable, bien sûr ! Et Octave Mauvoisin n'était pas un être, comme la femme du docteur Sauvaget, à se détruire à petit feu !

Gilles comprenait maintenant la brusque irruption de Babin à la porte du Bar Lorrain et ses paroles mystérieuses. Babin savait déjà. Comment ? Était-ce le commissaire qui l'avait mis au courant ? Avait-il à Paris quelqu'un pour le renseigner avant les autorités de La Rochelle ?

— Il faudrait peut-être préparer madame Colette à ce qui arrivera demain... Voyez-vous, monsieur Gilles, ma sœur est une femme qui ne se trompe pas souvent... Elle n'est peut-être pas plus instruite que moi, mais déjà quand j'étais petit c'était inutile de lui mentir... Eh bien ! ma sœur affirme que madame Mauvoisin n'a pas pu...

Le plus écrasé des trois, c'était Lepart, dont

l'accablement tournait à l'hébétude. Lui qui, tant d'années durant, avait travaillé avec une calme obstination derrière sa cloison de verre, lui qui avait toujours respecté ses patrons, quels qu'ils fussent, par le seul fait qu'ils étaient des patrons, lui qui, s'il voyait de ses yeux des choses malpropres, se refusait à y croire, voilà que soudain, au moment où sa fille faisait un beau mariage...

Rinquet n'osait pas allumer la pipe courbe, à tuyau de corne, qu'il tenait à la main.

— Croyez-en mon expérience, monsieur Mauvoisin... C'est une affaire qui ira loin, fort loin... Peut-être plus loin que tout le monde ne le pense... Madame Sauvaget ne se doutait pas, quand elle s'est empoisonnée — car nous sommes quelques-uns à être persuadés qu'elle s'est empoisonnée — des conséquences de son acte... Elle voulait se venger de son mari... C'était une folle, ou presque, une malheureuse, en tout cas...

« *Ils* se sont servis de cette affaire contre vous... Monsieur le sénateur Penoux-Rataud, qui ne plaide que les gros procès, a accepté la proposition de la sœur de madame Sauvaget de représenter la partie civile... Peut-être même est-ce lui qui s'est proposé, car ces gens-là ne sont pas riches...

« Alors, on a commencé à chuchoter... Les choses qu'on n'avait jamais dites sont venues à la surface...

« On a senti que la maison Mauvoisin était atteinte et on s'est mis à ne plus en avoir peur...

« Ces derniers jours, nous avons reçu des dizaines de lettres anonymes... Il y en a... »

Il se tut, regrettant d'en avoir trop dit.

— Parlez, monsieur Rinquet...

— Je vous demande pardon, mais il vaut mieux que vous le sachiez...

Un coup d'œil ennuyé à Esprit Lepart.

— Il y en a qui prétendent avoir vu des lumières, le soir...

— Quelles lumières ?

— Vous ne connaissez pas la province, monsieur Gilles... Ce qu'on ne sait pas, on l'invente... Des lumières qui allaient de votre chambre à celle de votre tante... Bref, on prétend que vous et elle... Et on en tire des conclusions... Vous êtes l'héritier d'Octave Mauvoisin, voyez-vous... Et, dès qu'on a cru l'occasion propice de vous attaquer...

— Qu'est-ce que vous me conseillez de faire ?

— Je ne sais pas... Non, je ne sais pas...

Mais il disait cela comme quelqu'un qui a son idée. La preuve en est qu'après avoir hésité et allumé enfin sa pipe, par contenance, il risquait, le regard fuyant :

— Il est évident que, *si ces messieurs voulaient...* Ils se tiennent tous, n'est-ce pas ?... Ils ont de l'influence les uns sur les autres... Ainsi, je puis vous révéler que, ce soir, le procureur dîne chez monsieur Penoux-Rataud et que le notaire Hervineau, malgré sa goutte, s'est dérangé...

— Si mon oncle a été tué...

— Je crois qu'il a été tué...

— Le plus simple n'est-il pas de découvrir l'assassin ?

Monsieur Rinquet s'agita sur sa chaise. Il soupira. Il tira quelques bouffées de sa pipe. Il avait parlé en vain pendant près d'une heure ! Gilles n'avait rien compris ! Et pourtant l'inspecteur avait essayé de mettre les points sur les i.

Il se leva soudain.

— Bien sûr... Mais est-ce le véritable assassin qu'on découvrira ?... Maintenant, il faut que je m'en aille... Il arrive que, le soir, mon chef me téléphone... Si je ne suis pas chez moi... Tout ceci restera entre nous, n'est-ce pas, monsieur Mauvoisin ?... Si j'apprends du nouveau, je ne ferai plus porter de billet quai des Ursulines, car cela devient trop dangereux, mais j'avertirai monsieur ou madame Lepart...

— Encore un petit verre..., proposa machinalement le beau-père. Mais si !... *Il* n'est pas fort...

Gilles et le père d'Alice restèrent seuls un moment dans le petit salon, sans savoir que se dire. Puis Gilles entrouvrit la porte.

— Alice !...

Elle accourut de la cuisine. Sa mère la suivait.

— Encore des ennuis ?

— Je ne sais pas...

Un regard à Esprit, pour lui recommander de se taire.

— Il faut que je fasse une course. Je serai de retour dans une heure...

— Il pleut à torrent...

— Cela n'a pas d'importance...

Il ruisselait quand il arriva sur le Mail et il ne se souvint pas de la maison d'Armandine, où il n'était venu qu'une fois, quand la jeune femme l'avait en quelque sorte enlevé à la sortie du cimetière, le jour de la Toussaint. Il dut flamber des allumettes pour regarder les numéros des maisons. Le 37 était un petit hôtel neuf, coquet, et on voyait de la lumière derrière les rideaux roses du premier étage.

Il avait à peine pressé le timbre électrique que la porte s'ouvrait, comme si on l'eût guetté. Dans la demi-obscurité du corridor, la voix cordiale, exagérément cordiale de Babin lança :

— Entrez, monsieur Mauvoisin... Je vous attendais...

Une forme claire, au premier étage, était penchée sur la rampe.

— Donnez-moi votre pardessus, votre chapeau...

Et Babin l'aidait à se débarrasser.

— Vous connaissez le chemin, n'est-ce pas ?... Venez... Notre amie n'a pas voulu aller se coucher sans vous dire bonsoir...

Dans le salon aux lumières tamisées, Armandine, en déshabillé voluptueux, se leva à demi d'un fauteuil.

— C'est ainsi que vous venez voir vos amis ?... Vous avez oublié, monsieur Mauvoisin, que j'ai été la première à vous accueillir à La Rochelle ?...

Gilles avait horreur de cette atmosphère de serre chaude. Ici encore, on avait préparé des boissons. C'étaient des cocktails, qu'on lui servit d'autorité.

Après quoi, sur un regard de l'armateur, la jeune femme se leva et tendit une main soignée, aux ongles saignants.

— Je vous laisse, messieurs... Il y a des cigares sur la cheminée et vous trouverez du whisky dans cette armoire...

Les yeux de Babin riaient. Il fumait, comme toujours, un cigare très noir qui lui brûlait les moustaches. Les mains dans les entournures du gilet, il restait debout, allait et venait, jetait de petits regards ironiques à son visiteur et lançait enfin avec une grasse satisfaction :

— Eh bien ?

Alors Gilles, dont la lèvre frémissait comme chaque fois qu'il faisait un effort pour dominer sa timidité, répliqua :

— Je m'attendais à trouver tous ces messieurs ici...

— Pas mal, mon ami, pas mal !... Eh bien ! non seulement ces messieurs ne sont pas ici, mais je vous fiche mon billet que je ne compte pas leur parler de cette entrevue... Asseyez-vous...

Gilles n'en fit rien.

— Comme vous voudrez... Qui est-ce qui vous a annoncé la nouvelle ?

Silence de Mauvoisin.

— Bien !... Bien !... Cela n'a aucune importance... Et je le saurai de toute façon demain matin...

Il rit à nouveau, se versa à boire, arpenta le salon.

— Toujours ennemis ?

— Je ne comprends pas ce que vous voulez dire...

— C'est dommage... Vous êtes un garçon intelligent et on aurait pu faire quelque chose de vous... Voilà quatre mois, monsieur Mauvoisin, que je vous observe... Voulez-vous que je vous dise franchement mon opinion ?... Eh bien ! faute d'écouter quelques conseils de gens que vous prenez pour des ennemis, vous allez vous brûler les ailes... Je sais que cela vous est égal... Vous êtes à l'âge où on se suicide pour un oui ou pour un non, voire pour une simple amourette... Le malheur, c'est qu'il y en aura d'autres qui pâtiront et qui n'ont peut-être pas envie de mourir...

Alors Gilles, plus que tendu, articula la question :

— Vous savez qui a empoisonné mon oncle ?

Les yeux gris de l'armateur se fixèrent sur lui avec curiosité.

— Pas mal... Pas mal..., fit-il à nouveau en jouant avec sa chaîne de montre.

Puis il alla ouvrir une porte, Gilles entrevit le corps demi-nu d'Armandine à sa toilette.

— Je vous demande pardon, chère amie...

Il referma la porte avec soin et vint choir dans une bergère dont la soie se fronça tout menu.

— Asseyez-vous, Mauvoisin... Faites ce que je vous dis... Détendez-vous, sacrebleu, car vos nerfs vont claquer... Là !... Bien gentiment !... Comme ça !... Devant moi... Un cigare ?... Non ?... Une cigarette ?... Tant pis !... Maintenant, écoutez-moi et essayez de ne plus faire l'imbécile...

VII

On entendait toujours des bruits d'eau et des heurts de cristal dans la salle de bains, si bien qu'il continuait à rôder dans le salon comme des roseurs de chair soignée, des lambeaux de nudité entrevus tout à l'heure, quelque chose d'intime, de chaud, de très délicat et de très cru tout ensemble qui faisait penser à l'amour charnel pour lequel cette maison était faite. Cela montait à la tête, cependant que le corps s'avachissait dans un bien-être veule.

Gilles s'enlisait, dans son fauteuil trop bas, trop mou pour lui, les genoux, en angle aigu, plus haut que son visage, et il regardait fixement l'homme qui fumait devant lui.

Il le regardait si fixement, comme les enfants le font par jeu, qu'il ne voyait plus que son cigare, qu'un peu de rouge sous de la cendre blanche. Puis, peu à peu, autour de ce centre, un autre visage se dessinait, des lèvres plus épaisses que celles de Babin, un nez bulbeux, des cheveux crépus sur un front bas : Karensky, l'imprésario qui, lui aussi, mâchait éternellement un cigare et dont la silhouette, les mains derrière le dos, le chapeau melon toujours en arrière, était célèbre dans tous les théâtres d'Europe.

C'est à Karensky que Gilles devait la première grande désillusion de sa vie. Il avait dix ans. Son père, avec sa mélancolie souriante, son père qui jouait de tant d'instruments et qui faisait des miracles avec les moindres objets, lui apparaissait comme un des hommes les plus prestigieux du monde, et certainement que s'il avait voulu...

On était à Copenhague, Karensky promenait de ville en ville un spectacle complet de variétés. Gilles n'avait pas très bien compris pourquoi son père était vexé de passer le premier, au lever de rideau.

Il se souvenait des coulisses glaciales de ce

théâtre-là, de l'escalier de fer où il faillit se casser une jambe, de la loge qu'on partageait avec deux petites danseuses jumelles qui se ressemblaient à s'y méprendre. Il revoyait Karensky, en habit, en chapeau melon — quand on est Karensky, on a le droit de s'habiller comme on veut —, déferlant de toute sa masse dans les couloirs étroits, et l'humidité, la frayeur qui régnaient autour de lui.

Un soir, sans l'en avertir, on avait supprimé le numéro de Gérard Mauvoisin, alors que celui-ci était prêt à descendre en scène. Le père de Gilles était devenu très pâle.

— Je vais lui parler !... avait-il annoncé.

— Tu crois que c'est prudent, Gérard ?... Dans l'état où tu es ?...

Pour la première fois, quelques minutes plus tard Gilles avait aperçu son père, au bar, qui vidait coup sur coup plusieurs verres d'alcool puis qui, un côté de sa moustache relevé, l'autre tombant sur sa lèvre, se dirigeait vers le bureau de Karensky.

Personne ne s'occupait de l'enfant. Il restait là, impressionné, devant la porte mal peinte. Il entendait des éclats de voix. Soudain la porte s'ouvrait. Son père marchait à reculons. Karensky marchait vers lui, le visage presque contre le sien, en articulant des mots terribles et, au moment de refermer la porte avec violence, crachait son cigare en pleine face de Mauvoisin.

Le père de Gilles n'avait pas bronché. Par

bonheur, il n'avait pas aperçu le gamin. Il était remonté dans sa loge et s'était laissé tomber sur une chaise.

— Eh bien ?

— Rien...

Gilles, lui, ce soir-là, avait compris bien des choses. Il avait compris qu'il existe des hommes qui peuvent cracher leur mégot au visage des autres et des hommes qui n'ont que le droit de se retirer à reculons en pâlissant...

Babin, maintenant, lui paraissait énorme, fait d'une matière plus dure, plus puissante que n'importe qui, et Gilles se retenait instinctivement aux bras de la bergère comme si, lui aussi, il allait devoir reculer.

Pourtant, les mots qui sortaient des poils culottés de l'armateur n'étaient pas ceux auxquels il s'attendait.

— Savez-vous, Mauvoisin, que j'ai de l'affection pour vous ?... Peut-être ne me croyez-vous pas, et pourtant c'est ainsi... Je vous vois passer chaque jour... Je sais à peu près tout ce que vous faites... Chaque jour, vous vous raidissez un peu plus pour tenir tête à tout ce qui vous entoure, pour comprendre ce que vous ne comprenez pas... Vous avez peur et vous allez quand même de l'avant...

« La vie est bizarre... Ainsi, j'ai un fils... Mes filles, je n'en parle pas... Ce sont de fades idiotes... Comme leur mère !... Mon fils, du moins, aurait pu me ressembler... C'est une chiffe, une femmelette, qui vit à Paris dans un milieu de jeunes crétins...

« Vous, depuis trois mois, tout seul, vous essayez de devenir un homme...

« Mais, voyez-vous, Mauvoisin, vous êtes le fils de votre père, et non le fils de votre oncle... Est-ce que vous comprenez ça ?...

« Quand je vous vois passer, cela me fait souvent de la peine...

« C'est pourquoi je vous ai conseillé de venir... Je veux vous dire que vous n'êtes pas de taille, que, *fatalement,* vous serez écrabouillé... »

Parfois, Gilles avait un moment d'inattention. Il entendait toujours les mots, mais ceux-ci n'avaient plus de sens pour lui et son interlocuteur, assis devant lui, le cigare éteint entre les dents, lui touchait le genou pour le rappeler à la réalité.

— Regardez-moi : vous aurez une image approximative de votre oncle... Il a débuté dans la vie comme chauffeur... Moi, j'ai commencé par décharger des bateaux... Comprenez-vous que, pour arriver où nous sommes arrivés, nous ne devions pas être bâtis comme des premiers communiants ?...

« Votre oncle était une crapule, plus crapule que moi encore... C'est pourquoi il n'a pas tardé à faire trembler les gens en place, les grands bourgeois comme les Plantel, les Penoux-Rataud, tous les autres qui sont déjà riches depuis plusieurs générations...

« Ils ont été contraints de le subir, parce qu'il était plus fort qu'eux, qu'il mordait plus dur...

« Tant que Mauvoisin a vécu, ils ont feint de le considérer comme un des leurs, comme ils feignent de me considérer comme un des leurs...

« Mais que je claque demain...

« Et voilà que vous débarquez, vous, avec vos dix-neuf ans et votre longue silhouette de deuil, vos yeux qui cherchent à tout comprendre, vos petits nerfs tendus, votre sensibilité à fleur de peau...

« Vous n'êtes pas de la même race, croyez-moi !... Vous faites partie des moutons et non des loups... Vous aurez beau faire, Mauvoisin, c'est eux qui vous auront et ils vous ont déjà...

« Je le répète, c'est parce que j'ai de la sympathie pour vous que j'insiste... Peu importe qui a tué votre oncle, peu importe que ce soit votre tante Colette ou que ce ne soit pas elle...

— Ce n'est pas elle ! articula-t-il.

— C'est fort possible... Le résultat est le même... Qu'elle soit condamnée ou qu'elle ne le soit pas, la forteresse Mauvoisin est ébranlée... Tous ceux qui haïssaient Mauvoisin, et c'est tout le monde, s'acharneront contre vous... A quoi voulez-vous aboutir ?... A prendre, dans les affaires de la ville, la place de votre oncle ?... A faire marcher à votre guise des gens comme Plantel, comme moi, comme le sénateur, comme d'autres encore ?... Vous ne connaissez pas seulement la règle du jeu !... Vous ne savez rien !... Et vous choisissez, pour vous instruire, votre brave homme de beau-père qui a été toute sa vie un mouton bêlant et qui le restera...

Le visage de Babin s'éclairait d'un sourire où il y avait presque de la bonté. L'armateur se levait.

— Faites ce que je vous dis, jeune homme... Allez trouver Plantel... Ou, si vous préférez, écrivez-lui un mot... Dites-lui que vous avez envie de voyager avec votre femme, que vous lui demandez de garder la direction de vos affaires... C'est encore le meilleur moyen de sauver votre tante, pour autant qu'elle puisse être sauvée...

« ... Ce qui s'est passé, je n'en sais rien, et peut-être n'y a-t-il dans tout ceci qu'une série de hasards... Un hasard, par exemple, que cette pauvre folle de madame Sauvaget se soit empoisonnée pour se venger de son mari !... Un hasard qu'on s'est trop vite empressé d'exploiter contre vous...

— Que voulez-vous dire ?

— Rien... Qu'on ne sait pas, quand on remue la vase du fond, ce qui montera à la surface... Et, sans doute, certains que je connais sont-ils aujourd'hui un peu effrayés... Un empoisonnement les servait. Un autre empoisonnement, dénoncé par Dieu sait qui, donne à l'affaire des proportions inattendues et on ignore où ça s'arrêtera... Puisque l'opinion publique accuse votre tante, c'est probablement elle qui payera, coupable ou innocente. Ne cherchez pas un sens secret à mes paroles...

« Le *Syndicat*, puisque *Syndicat* il y a, avait peur de votre oncle. Le *Syndicat* s'est cru tranquille quand un gamin de dix-neuf ans a débarqué modestement à La Rochelle pour prendre la succession.

« J'ai bien ri en voyant ces messieurs vous faire des mamours et j'ai presque applaudi quand vous les avez déçus...

« Aujourd'hui, la situation se complique. Quelqu'un a tué Octave Mauvoisin et je vous affirme, foi de Babin, que je n'en sais pas plus que vous à ce sujet.

« Seulement, la partie va se jouer serré. Quand une bagarre éclate dans un café, on ne sait où iront tables et bouteilles et on a soin d'écarter les femmes et les enfants...

— C'est de ma tante, que vous parlez ?

— De votre tante, de vous, de votre gosse de femme... A quoi bon, mon petit Gilles ?... Vous ne savez rien, vous ne saurez jamais rien, pas même d'où les coups partent. Est-ce que votre oncle lui-même s'est douté que quelqu'un l'empoisonnait ?... Il n'y aurait que le contenu du coffre pour nous l'apprendre, c'est tout... Faites comme il vous plaira... Allez retrouver votre femme qui vous attend et essayez de réfléchir...

Sans plus s'inquiéter de son interlocuteur, Babin alla ouvrir une porte. On entrevit une lampe de chevet d'un rose saumon, un grand lit tout soyeux, un bras nu, le visage d'Armandine penché sur un livre.

— Déjà couchée ?... Notre jeune ami voulait vous dire bonsoir... Entrez, Mauvoisin...

Quand Gilles se retrouva dans la rue, il était si troublé qu'il faillit oublier qu'Alice l'attendait chez ses parents et qu'il dépassa la rue Jourdan. Il dut faire demi-tour. Il revoyait son père, blême d'humiliation, de rage impuissante, quand il avait reçu le cigare du Juif au visage. Et il lui arriva d'articuler à voix haute, les poings serrés, en marchant sous la pluie :

— Je ne céderai pas !

Chez les Lepart, on l'attendait dans la salle à manger.

— Qu'est-ce qu'il t'a dit ? questionna sa femme qui mangeait des petits fours.

— Rien de nouveau... Je vous verrai demain, papa... Il est temps que nous rentrions...

Toute la ville, ce soir-là, qu'ils traversaient serrés l'un contre l'autre, lui paraissait différente. Ces petites maisons, ces quartiers entiers de petites maisons, à peine différentes les unes des autres... De la peinture plus fraîche sur les portes et les fenêtres... Un jardinet un peu plus grand... Parfois un balcon... Ceux qui avaient un salon et ceux qui n'en avaient pas...

... Tous ceux qu'ils avaient côtoyés dans la salle obscure du cinéma et qui, après, étaient si fiers de boire leur apéritif au « Café de la Paix », dans leurs vêtements du dimanche...

Les moutons, comme disait cyniquement Babin.

Par-ci, par-là, un gros hôtel, une forteresse, une famille riche et puissante depuis longtemps...

Enfin, les hommes comme Octave Mauvoisin et comme Raoul Babin, des moutons devenus enragés, des gens d'en bas qui s'étaient attaqués aux forteresses et à qui on avait fait à contrecœur une petite place...

— Comment est-elle, cette femme ? questionnait Alice en marchant.

— Quelle femme ?

— Armandine... Il paraît que c'est la plus belle femme de La Rochelle... Je ne l'ai entrevue qu'une fois... Elle s'habille à Paris et...

Quand ils aperçurent de loin la maison du quai des Ursulines, Gilles constata qu'il y avait de la lumière dans l'ancienne chambre de son oncle. N'était-ce pas sa tante qui, inquiète, attendait son retour ?

Il avait hâte de la voir, de se retrouver près d'elle. C'était elle la plus menacée. Demain, sans doute, on la convoquerait chez le juge d'instruction, et qui sait si elle en sortirait libre ?

— Tu ne viens pas te coucher ?

— Il faut que j'aille dire un mot à Colette...

— Ne reste pas trop longtemps... J'ai sommeil...

Il monta l'escalier quatre à quatre et, quand il pénétra dans la chambre d'Octave Mauvoisin, il était essoufflé. Colette, assise dans le vieux fauteuil, tourna lentement la tête vers lui.

— Cela va mal, n'est-ce pas, Gilles ?

— Qu'est-ce qu'on vous a dit ?

— J'ai questionné madame Rinquet... Elle a essayé de mentir... Elle a fini par tout m'avouer... Je pensais bien que vous monteriez...

— Je voulais vous voir, oui...

— Votre femme doit vous attendre, Gilles... J'étais venue ici pour essayer de nouvelles combinaisons, mais le coffre ne s'ouvre toujours pas...

Ils avaient établi ensemble des listes de mots de cinq lettres et ils les avaient essayés en vain.

— Il faut que vous vous couchiez aussi, tante...

C'était curieux. En montant l'escalier, il lui semblait qu'il avait beaucoup de choses à dire à sa tante et, maintenant qu'il était devant elle, il ne trouvait rien. Une fois de plus, il était pris d'une angoisse sourde, d'un malaise imprécis. Il avait envie de rester et envie de s'enfuir.

— Je vais me coucher, oui, soupira-t-elle en se

levant. Demain, j'aurai sans doute une dure journée, n'est-ce pas ?

Elle voulait toujours se montrer brave. D'un sourire, elle le remerciait de sa sollicitude.

— Quand tout cela sera-t-il fini ? balbutia-t-elle cependant en secouant la tête. Pourquoi s'acharnent-ils ainsi sur moi ? Qu'est-ce que je leur ai fait ?

Sa voix se cassait. Elle s'efforçait de ne pas faiblir avant d'être seule chez elle.

Quand elle sortit de la pièce, Gilles tourna machinalement le commutateur électrique et referma la porte, si bien qu'ils se trouvèrent tous les deux dans le long corridor étroit où ne brûlait qu'une faible ampoule électrique. En longeant les murs, ils se frôlaient sans le vouloir.

Ils arrivèrent ainsi au-dessus de l'escalier. Ils n'avaient plus qu'à se serrer la main, qu'à se souhaiter le bonsoir, et cependant ils restaient là, gênés, indécis.

Ce fut Colette, la première, qui tendit sa petite main. Ses lèvres s'entrouvrirent pour prononcer :

— Bonsoir, Gilles...

Mais elle ne put parler. Deux larmes gonflèrent ses paupières et accrochèrent un léger reflet de lumière.

— Colette !...

Soudain Gilles prenait sa tante aux épaules. Elle était toute petite, toute légère. Il se sentit envahir d'une immense pitié, d'une immense envie de la consoler, de...

Il était gauche, dans son pardessus mouillé. Sa main lâcha le chapeau qu'elle tenait.

— Colette !... Non !...

Il ne pouvait pas la voir pleurer, la savoir si désemparée, si isolée au milieu de ce monde implacable que Babin lui avait décrit, et ses mains se crispaient sur ses épaules. Sans s'en rendre compte, il attirait sa tante à lui, il la serrait contre sa poitrine, il sentait ses petits cheveux fous contre sa joue.

Ce fut une sensation douce et tiède, cette joue contre sa joue, ces petits cheveux, cette larme et ce corps qui frémissait...

Tout à coup, elle tourna légèrement le visage, peut-être pour le regarder, peut-être pour lui dire quelque chose, et alors leurs lèvres se touchèrent. Gilles ferma les yeux et, sans savoir ce qu'il faisait, il appuya, il aspira longtemps, puis, bouleversé, il repoussa sa tante d'un geste brusque et s'élança dans l'escalier.

— Tu es là, Gilles ?

Alice, déjà couchée, avait entendu la porte du salon s'ouvrir et se refermer. Elle s'étonnait de ne pas voir son mari. L'oreille tendue, elle attendait.

— Gilles !...

Inquiète, elle se décidait à se lever et, pieds nus, elle marchait jusqu'à la porte qu'elle ouvrait. Le salon était plongé dans l'obscurité. Elle eut peur.

Elle tourna nerveusement le commutateur, et alors elle découvrit, avec un sursaut de surprise, Gilles qui était assis, les jambes étendues, dans un des fauteuils. Il n'avait pas retiré son pardessus. Ses cheveux, qu'il avait emmêlés en se prenant la tête à deux mains, tombaient sur son visage.

— Qu'est-ce que tu faisais, tout seul, dans le noir ?

— Rien... Je pensais... Je te demande pardon...

— Viens vite te coucher... J'ai froid...

Et il la suivit docilement, le visage sans expression.

TROISIÈME PARTIE

LA PROMENADE A ROYAN

I

Gilles avait mis le réveil sur six heures et, quand la sonnerie se déclencha, il ne vit pas les rais de lumière entre les lames des volets. En l'entendant se lever, Alice s'agita, étendit le bras d'un geste machinal, comme pour le retenir, qu'elle avait dans son sommeil chaque fois qu'il bougeait.

— ... qu'il y a ?...

— Rien, mon chéri, dors...

Et il la recouvrit avant de passer dans la salle de bains. Marthe, la bonne, descendit pendant qu'il s'habillait et il l'entendit moudre le café et allumer son feu.

Un peu avant six heures et demie, il pénétrait dans la cuisine à son tour.

— Ne vous dérangez pas, Marthe...

Il prit un bol dans le placard, se servit à boire au moment où de petits coups étaient frappés à la porte de la rue.

— Vous rappellerez à Madame que je ne rentrerai pas avant midi...

Il descendit, retira la chaîne, le verrou, et le petit jour l'accueillit en même temps que Paul Rinquet qui battait la semelle. L'air était frais, picotait le nez et le bout des doigts, et il avait l'arrière-goût de « jour où on s'est levé trop tôt ».

— Si vous voulez, dit Rinquet, après avoir salué Gilles, nous pouvons commencer...

Des mécaniciens venaient de sortir un premier car de l'ancienne église et on entendait sous les voûtes le bruit des moteurs rétifs.

— Voilà... *Il* venait comme ça se camper devant la porte, les mains derrière le dos, sans parler à personne... L'hiver, il portait le gros pardessus noir que le commissaire a emporté hier ; l'été, des vestons d'un gris sombre, un peu trop longs et trop larges, toujours ouverts sur son gilet...

— En somme, à cette heure-ci, il n'y a que les mécaniciens d'arrivés ?

— Non pas !... C'est toujours Poineau qui a ouvert la porte le matin... N'oubliez pas que c'est le moment où l'on fait le plein d'essence et d'huile et que, si quelqu'un devait essayer de la *gratte*...

A l'instant, Gilles apercevait Esprit Lepart qui revenait du fond du garage et qui regarda le jeune homme avec étonnement.

— Vous ne m'avez jamais dit que vous veniez ici dès six heures du matin...

— Il faut bien que je remplace monsieur Poineau, n'est-ce pas ?

— Et moi qui, souvent, vous retiens tard le soir…

— Cela n'a pas d'importance…

Les volets s'ouvrirent chez le marchand de vins en gros. Des bonnes, de l'autre côté du canal, traînaient leurs poubelles jusqu'au bord du trottoir.

Rinquet tira un gros oignon en argent de son gousset et fit signe à Gilles. Cela voulait dire qu'il était temps, temps de se diriger lentement vers le port, comme le faisait chaque jour, jadis, à pareille heure, Octave Mauvoisin.

Cinq jours plus tôt, le jour où Colette avait été convoquée chez le juge d'instruction, Gilles avait fait demander à Rinquet un second rendez-vous dans le salon de ses beaux-parents. C'était le matin vers dix heures. Un fichu maintenant ses cheveux, madame Lepart faisait son ménage et des matelas s'aéraient sur l'appui des fenêtres du premier étage.

Gilles avait pensé longtemps à cette démarche qu'il allait risquer et qui était la plus difficile de sa vie.

— Asseyez-vous, monsieur Rinquet et, quoi que je vous dise, faites-moi le plaisir de ne pas m'en vouloir… Je sais, par votre sœur, que vous n'êtes pas content du sort qui vous est réservé à la police… Je sais que le commissaire ne vous aime pas et que, depuis longtemps, tout avancement vous est refusé… Je sais enfin que vous aspirez à la retraite, que vous ne l'obtiendrez que dans trois ans...

Il osait à peine regarder cette tête de brave homme consciencieux, ces gros yeux qui se fixaient sur lui.

— Je me suis demandé, monsieur Rinquet, si vous n'accepteriez pas de prendre votre retraite un peu plus tôt et d'entrer à mon service. Vous connaissez la situation mieux que moi. Je n'ai personne à qui me fier et je connais mal la ville. J'ai bien eu l'idée d'appeler un détective privé de Paris, mais il sera moins à même que vous d'obtenir un résultat et je n'aurai aucune garantie sur son honnêteté...

Le plus difficile restait à dire.

— J'ai questionné madame Rinquet. Je connais par elle le chiffre de votre traitement et le montant de la retraite que vous recevrez dans trois ans. J'ai fait le calcul et je crois qu'en vous offrant deux cent mille francs...

A sa grande surprise, Rinquet ne sursauta pas, secoua la tête.

— Je savais, monsieur Gilles... J'aime mieux vous parler franchement... Ma sœur est venue me voir cette nuit et m'a mis au courant, sauf du chiffre... Ce que je me demande, c'est s'ils ne me mettront pas des bâtons dans les roues.... D'autre part, je voudrais aider cette pauvre madame Colette qui va avoir à lutter contre forte partie... J'accepte, monsieur Gilles hormis le chiffre, qui est trop élevé... J'aurais l'air de m'être vendu, vous comprenez?...

Le soir même, en attendant que sa démission soit officiellement acceptée, Rinquet avait obtenu un congé et les deux hommes se retrouvaient dans le bureau que Gilles avait aménagé au deuxième étage de la maison, en face de l'appartement de sa tante.

Depuis lors, Rinquet allait et venait toute la journée et poursuivait son enquête en marge de la police.

Celle-ci avait fait une descente quai des Ursulines et avait fouillé l'immeuble. Les passants, maintenant, ne se donnaient plus la peine de cacher leur curiosité et s'arrêtaient au beau milieu de la rue pour contempler la maison du crime.

Quant à Colette, qui s'était rendue trois fois au Palais de Justice, elle gardait, malgré sa fébrilité, un sang-froid inattendu. Seulement, à table, ses conversations avec Gilles avaient presque complètement cessé. La tante et le neveu évitaient de se regarder et il leur arrivait, le soir, de se souhaiter le bonsoir sans se serrer la main.

— Il me semble, Gilles, avait remarqué Alice, que tu n'es pas très aimable avec elle...

Qu'est-ce que Gilles pouvait répondre à sa femme?

— On dirait, parfois, que tu la soupçonnes aussi...

— Je te jure que non, Alice...

— Alors, je ne comprends plus... Juste au moment où elle aurait le plus besoin d'encouragement !... Elle arrive à la dernière minute pour se mettre à table et elle trouve chaque fois un prétexte pour s'en aller dès qu'elle a fini de manger... Est-ce que Rinquet a découvert du nouveau ?...

— Pas encore...

— Tu crois qu'on osera arrêter Colette ?

En tout cas, on ne l'avait pas encore arrêtée. Par contre, la police avait emporté des effets d'Octave Mauvoisin et tous les papiers contenus dans son secrétaire à cylindre. On voyait souvent des inspecteurs rôder autour de la maison et du garage, et, la veille, madame Rinquet, à son tour, avait été convoquée chez le juge d'instruction.

Gilles et Rinquet, ce matin-là, avaient décidé de reconstituer, dans la mesure du possible, une journée d'Octave Mauvoisin.

D'après les experts, celui-ci avait été empoisonné à l'aide d'arsenic administré à doses progressives. On estimait que l'empoisonnement s'était produit en plusieurs semaines.

D'autre part, le médecin traitant avait révélé que Mauvoisin était atteint d'une maladie de cœur. C'est pourquoi il avait toujours, dans la poche gauche de son gilet, une petite boîte ronde, en carton, qui contenait des pilules à base de digitaline. Mais le pharmacien Boquet, du coin de la place de la Caille, qui fournissait ces pilules, affirmait que jamais il n'y avait été mêlé la moindre parcelle d'arsenic.

— Voyez-vous, monsieur Gilles, nous suivons l'horaire de votre oncle à une minute près... Il a été assez facile à reconstituer, d'abord parce que tout le monde le connaissait et le saluait... Ensuite, parce qu'il ne changeait pour ainsi dire pas son emploi du temps...

« Pour être exact, j'aurais dû, au garage, passer dans le bureau vitré et jeter un coup d'œil sur les comptes de la veille... *Il* ne faisait aucune remarque... Par contre, si un détail lui déplaisait, *il* sortait de sa poche un gros crayon rouge et il écrivait une note... Quelques mots, rarement plus... Chacun avait une peur atroce de trouver une pareille note sur son bureau... »

Si la plupart des chalutiers étaient rentrés au port pendant la nuit, quelques barques à moteur et à voile se faufilaient en chapelet entre les deux tours et accostaient non loin du petit café de Jaja.

— Votre oncle, à cette heure-ci, fumait sa première pipe...

Un coiffeur, occupé à balayer son salon, dont la porte était ouverte, les regarda passer.

— Vous, les gens ne vous saluent pas... Tout le monde saluait Octave Mauvoisin... On savait pourtant qu'il ne répondait pas... Tout au plus un vague grognement...

Et Gilles, malgré ses longues jambes, en arrivait à marcher au ralenti, lourdement, comme Mauvoisin devait le faire lors de sa promenade matinale.

Si la ville était à peu près déserte, l'animation commençait du côté de l'encan où arrivaient les unes après les autres les camionnettes des mareyeurs. Jaja, les mains aux hanches, interpellait l'équipage d'un bateau qui venait d'accoster et sur le pont duquel s'entassaient les caisses de poisson.

— Te voilà, toi ?... s'écria-t-elle en apercevant Gilles. Qu'est-ce que tu fais ici, à cette heure ?... As-tu bu ton café, au moins ?... Viens prendre un petit verre, que tu es tout bleu de froid...

Elle l'entraîna dans son café. Des commères du marché au poisson, en attendant le coup de cloche, y cassaient la croûte sur le marbre des tables.

— Viens par ici, que je te montre quelque chose...

Et Jaja emmenait Gilles dans la cuisine.

— C'est vrai, que tu as pris celui-là à ton service ?

Rinquet était resté sur le seuil.

— Je me demande si tu as eu raison... Moi, en principe, je n'aime pas les flics... Sans compter qu'il y a des gens pour raconter que sa sœur... Écoute, mon fils... Ça ne me regarde pas, bien sûr... Mais je te vois toujours arriver ici comme un chat maigre et ça me crève le cœur d'entendre tout ce qu'on radote... Pour la Rinquet, on prétend qu'elle a couché longtemps avec son patron, qu'elle s'attendait à être sur le testament et qu'elle était bien capable de lui donner du mauvais café... Fais-en ce que tu voudras, mais méfie-toi quand même... Qu'est-ce que tu prends ? Un petit verre ?... Mais si !... Pour trinquer avec Jaja !

Elle lui servit d'autorité un verre d'alcool.

— File maintenant... J'ai du boulot...

Et elle cria à la cantonade :

— J'arrive, les enfants... Vous fâchez pas...

Les deux hommes erraient dans la foule grouillante du marché au poisson, enjambaient des chiens de mer ou des raies saignantes, pataugeaient dans des tas d'entrailles. On se retournait sur eux. On regardait surtout avec curiosité le neveu Mauvoisin qu'on trouvait tellement jeune. Malgré cela, les commères étaient loin de lui manifester de la sympathie.

Les pêcheurs apportaient de lourdes caisses de poisson qu'ils rangeaient sur les tables de pierre.

— Celui qui reste est le patron..., expliquait Rinquet. Il tient à assister à la vente, tandis que les marins nettoient le bateau, puis vont boire le coup chez Jaja ou dans un autre bar... Ces gens-là regardaient votre oncle avec moins de bienveillance encore qu'ils ne vous regardent...

Gilles savaient pourquoi. Avec l'aide de son beau-père, il avait établi une liste à peu près complète des placements d'Octave Mauvoisin.

Certaines révélations ne l'avaient pas étonné. Par exemple, Mauvoisin possédait quarante pour cent des actions de la maison Basse et Plantel et presque autant des Pêcheries Babin. De successives reconnaissances de dettes le rendaient à peu près seul propriétaire de la maison Éloi et il en était ainsi d'autres affaires inattendues, d'un garage, par exemple, sur la route de Rochefort, de plusieurs pompes à essence, d'une entreprise d'électricité et d'un dépôt de phosphates. Il en était de même de la banque Ouvrard, une petite banque locale de la rue Dupaty.

Mauvoisin, cependant, riche ainsi de plusieurs dizaines de millions, ne dédaignait pas les affaires de moindre envergure et il possédait des parts sur une grande partie des bateaux de pêche, si bien qu'en fin de compte les lourds patrons en chandail bleu n'étaient plus que ses employés.

— Qu'est-ce qu'il venait faire ici ? questionnait Gilles, que commençaient à gêner les regards qui le suivaient.

— Voir... Seulement, il observait à sa façon... Au garage, il savait tout de suite que quelque chose clochait... Ici, d'un coup d'œil, il supputait le nombre de tours, le cours de la sole et du merlu... Après ça, les patrons ou les mareyeurs pouvaient toujours essayer de le tromper dans leurs comptes...

Au bout d'une des tables de pierre, la vente commençait au moment précis où la cloche sonnait à la volée et la foule se massait autour du crieur.

— Venez... Votre oncle n'avait pas besoin d'en voir davantage...

Ils suivaient à nouveau les quais jusqu'à la Grosse Horloge sous laquelle ils passaient et ils entraient chez le marchand de tabac et de journaux du coin.

— A cette heure-ci, il n'y a que les journaux locaux... Votre oncle prenait la *Petite Gironde*, la *France de Bordeaux* et l'*Ouest-Éclair*...

La vieille marchande tout en noir fixait Gilles avec tant d'attention qu'elle en oubliait de lui rendre sa monnaie.

— Huit heures... Les magasins commencent à ouvrir... Le coiffeur de la rue du Palais vient d'enlever ses volets... Votre oncle entrait, accrochait son chapeau au portemanteau et, avec un soupir d'aise, s'installait dans son fauteuil... Tout en le rasant, le coiffeur parlait, mais Mauvoisin ne desserrait pas les dents...

Toujours ces mêmes mots qui revenaient comme un refrain :

— Octave Mauvoisin ne parlait pas... Octave

Mauvoisin ne saluait pas... Octave Mauvoisin écoutait, mais ne desserrait pas les dents...

Et ainsi, où qu'on allât, à n'importe quelle heure de la journée, on retrouvait sa trace, mais c'était la trace du solitaire.

Cela en devenait hallucinant. Comment cet homme avait-il pu passer toute sa vie dans un isolement aussi absolu ? N'avait-il jamais ressenti le besoin d'une détente, d'un contact avec ses semblables ?

Allait-il à Nieul, comme il le faisait chaque semaine, dans la maison de sa cousine, où il était né,. ce n'était pas pour avoir des nouvelles des siens, ni pour s'épancher. Colette l'avait dit : il s'asseyait lourdement devant l'âtre et restait là, immobile, tandis que sa cousine continuait à éplucher ses légumes ou à faire son ménage !

Neuf heures... La banque Ouvrard... Une étroite pièce, coupée en deux par une balustrade de chêne clair... Quelques affiches annonçant des émissions... Deux dactylos et, dans un second bureau dont la porte restait ouverte, Georges Ouvrard, un petit homme chauve et sautillant, au regard anxieux.

— Je ne crois pas qu'il soit utile que nous le questionnions à nouveau, murmura Rinquet. J'ai eu un long entretien avec lui. Mauvoisin entrait en même temps que les employées. Il gardait son chapeau sur la tête. Partout, il restait couvert, comme s'il eût été indigne d'un Mauvoisin de se découvrir... Il franchissait, par le portillon, la balustrade, et il se penchait sur le courrier qu'on commençait à trier... Il s'asseyait dans le fauteuil d'Ouvrard, qui restait respectueusement debout, et il compulsait les dépêches apportant les derniers cours des Bourses étrangères... Parfois, il rédigeait un ordre, toujours à l'aide de son gros crayon rouge...

La journée entière allait-elle s'écouler de la sorte, sans révéler un mouvement humain, un relâchement dans le rythme de cette sorte de machine implacable ?

Gilles n'avait pas osé demander à sa tante comment elle avait connu Octave Mauvoisin. C'est Rinquet qui lui avait posé quelques questions à ce sujet et elle avait répondu avec une entière franchise.

A cette époque-là, la mère de Colette était déjà impotente. Colette, qui avait dix-huit ans, gagnait sa vie comme ouvreuse au cinéma « Olympia », place d'Armes. Ainsi, elle était vêtue de noir des pieds à la tête, ce qui faisait ressortir la gracilité de sa silhouette, la blondeur de ses cheveux flous.

Chaque semaine, le vendredi, c'est-à-dire le jour où il y avait le moins de monde, Mauvoisin pénétrait dans la salle de cinéma alors que la séance était commencée. Les ouvreuses se tenaient groupées près de la porte, leur petite lampe électrique à la main.

Mauvoisin se faisait conduire vers une loge.

Parfois, il attaquait immédiatement. Retenant l'ouvreuse par la manche, il lui soufflait :

— Restez...

D'autres fois, il attendait, entrouvrait la porte de la loge, faisait un signe...

C'était tout ce qu'on savait de sa vie sexuelle. Il ne réussissait pas toujours. Avec Colette, il n'avait rien obtenu et, des semaines durant, il avait renouvelé ses tentatives.

Un matin, quelqu'un avait sonné à la porte de la rue de l'Evescot. C'était un employé de Mauvoisin. Colette, qui faisait le ménage, lui avait ouvert.

— C'est bien ici qu'habite une ouvreuse blonde du cinéma « Olympia » ?

— Oui, monsieur... Pourquoi ?

— Pour rien... Je vous remercie...

Mauvoisin savait maintenant où Colette habitait. Il sut à quelle heure elle partait de chez elle pour se rendre à son travail.

Il l'attendit, calme et lourd, au coin de la rue. Cela dura des semaines encore. Pendant ce temps, il avait trouvé le moyen d'acheter la maison dont Colette et sa mère n'étaient que locataires.

— Si vous vouliez être gentille...

Elle s'était enfuie en courant, le soir où il l'avait coincée contre une porte cochère pour lui faire cette proposition. Un mois plus tard, il lui offrait de l'épouser.

— Je ne savais plus que faire..., avait confié Colette à Rinquet. Il aurait pu nous reprendre notre logement. Il aurait été capable de me faire mettre à la porte du cinéma et de m'empêcher de trouver une autre place...

Mauvoisin n'avait rien changé, pour elle, à la maison du quai des Ursulines, ni à son genre de vie. Elle avait dormi dans le grand lit familial, près du gros homme qui soufflait. Le matin, elle l'entendait, à six heures, qui se levait et qui faisait sa toilette. Elle ne le voyait qu'aux repas.

Puis, un hiver, elle avait attrapé la typhoïde et Mauvoisin, qui avait une peur terrible de la maladie, l'avait reléguée dans une chambre de l'aile droite, celle que Colette occupait encore.

Le docteur Sauvaget avait été appelé. Des semaines durant, il était venu la voir deux fois par jour et, quand elle s'était trouvée convalescente, leur grand amour était né.

Est-ce que Mauvoisin pensait encore à sa femme, chez qui il ne mettait jamais les pieds, par crainte de la contagion ?

Ce fut deux mois plus tard, seulement, qu'il commença à s'étonner. Un jour, de son pas lourd, il se dirigea vers l'aile droite, ses épaules frôlant les murs du corridor. Des éclats de rire lui firent froncer les sourcils avant d'ouvrir la porte et, quand il eut poussé le battant, il eut le spectacle de jeunes amants heureux.

— Jamais, depuis, il ne m'a adressé la parole. Il

a exigé que je prenne mes repas à sa table. Chaque mois, sur ma serviette, je trouvais une enveloppe contenant la pension de mille francs que, depuis notre mariage, il faisait à ma mère...

Ainsi, on pouvait dire que le mariage n'avait pas tiré Mauvoisin de sa solitude.

— Je n'ai jamais su ce qu'il pensait..., avait encore déclaré Colette. Au début, j'ai cru qu'il était avare, mais je me suis aperçue ensuite que c'était quelque chose de plus effrayant...

Quelque chose de plus effrayant...

Dans le matin clair, les deux hommes, Gilles et Rinquet, s'avançaient, le long de la rue Dupaty, vers la place de la Poste, et le soleil se jouait sur les vieilles pierres de l'hôtel de ville.

Tout était gai, dans la ville, à cette heure que les soucis et les travaux de la journée n'avaient pas encore ternie. De jeunes servantes lavaient à grande eau les vitres ou le carrelage des maisons, et les fenêtres ouvertes au soleil laissaient deviner l'intimité encore moite des chambres à coucher.

Ainsi Mauvoisin s'avançait-il jadis de son pas égal...

— Par ici, monsieur Gilles... Il est neuf heures et demie, vous voyez... Votre oncle s'asseyait à cette table, l'hiver à la table d'angle à l'intérieur du café...

Des buis taillés, dans des caisses peintes en vert, limitaient la petite terrasse du « Café de la Poste ». Le patron, qui n'avait pas encore fait sa toilette et qui nettoyait son percolateur, se montrait sur le seuil. Au milieu de la place, sur un socle de pierre blanche, se dressait, emphatique, la statue du maire Guitton, coiffé d'un chapeau à plume de mousquetaire.

— Qu'est-ce que je vous sers, messieurs ?

— Deux vins blancs...

On entendait, dans les bureaux voisins, le tac-tac des machines à écrire. Au premier étage de la Poste, des sonneries retentissaient dans le local du central téléphonique. Un tailleur, en bras de chemise, son mètre autour du cou, venait respirer l'air matinal.

— Voilà !... C'est ici qu'il parcourait ses trois journaux en buvant un verre de vin blanc... Il y faisait ajouter de l'eau de Vichy, mais j'ai pensé que vous n'aimeriez pas ça...

Tout, dans le décor, dans l'atmosphère, dans la vie bruissante de la cité, invitait à l'optimisme, et cependant Octave Mauvoisin ne souriait pas, ne souriait jamais. Des hommes en bleu clair, un sac sur l'épaule, livraient des blocs de glace.

— Lisez le nom sur le camion..., murmurait Rinquet.

« Glacières de l'Océan. »

Soixante pour cent des actions ! Encore une

entreprise dont l'oncle de Gilles était presque le seul maître.

Et Gilles avait l'impression qu'il commençait à comprendre. Ces hommes qui allaient vers un travail déterminé ne voyaient que l'apparence des choses, que la matière lisse et bleutée de ce bloc de glace, que le lent cheminement des camions sur les pavés inégaux...

Octave Mauvoisin, lui, où qu'il fût, était au centre de tous ces rouages. Il savait qu'à la même heure Ouvrard téléphonait à Paris, où un commis d'agent de change prenait note des ordres de Bourse qu'il avait griffonnés un peu plus tôt avec son gros crayon rouge.

Quarante cars Mauvoisin circulaient sur les routes du département et partout des gens attendaient aux carrefours, les conducteurs lançaient les sacs postaux aux facteurs plantés devant les bureaux de poste...

Si Plantel, tiré à quatre épingles, s'installait solennellement dans son bureau d'acajou, Mauvoisin était encore présent par la pensée et il connaissait les noms des chalutiers qui étaient rentrés au port la nuit précédente, il avait déjà, sur un bout de papier, le nombre de merlus...

Des wagons allaient s'ébranler... Des ouvriers, des employés cassaient la croûte, se relayaient, rentraient chez eux, revenaient en hâte en interrogeant anxieusement les horloges publiques...

Mauvoisin, tout seul à sa terrasse ensoleillée,

frappait le guéridon d'une pièce de monnaie, réglait sa consommation et s'en allait sur le coup de dix heures.

Chacun le connaissait. Même ceux qui ne travaillaient pas pour lui en avaient peur. On levait timidement le bord de son chapeau sur son passage, en sachant qu'on ne recevrait qu'un grognement en réponse.

— Mauvoisin est passé ?

— Il est passé...

De son même pas compté, il regagnait les quais. Là-bas, au bassin des chalutiers et des cargos, c'était l'heure de la fièvre autour des entrepôts frigorifiques. Le poisson n'était plus étalé sur des tables de pierre mais, du matin au soir, on l'enrobait de glace et on clouait des caisses, on chargeait des wagons, on ébranlait des rames entières.

Mauvoisin savait sur quel comptable, sur quel chef de service il devait se pencher pour avoir, d'un coup d'œil, les chiffres exacts. Il savait d'avance ce que contenait tel cargo arrivé de Bergen ou de Liverpool, où cette marchandise serait débarquée et vendue, quel profit on en tirerait

Ainsi, chaque jour, des centaines d'employés et d'ouvriers dépendaient de lui... Vingt personnages marquants, qui portaient beau comme Plantel, guettaient avec angoisse ses coups de crayon rouge... Toute la ville le frôlait dans les rues...

Cela avait duré des années et des années, près de vingt ans, jusqu'à ce qu'un jour quelqu'un osât, dans cette foule, prendre la décision de le supprimer...

Quelqu'un, au cours de ces pérégrinations quotidiennes, à un moment où Mauvoisin mangeait ou buvait, car on n'avait pu lui faire absorber de l'arsenic à l'état pur, avait bandé ses nerfs et chaque jour, des semaines durant, avait provoqué un empoisonnement lent.

La journée commençait quai des Ursulines où, dans la cuisine, Octave Mauvoisin retrouvait madame Rinquet occupée à préparer le café matinal qu'il versait lui-même dans un bol à fleurs rouges et bleues.

Elle finissait quai des Ursulines où, avant de se coucher, il s'installait avec un soupir d'aise devant son bureau à cylindre.

Entre-temps, la piste passait par l'église désaffectée, par le marché au poisson, par le salon de coiffure, par la banque Ouvrard, par le « Café de la Poste », par...

Rinquet ne ressentait aucune fatigue, aucun écœurement, peut-être parce qu'il était inaccessible au côté pathétique de cette étrange course à la mort ?

Gilles, parfois, s'arrêtait et fermait les yeux, pour ne plus voir ce port vibrant de soleil, cette foule colorée, pour ne plus entendre les voix sonores et les rires, pour s'abstraire malgré tout, supprimer les bateaux bleus et verts, les voiles brunes et blanches, les reflets sur l'eau, le gamin qui pêchait à la ligne et qui avait les pieds nus, la forte odeur du vin quand on passait devant les barriques rangées sur le quai des Ursulines, l'odeur du poisson, au bassin des chalutiers à vapeur... Jusqu'à l'air dont on sentait toutes les molécules en mouvement et qui avait sa vie propre, son rythme, sa température, son parfum...

Il était tenté de s'arrêter, de balayer d'un geste ce fantôme trapu et insensible qu'il poursuivait, d'ouvrir les yeux tout grands pour laisser pénétrer les images, de dilater ses poumons, de répondre au rire des passants par un rire, de vivre enfin...

— Onze heures, prononçait le placide Rinquet en caressant son oignon d'argent. Nous devons nous rendre maintenant au Bar Lorrain... Il y a déjà une heure que monsieur Babin est assis à la table et, par l'entrebâillement du rideau, il est occupé à nous observer...

II

Toute claire dans la clarté du salon ensoleillé, avec la seule tache sombre de ses vivants cheveux, elle se précipitait en bondissant, gamine, vers Gilles qui rentrait.

Avait-il froncé les sourcils ? Son hésitation, devant le soleil qui lui frappait en plein le visage, pouvait l'avoir laissé croire et, avec une moue, Alice suppliait :

— Ne me gronde pas, Gilles... *Elle* ne rentre pas déjeuner...

Elle était à peu près nue, une fois de plus, dans un peignoir que Gilles n'aimait pas — mais il ne le lui avait jamais dit. Cette soie trop épaisse, trop lisse, trop fluide, qui collait à la peau à chaque mouvement, lui rappelait l'atmosphère équivoque du boudoir d'Armandine et une bordure en cygne donnait à ce vêtement comme une fausse majesté.

— Tu es fâché ?

Non... Un peu surpris... Un peu dérouté... Il quittait le mélancolique Rinquet... Il roulait encore, en montant l'escalier, des pensées sans gaieté... Il ne comprenait pas soudain l'enjouement de sa femme qui le débarrassait de son pardessus, de son chapeau, se hissait sur la pointe des pieds pour le bécoter et se faisait frôleuse, l'œil vif, le teint animé.

Elle avait pris l'habitude, les premiers jours, de rester en déshabillé la plus grande partie de la journée et de venir ainsi à table. Gilles ne lui avait adressé aucune remarque. Avait-elle surpris son regard, qui allait d'elle à sa tante toujours vêtue de noir ?

Toujours est-il que, maintenant, elle s'habillait, affectait même, dans la salle à manger, une certaine raideur bourgeoise.

— *Elle* ne rentre pas déjeuner...

Il n'osait pas questionner. Jamais plus il ne prononçait le nom de Colette, comme par crainte de se trahir.

— N'aie pas peur... On ne l'a pas arrêtée... Elle a téléphoné qu'elle en avait jusqu'à une heure au moins avec son avocat et que, pour ne pas nous déranger, elle déjeunerait chez sa mère...

Elle l'étourdissait par ses mouvements, par ses sourires, par toute la gaieté spontanée et pétulante qui l'habitait ce matin-là.

— Cela t'ennuie de manger seul avec moi?

— Mais non...

— Je le sais bien!... Pourquoi dis-tu ça ainsi?... N'empêche que tu as un petit béguin pour Colette, n'est-ce pas?...

Elle l'entraînait vers le piano sur lequel s'étalaient des soieries qu'il ne connaissait pas.

— Comme je m'ennuyais, ce matin, j'ai téléphoné chez Maritain de m'envoyer des échantillons pour les nouveaux rideaux... Tout à l'heure, nous les regarderons ensemble...

Deux couverts seulement, en tête à tête. La tache pourpre d'un beau homard.

— J'en ai profité pour commander un déjeuner à mon goût...

Et son goût c'était, comme pour les vêtements,

comme pour les tissus, tout ce qui était épicé, de saveur violente, ou encore ce qui était cher, ce dont elle avait eu longtemps envie.

Elle passait de l'enjouement à la gravité, mais à une gravité toute provisoire. Elle s'assura que la porte de la cuisine était fermée.

— Sais-tu ce que j'ai pensé, ce matin?... Peut-être cela ne te plaît-il pas que je m'occupe de ça?... Je me suis demandé si madame Rinquet... Cette femme-là me fait toujours un peu peur et je la vois fort bien mettant du poison dans la soupe ou dans le café... A propos... Comme tu m'as dit que tu ne serais pas ici cet après-midi, j'ai téléphoné à Gigi de venir goûter avec moi... C'est son jour de congé... J'ai bien fait?

— Mais oui, chérie...

— Encore un peu de homard?

Cette absence de Colette lui faisait un effet étrange. Il en était presque soulagé, parce que cela supprimait la gêne qui planait désormais sur les repas. En même temps, il pensait à l'avocat, qui était jeune et beau garçon, à tant d'heures consécutives que sa tante passait loin de lui.

— Si tu savais comme j'ai hâte que cette affaire soit finie!... Le tapissier, tout à l'heure, en m'apportant les tissus au choix, se croyait obligé de prendre des airs de condoléances... Même Gigi, qui m'a répondu par une plaisanterie quand je l'ai invitée :

« — Je ne risque pas de me faire emmener au Palais de Justice ?

« A quoi penses-tu, Gilles ?

— A cela...

— Tu verras mon plan pour le salon... Au lieu de ces épais rideaux sombres, je voudrais des rideaux de soie claire, du jaune paille ou du vert amande... Ici, dans la salle à manger, une toile de Jouy à grandes fleurs rouges... Cela te plaira ?

— Mais oui...

C'était non qu'il pensait. Cela le gênait de la voir s'occuper ainsi de l'appartement. Il sentait qu'elle allait y faire régner son goût à elle, qui ne ressemblait pas à son goût à lui.

Il s'en voulait de sa propre humeur, il avait des remords et, comme toujours quand il était seul avec elle, cette appréhension vague de l'avenir.

— Viens !... Je servirai moi-même le café au salon.

Elle déploya les soies qui miroitèrent au soleil. Elle parla de changer la garniture des fauteuils. A chaque pas, son peignoir s'écartait et il eut l'impression qu'elle le faisait exprès.

La preuve, c'est qu'elle sauta d'un bond sur le canapé.

— Viens, Gilles...

Et elle le serra dans ses bras à l'étouffer, elle lui mordit les lèvres, prise d'une véritable frénésie amoureuse. Il pensait, lui, aux portes qui n'étaient pas fermées à clef, à Marthe ou à madame Rinquet qui pouvaient entrer d'un instant à l'autre, à sa tante qui avait peut-être changé d'avis.

— Tu m'aimes ?

Jamais elle n'avait été aussi vive, aussi ardente, et elle ne se doutait pas que cette ardeur le choquait. A certain moment, comme ils restaient immobiles, joue à joue, il eut conscience qu'un œil grand ouvert d'Alice regardait par-dessus son épaule et il se souvint de sa première vision de La Rochelle, de ces mêmes cheveux défaits, de cet œil sombre qui fixait le hublot du *Flint*...

Alice n'avait jamais été la maîtresse de Georges, le garçon coiffeur, ni des autres jeunes gens qui l'avaient ainsi serrée dans leurs bras, aux lèvres de qui elle avait collé ses lèvres, mais c'était la même chose, il s'en rendait compte.

Sans cesser de l'étreindre, il pensait, avec une lucidité qui l'impressionnait, qui lui faisait un peu peur. Elle aimait parce qu'elle aimait. C'était l'amour qu'elle aimait, la gaieté, le mouvement, la joie de la chair.

Qu'est-ce qu'elle fixait de cet œil ouvert ? Est-ce qu'elle pensait de son côté ? Ils étaient aussi unis qu'on pouvait l'être et chacun ignorait tout de l'autre, chacun continuait sa vie propre et qui restait à jamais mystérieuse.

Une tristesse l'envahit, à laquelle se mêlait une certaine sérénité et celle-ci allait grandissant, jusqu'à lui rendre l'âme plus légère.

Ses remords, ses angoisses se dissipaient. Il ne

restait plus qu'une amertume imprécise, la conscience de quelque chose en quoi il avait cru et qui n'avait jamais existé.

Quand il se retrouva debout, il se tourna vers le coin de la pièce que sa femme regardait un peu plus tôt et il vit, sur la tenture, sur le cadre doré d'un portrait de famille, un disque de soleil qui tremblotait.

— On n'a pas sonné ? questionna-t-il.

— Je ne sais pas...

Il faillit la gronder, parce qu'elle ne songeait pas à remettre de l'ordre dans sa toilette. Elle restait là, le sang aux joues, les lèvres encore humides de baisers, et lorsqu'on frappa à la porte il surprit un sourire heureux.

— C'est Gigi !... annonça-t-elle.

Il était sûr qu'elle l'avait fait exprès ! C'était presque un piège qu'elle lui avait tendu ! Elle avait beau feindre l'étonnement, elle savait, il en avait la certitude, à quelle heure viendrait son amie.

Et, tenant son peignoir croisé devant elle, elle se précipitait, embrassait la jeune fille.

— Déjà toi, ma vieille ?...

Elle ne précisait rien. Elle laissait tout entendre et, rejetant ses cheveux en arrière, elle allait remettre en ordre les coussins du canapé.

Gilles avait encore un peu de temps devant lui et il monta au second étage, resta un moment sur le seuil de la chambre de son oncle.

A onze heures, avec Rinquet, ils avaient pénétré au Bar Lorrain, comme le vieux Mauvoisin le faisait chaque jour. Babin était à sa place, près de la fenêtre, un cigare aux dents, un verre à moitié vide devant lui. Il avait eu un sourire railleur en voyant s'installer les deux hommes, mais il ne leur avait pas adressé la parole.

Comment cela se passait-il, jadis, entre Babin et Octave Mauvoisin ? Tous deux, comme Babin l'avait déclaré, étaient de même race. Tous deux étaient partis de rien. Tous deux menaient une âpre vie de lutteurs.

Il y avait encore une certaine analogie dans la façon dont ils employaient leur journée. Leur maison, leur famille ne comptaient pas. Babin, chacun le savait, ne rentrait chez lui que quand il y était obligé et affichait pour les siens, y compris pour son fils, y compris pour ses deux filles, une indifférence méprisante.

Sa vie, c'était ce coin de café d'où, figé dans une immobilité massive, il dirigeait ses affaires.

Mauvoisin, lui, marchait, toujours seul, le long des trottoirs, suivant un horaire aussi minutieux que celui des cars verts.

Babin, d'heure en heure, commandait des consommations différentes.

A onze heures, les deux solitaires se retrouvaient. N'était-ce pas comme un besoin de se toiser ? Ils ne se serraient pas la main, Rinquet l'avait appris à Gilles. Mauvoisin entrait et poussait un grognement qui pouvait passer pour un bonjour, en faisant un petit mouvement de la main. Il s'approchait du comptoir d'acajou. Il n'avait pas besoin de commander, car le patron à tête de lapin lui apportait aussitôt sa bouteille de porto.

Peu importait qu'il y eût du monde dans le bar. Les deux hommes échangeaient quelques phrases qu'eux seuls pouvaient comprendre.

— Hervineau est allé à La Pallice ?

— Je l'ai vu repasser il y a un quart d'heure...

... Un entrepreneur de constructions qui se croyait assez fort pour travailler seul et que l'avoué avait été chargé d'exécuter...

— La *Luciole ?...*

... Un bateau de Plantel, qui était retenu aux Açores par les autorités parce qu'il pêchait dans des eaux interdites. On avait fait intervenir de hautes influences. Le ministre de la Marine marchande, en personne, avait été alerté...

Cette bouteille de porto sur le comptoir... Mauvoisin ne buvait pas le porto de tout le monde... Il avait *sa* bouteille... Quand la réserve en était épuisée, il en envoyait une caisse au Bar Lorrain...

— Il faudra, pensait Gilles, que je demande à un médecin s'il est possible de mettre de l'arsenic dans du porto sans que celui qui le boit s'en aperçoive...

Est-ce Babin?... Dans ce cas, il fallait supposer la complicité du patron à tête de lapin...

Jusqu'à présent, il n'y avait que cette hypothèse, avec celle de madame Rinquet.

— Allons...

Un nouveau coup d'œil, une tournée rapide dans les bureaux des cars. Parfois une signature donnée, debout. Puis le déjeuner, là-haut, silencieux, en tête à tête, avec Colette.

A présent, c'était l'heure de la sieste. Mauvoisin, pesant, se laissait tomber dans le fauteuil de sa chambre. Il restait là, immobile, les bras pendants, les yeux clos, la bouche ouverte, durant près d'une heure, et madame Rinquet affirmait qu'il ronflait.

— Il ne prenait pas de café à midi, ni dans la salle à manger, ni dans sa chambre, à cause de son cœur...

Gilles, par la fenêtre, vit Rinquet qui l'attendait devant la grille en contemplant le va-et-vient des cars Mauvoisin. Il descendit. En passant devant son appartement, il entendit des éclats de rire et il en fut gêné, comme s'il avait eu la certitude qu'Alice faisait à son amie des confidences intimes.

— Nous y sommes, monsieur Gilles ?... C'est l'heure, maintenant, de la signature du courrier... A propos...

Il entraîna le jeune homme à l'écart de la foule grouillant autour des voitures.

— Je ne sais pas si cela présente un intérêt quelconque... J'ai rencontré, en allant déjeuner, un de mes anciens collègues. Parmi les lettres anonymes que la police reçoit journellement au sujet de cette affaire, il en est une qui accuse Poineau d'avoir, un soir qu'il était ivre, proféré des menaces contre son patron... Il paraît qu'il le détestait...

— Je sais...

Gilles se souvenait du vol, de l'attitude de Mauvoisin. Mais comment Poineau, toujours affairé au milieu de l'ancienne église, aurait-il empoisonné l'oncle ?

Ils pénétrèrent dans le vaste hall. Dans le bureau, Gilles trouva son beau-père qui, lorsqu'on le dérangeait, avait toujours l'air d'être pris en faute.

— Dites-moi, papa...

Chose curieuse, il lui était plus difficile, ce jour-là que les précédents, de prononcer « papa » en regardant le brave homme aux sourcils en broussaille et au crâne d'ivoire.

— Mon oncle venait vous voir à cette heure-ci, n'est-ce pas ?

— Il entrait... Il s'asseyait à ma place, sans rien

dire… Il aurait pu se faire aménager un bureau personnel, mais il ne le voulait pas… Je le lui ai proposé une fois et il m'a regardé comme pour me faire comprendre que je me mêlais de ce qui ne me regardait pas… Il n'avait même pas de porte-plume… Il prenait le mien… Le courrier à signer était dans cette chemise brune… On pouvait croire qu'il ne lisait rien et cependant il savait parfaitement ce qu'il signait… Il écrasait les jambages d'une main pesante… De temps en temps, il soufflait en regardant à travers les vitres… Puis il me disait en se levant :

« — Bonsoir, monsieur Lepart…

« Car il disait toujours monsieur, à tout le monde, fût-ce au dernier des apprentis, mais il avait une façon à lui de prononcer ces syllabes… On ne pouvait savoir s'il se moquait, ou si c'était méprisant… »

Les quais, à nouveau, les rues coupées en deux par le soleil, un trottoir noir, un trottoir étincelant.

— Il entrait une seconde fois à la banque Ouvrard…, récitait Rinquet. A cette heure-ci, on reçoit les derniers cours de Paris… On reçoit aussi les grands journaux… Il en achetait six ou sept qui gonflaient sa poche gauche et qui dépassaient… Cela nous mène, monsieur Gilles, jusqu'à quatre heures environ… Pendant une heure, le programme variait… C'est le moment pour lequel j'ai eu le plus de mal à reconstituer son emploi du temps... Tantôt il gagnait la place d'Armes et entrait chez monsieur Penoux-Rataud, le sénateur... Je n'y suis pas allé, car je me serais sans doute fait mettre à la porte... Tantôt, rue Gargoulleau, il poussait la porte de maître Hervineau... Il traversait la pièce où se tiennent les clercs, sans saluer personne et, même si le notaire était occupé, il pénétrait dans son bureau à porte matelassée. D'autres fois, il faisait un tour dans les locaux de la maison Basse et Plantel... C'étaient les jours de réunion de ce qu'on appelle le *Syndicat...* Un détail m'a frappé : c'est que votre oncle, lors de ces réunions, arrivait toujours le dernier et repartait invariablement le premier...

Comme les deux hommes passaient rue de l'Evescot, Gilles regarda les fenêtres de la maison qu'habitait la mère de sa tante, mais il ne vit personne derrière les rideaux. Peut-être avait-il espéré apercevoir Colette ?

Rue de l'Escale, c'étaient les murs qui avaient vu les amours de son père et de sa mère, la porte en plein cintre de l'ancien conservatoire privé.

Rinquet tirait un calepin de sa poche, consultait ses notes.

— Vers cinq heures, votre oncle entrait chez madame Éloi...

Ils passaient sous la Grosse Horloge, atteignaient les quais où, dans le soleil, l'animation était à son maximum. Les terrasses des deux cafés, à cause du soleil précoce, étaient pleines de monde et les gens regardaient avec curiosité l'héritier Mauvoisin qu'accompagnait l'ancien inspecteur de police.

— Vous y allez ?

Gilles hésitait.

— J'ai eu des renseignements par un magasinier qui est vaguement parent de ma femme... Il paraît que, dès que votre tante voyait se profiler sur le trottoir la silhouette d'Octave Mauvoisin, elle annonçait :

« — Voici l'ours...

« C'est toujours ainsi qu'on l'appelait dans la maison. Tandis que votre oncle posait la main sur le bouton de la porte, votre tante Éloi pressait un timbre électrique communiquant avec l'appartement. Cela signifiait qu'il était temps de préparer le plateau avec le thé et de le descendre... »

Gilles et Rinquet s'étaient arrêtés devant l'embarcadère des bateaux de l'île de Ré et de l'île d'Oléron. Un de ces bateaux était en partance et les matelots avaient du mal à faire monter à bord des vaches récalcitrantes. La foule riait.

— Parfois, il arrivait que votre cousin Bob soit dans le magasin... Il s'empressait de disparaître... Votre oncle ne voulait pas le voir... Il l'appelait « la crapule » et la mère n'osait rien répondre...

« — Et votre crapule de fils ? questionnait-il, le chapeau sur la tête, les mains dans les poches.

« Il aimait rôder dans le magasin. Il saisissait

une boîte de sardines, ou un bidon de pétrole, inspectait, reniflait :

« — Qui est-ce qui vous a vendu ça ?... Combien ?...

« Et tout le monde tremblait ! Et madame Éloi faisait signe à ses commis de se taire. S'il y avait un capitaine en train de faire sa commande, Mauvoisin écoutait, prenait soudain la parole, tranchait la question en quelques mots définitifs...

« La bonne ne tardait pas à descendre avec le plateau de thé qu'elle posait sur le bureau vitré de votre tante et, alors seulement, Octave Mauvoisin pénétrait dans ce bureau. L'hiver, il se chauffait, le dos au poêle. L'été, il retirait son chapeau pour s'éponger, puis le remettait sur sa tête...

« Le même goûter, invariablement... Deux tasses... Du thé léger... Des toasts sur lesquels votre oncle étalait de la marmelade d'oranges...

« Comme partout, c'était à la place de madame Éloi qu'il s'asseyait, si bien qu'il faisait figure de patron. Il lisait sans vergogne les lettres qui lui tombaient sous la main, les factures, les traites...

« Voilà tout ce que j'ai pu apprendre, monsieur Gilles... Si vous y allez, il vaudra peut-être mieux que je vous attende ?... »

Dans la pénombre du magasin où le soleil ne pénétrait pas, Gilles entrevit le visage de sa tante, sa silhouette sombre. Il eut l'impression qu'elle le guettait et il se décida, traversa la rue et tourna le bouton de la porte.

Contre son attente, Gérardine Éloi ne lui dit même pas bonjour. Elle resta debout près d'un comptoir, à surveiller deux commis qui préparaient une livraison. Elle était plus raide que jamais. Le camée serti d'or était à sa place au milieu de son corsage.

— Bonjour, tante..., murmura-t-il, gêné.

Elle feignit de l'apercevoir seulement. Au lieu de le saluer, elle prononça en devenant un peu plus pâle :

— Vous désirez ?... Je n'ignore pas que vous vous considérez ici comme chez vous... Bientôt, vous y serez même tout à fait...

— Mais...

— La sœur de votre mère ne peut accepter que vous envoyiez des policiers rôder autour de sa maison...

Elle marcha jusqu'à la porte vitrée, regarda ostensiblement Rinquet qui attendait sur l'autre trottoir.

— Fin de ce mois, la place sera libre... C'est bien ce que vous désirez, n'est-ce pas ?

Gilles avait la poitrine serrée. Il n'imaginait pas qu'une femme de cinquante ans, une femme d'affaires comme sa tante, qui avait la réputation de posséder un caractère aussi ferme qu'un homme, pût, soudain, se montrer aussi désemparée qu'une gamine.

Il appréhendait l'instant où elle éclaterait en sanglots. Il la sentait à bout de résistance. Il cherchait quelque chose à dire pour la calmer, pour la rassurer.

Au même moment, Bob descendait l'escalier en colimaçon. On vit d'abord ses jambes, puis son torse. Il se penchait, montrait son visage sanguin.

Alors, alarmée, sa mère se précipitait vers le fond du magasin.

Elle s'élançait dans l'escalier. Elle butait. Elle forçait Bob à remonter.

Et, dans le vaste local soudain silencieux, où régnait la chaude odeur du goudron de Norvège et des épices, les commis se regardaient, atterrés, regardaient Gilles qui perdait contenance et qui se dirigeait vers la porte.

III

Il était neuf heures du matin quand Gilles, les bras chargés de paquets, laissa sa voiture près d'un mur bas et se dirigea vers un groupe de petites maisons qu'on apercevait à une centaine de mètres.

L'air était vif, la nature dans toute sa fraîcheur matinale, les tons comme candides et des bruits se superposaient, le caquet des poules qui fuyaient entre les jambes de Gilles, le marteau du forgeron sur la place du village, un beuglement dans une lointaine étable...

On l'avait vu venir. Une femme se penchait, sur son seuil, puis une autre, dans une maison voisine, et des enfants sales s'avançaient sur le chemin.

Gilles avait rarement été aussi intimidé que quand, ses paquets sur les bras, il s'arrêta devant la maison dans laquelle son père et son oncle étaient nés.

— Madame Henriquet? balbutia-t-il, déçu de ne trouver qu'une femme vulgaire et méfiante qui le détaillait des pieds à la tête.

— Qu'est-ce que vous me voulez? Vous apportez peut-être la part d'héritage qui nous revient?

Gilles se demandait comment elle pouvait savoir qui il était. Comme elle s'effaçait pour le laisser entrer, il vit sur la table, près d'une tasse de café au lait, le journal local du matin et sa propre photographie qui figurait en première page.

— J'ai apporté quelques friandises pour les enfants..., annonça-t-il gauchement.

Quand Colette lui avait raconté sa visite à Nieul-sur-Mer, il s'était fait une autre image de la maison et de ses hôtes. Dans un coin de la grande pièce, il y avait deux lits défaits et, dans un de ces lits, une petite fille non débarbouillée.

— Ne faites pas attention... Elle a la rougeole... Allez jouer dehors, vous autres!...

Et la mère repoussait deux gamins, un de six et un de quatre ans, qui essayaient de saisir les paquets. Elle soulevait de terre un bébé plus jeune qui ne marchait pas encore et elle allait le déposer au bord de la route.

Il faisait sale. Des marmites traînaient par terre. Quelques tisons se consumaient dans l'âtre.

— Vous voulez vous asseoir ?

Le fameux fauteuil d'osier était là, si délabré que Gilles ne comprit pas que son oncle ne l'eût pas écrasé sous lui. Au-dessus de la cheminée, son regard accrocha une photographie et il resta un bon moment, ravi, troublé, à la contempler.

C'était un portrait déjà ancien, celui de deux sœurs qui devaient avoir une vingtaine d'années. La plus forte des deux, au nez camus, ressemblait vaguement à la cousine que Gilles avait devant lui.

— Votre mère ? questionna-t-il.

— Bien sûr...

L'autre, c'était sa grand-mère à lui, la mère de son oncle Mauvoisin. Dans la chambre de l'oncle, il y avait d'elle un portrait quand elle était déjà une petite vieille. Ici, à dix-sept ou dix-huit ans, elle était menue, gracieuse, et, ce qui frappait Gilles, c'était un côté immatériel qui faisait penser à Colette.

— Vous voulez boire quelque chose ?

La Henriquet allait sur le seuil pour gronder, d'une voix criarde, ses gamins qui se disputaient sur la route.

— Je sais bien que vous êtes son neveu ; n'empêche que ce qui est promis est promis et que je serais curieuse de voir ce testament... Si j'avais écouté certains, cela ne se serait sans doute pas passé ainsi...

— Quelles sommes espériez-vous recevoir ?

— Est-ce que je sais ?... En tout cas, de quoi élever les enfants...

— Prenez toujours ces cinq mille francs... Je vous en apporterai d'autres...

Au lieu de remercier, elle le regarda avec plus de méfiance encore ; elle finit néanmoins par saisir les billets qu'il avait posés sur la table.

— Faut-il que je vous signe un reçu ?

— Ce n'est pas la peine... Au revoir, cousine...

Il aurait aimé emporter le portrait des deux sœurs, mais il n'osa pas le demander. Quand il rentra dans la voiture, les enfants entouraient celle-ci ; ils avaient des genoux trop gros pour leurs jambes grêles, des visages irréguliers et déjà cette expression butée qu'ils devaient tenir de leur mère.

Quelques minutes plus tard, Gilles arrêtait l'auto sur la place du village. La forge était ouverte et le feu rougeoyait dans l'ombre. Un cheval, attaché à un anneau, attendait d'être ferré.

Plus loin, deux cafés. Dans l'un d'eux, le facteur avalait un verre de vin blanc et, traînant la patte, s'essuyait la bouche, revenait sur la place. C'était Henriquet, le cousin de Gilles, le mari de la femme à qui il avait rendu visite.

Les deux hommes s'observèrent de loin. Le facteur grommela des paroles qui ne devaient pas être aimables et, après s'être retourné plusieurs fois, continua sa tournée.

Quant à Gilles, il pénétra dans le cimetière où un petit vieux à cheveux blancs nettoyait les allées.

La fraîcheur du matin y était peut-être encore plus sensible qu'ailleurs et des oiseaux se poursuivaient dans les branches des cyprès, deux merles se répondaient, qu'on ne voyait pas, mais qu'on entendait sautiller dans les buissons.

Le vieux leva la tête et toucha sa casquette. Gilles erra de tombe en tombe, lisant les inscriptions, surtout les plus vieilles. Il retrouvait des noms qu'il avait remarqués sur des magasins de La Rochelle. Plusieurs Henriquet aussi.

Enfin, non loin du mur de clôture, une pierre plate.

« *Ci-gît Honoré Mauvoisin*
rappelé à Dieu dans la soixante-huitième année
de son âge.
Priez pour lui. »

C'était la tombe de son grand-père. Celui-ci, de son vivant, d'après le portrait qui se trouvait dans la chambre du quai des Ursulines, devait ressembler au vieux qui ratissait les allées, en plus dur. Il avait été longtemps maçon. Dans les derniers temps de sa vie, il travaillait au four à chaux, qu'on apercevait par-dessus le mur du cimetière.

Les bruits du village parvenaient toujours jusqu'à Gilles, comme épurés d'avoir traversé le bleu frémissant de l'espace. Une légère odeur de corne brûlée : le maréchal avait commencé de ferrer le cheval.

« Ci-gît Marie-Clémence Mauvoisin
son épouse, née Baron,
décédée dans sa soixante-deuxième année.
Dieu les a réunis. »

Gilles apercevait le clocher et son drapeau de zinc aux trois couleurs, la cloche qui avait sonné le glas. Il imaginait les paysans, les paysannes en noir derrière une lourde charrette transformée en corbillard.

Est-ce qu'Octave Mauvoisin était venu à l'enterrement ? Il devait être, massif, au premier rang, le seul homme de la ville, et les gens du village regardaient avec curiosité celui qui était devenu si riche.

Le père de Gilles, lui, n'avait assisté ni à l'un, ni à l'autre de ces enterrements. Il était loin, dans quelque ville du centre de l'Europe ou du Nord.

Sans doute la petite maison, en ce moment-là, était-elle propre et bien rangée. Deux garçons en étaient partis. L'un d'eux avait voulu étudier le violon à la ville. L'autre...

Gilles se signa. Le fin visage de sa grand-mère le poursuivait. Une mélancolique odeur de fleurs fanées lui parvenait, car il y avait une tombe encore fraîche non loin de là.

Il se retourna en n'entendant plus le crissement du râteau sur le gravier de l'allée et il vit le vieux qui, soulevant sa casquette, s'épongeait le front en regardant Gilles.

Quand celui-ci passa près de lui, il hésita, fit un effort pour vaincre sa timidité, murmura enfin :

— Si des fois vous vouliez que j'arrange un peu la tombe...

Lui aussi avait vu le portrait en première page du journal.

— Vous avez connu mon grand-père ?

— Bien sûr, que je l'ai connu... Nous avons été à l'école ensemble... Pas longtemps, parce que, dans le temps, on n'attendait pas que la barbe vous pousse pour travailler... J'ai bien connu Marie aussi... Qui est-ce qui aurait prévu, à cette époque, que ça finirait comme ça !... Vous croyez que c'est vraiment sa femme qui l'a empoisonné, vous, monsieur Octave ?

Et le vieux, enhardi, le fixait de ses yeux scrutateurs.

— Ce n'est certainement pas elle, dit Gilles.

— Alors qui ?... Nous, on ne connaît l'affaire que par le journal... Sûr que cet homme avait des ennemis... Enfin !... Si vous voulez que je vous entretienne la tombe, ce sera comme pour les autres clients... Vous n'aurez qu'à me donner une pièce chaque année, à la Toussaint... C'est moi qui les entretiens presque toutes...

Gilles aurait voulu lui donner un pourboire. Il n'osa pas. L'idée que ce vieux avait été à l'école avec son grand-père, qu'il avait connu sa grand-mère, qu'il avait peut-être dansé avec elle, quand elle était si menue et si gracieuse, à la fête du village...

Quelques instants plus tard, il remontait dans sa voiture et reprenait le chemin de La Rochelle.

Il n'en savait pas plus que le matin sur l'assassinat d'Octave Mauvoisin, et pourtant il lui semblait qu'il commençait à comprendre des choses qui, auparavant, étaient pour lui sans signification. Il avait vu la maison où son père était né, d'où il était parti pour une si étrange aventure qui devait s'achever dans un port de Norvège.

Le doux visage de sa grand-mère lui souriait toujours... Elle était de la même race que Colette... Qui sait, c'est peut-être à cause de cette vague ressemblance que Mauvoisin avait épousé l'ouvreuse de l' « Olympia »?...

Et surtout...

— C'est sûrement cela..., dit-il soudain à mi-voix, en freinant juste à temps pour ne pas foncer sur une charrette de paille.

Oui, si Octave Mauvoisin, l'homme qui ne fréquentait personne, l'homme tout seul qui ne parlait pas, qui n'aimait pas, qui n'avait dans la vie que d'âpres joies solitaires, si Mauvoisin venait chaque semaine s'asseoir dans sa maison natale, ce n'était pas pour écouter les jérémiades de sa revêche cousine, ni pour se retrouver parmi des enfants mal venus et mal tenus.

Quand il était assis dans le fauteuil d'osier, c'était la photographie des deux jeunes filles qu'il avait devant les yeux, le visage aérien de sa mère.

Cette certitude était si forte que Gilles faillit la contrôler sur-le-champ. Il l'aurait fait s'il n'avait eu une telle horreur de se retrouver en présence de sa cousine. Sans compter qu'à cette heure il risquait de rencontrer le facteur chez lui.

Ce qu'il aurait voulu leur demander, c'est si Octave Mauvoisin n'avait jamais essayé d'emporter le portrait.

Il l'avait sûrement demandé. Gilles devinait assez la femme pour comprendre qu'elle avait dit non une fois, puis qu'elle s'était stupidement obstinée.

Si Mauvoisin en avait envie, cela valait cher. Et pourquoi venait-il toujours les mains vides ? Il imaginait les conversations, le soir, avec l'ivrogne de mari qui finissait sa tournée en titubant.

— Il est venu ?... Il n'a rien apporté ?... Qu'est-ce que tu attends pour lui dire ?...

Gilles était arrivé place d'Armes. Le vaste terre-plein était sans une ombre. Les vélums des cafés et des magasins l'entouraient, mettant des taches rouges, jaunes, orangées dans le décor.

Pourquoi Gilles eut-il envie de s'asseoir un moment dans l'ombre du « Café de la Paix », de déguster une boisson fraîche, de laisser passer des minutes vides et reposantes ? Il hésita. Il allait rarement au café. Enfin, il descendit de voiture et s'attabla dans la salle.

Il n'avait pas regardé autour de lui. Quand il le fit, il regretta sa décision. En face de lui, en effet, trois ou quatre jeunes gens prenaient l'apéritif et Bob était parmi eux.

— Donnez-moi un citron pressé, garçon... Ou plutôt non... Un verre de bière...

Il faudrait moins de temps que pour presser le citron. Bob le regardait avec ses gros yeux insolents. Les autres se retournaient. On parlait de lui, évidemment...

— Quatre pernods, Eugène ! lança Bob à voix haute.

On le sentait dans son élément. C'est ainsi, de café en café, qu'il passait la plus grande partie de ses journées et, à mesure que celles-ci s'avançaient, il avait le teint plus animé, les yeux plus brillants, la voix plus forte.

Avait-il déjà bu, ce matin-là ? Il en était en tout cas, d'après les soucoupes, à son troisième apéritif.

Gilles aurait voulu partir, mais le garçon tardait à le servir. Il s'impatientait. Il avait comme un pressentiment. On parlait toujours de lui, de l'autre côté de la salle. Son cousin Éloi s'excitait.

Après avoir dit quelques mots à voix basse, il s'écria :

— Qui est-ce qui prétend que je me dégonfle ?

Les autres essayaient de le calmer, tout en souhaitant peut-être qu'il ne se calmât pas.

Alors, pour prouver qu'il ne se dégonflait pas, il se leva en repoussant la table de marbre. Comme le garçon arrivait avec son plateau, il but, sans eau, le contenu jaunâtre d'un des verres et s'essuya la bouche du même geste trivial que Gilles avait vu tout à l'heure au facteur de Nieul.

L'instant d'après, il s'avançait vers son cousin.

— C'est l'espionnage qui continue? questionna-t-il, agressif, en s'assurant que tout le monde le regardait.

Gilles ne broncha pas, ne répondit rien. Il resta assis à sa place et évita de regarder Bob en face.

— Vous ne pouvez pas me répondre, non ?... Vous êtes bien fier, pour un garçon qui couche avec la femme qui a empoisonné son oncle...

Gilles ne pouvait plus s'en aller. L'autre lui barrait le passage. Bob était beaucoup plus fort que lui. En outre, il avait l'avantage de la brutalité et soudain il saisit Gilles par les deux épaules, le mit debout puis, le lâchant de la main droite, il le frappa au visage, une fois, deux fois, trois fois...

Ses compagnons accouraient et essayaient de l'attirer en arrière.

— Petite saleté !... Quand je pense que ça vient

narguer ma mère et que ça vous lance des policiers dans les jambes...

Quand Gilles eut repris assez de présence d'esprit pour se défendre, il était trop tard. Bob avait enfin lâché prise. Des passants, dans la rue, s'étaient arrêtés, car les baies du café étaient larges ouvertes pour laisser pénétrer le printemps.

— Si vous voulez venir par ici..., murmurait le garçon.

Gilles comprit, en voyant sa main maculée de sang. Il se laissa conduire au lavabo où on lui donna une serviette. Son nez et sa joue étaient tuméfiés, cuisants.

— Monsieur Bob est terriblement batailleur... Il ne faut pas faire de scandale...

Il n'en était pas question. Tout en se lavant le visage à l'eau fraîche, Gilles était sans colère, sans rancœur. C'était plutôt de la tristesse qui le pénétrait.

On lui avait abîmé sa matinée, une des plus sereines qu'il eût passées depuis qu'une veille de Toussaint il avait débarqué à La Rochelle avec un pardessus trop long et un étrange bonnet de loutre sur la tête.

Une demi-heure plus tôt, dans le petit cimetière de Nieul vibrant de la vie des choses, il avait l'impression d'être si près des grandes vérités, des grandes certitudes...

Maladroit, le garçon lui annonçait :

— Vous pouvez venir... Il est parti... Je vous sers votre demi ?

Gilles le but, debout, pour dissiper le goût du sang qu'il avait à la bouche. Des voisins le suivirent des yeux jusqu'à sa voiture. Il n'avait pas honte d'avoir été frappé. Jamais il n'avait eu l'orgueil de sa force physique.

Il fut assez longtemps sans pouvoir mettre le moteur en marche, parce qu'il était préoccupé. Et, quand il atteignit les quais, à l'heure où les sardiniers débarquaient le poisson, ce n'était plus à Bob qu'il pensait.

Il jeta un coup d'œil machinal au gros immeuble qui abritait les bureaux de Basse et Plantel, puis, un peu plus loin, au « Bar Lorrain », où Raoul Rabin devait être en faction derrière son rideau crème.

Très ému, il monta l'escalier du quai des Ursulines, ouvrit la porte du salon d'une poussée. Alice était debout, les bras écartés, tandis qu'une couturière, des épingles entre les lèvres, lui essayait un tailleur de printemps.

— Colette est là-haut ?

— Je ne l'ai pas entendue descendre... Gilles !... Qu'est-ce que tu as ?...

Elle était frappée par l'expression de son visage, par la hâte fébrile de ses mouvements. Quelques enjambées et il atteignait l'appartement du second, se heurtait presque à madame Rinquet qui, elle aussi, sursautait en le voyant.

Il avait son nez et sa joue tuméfiés.

— Tante ?... questionnait-il.

— Elle est dans sa chambre...

Il ne pensa pas que Colette pouvait être occupée à s'habiller. Il poussa la porte comme il avait poussé celle du salon. Il la surprit en train de mettre son corsage et il entrevit un tout petit peu de sa poitrine.

— Pardon... Tante !... Il faut que vous veniez un moment... Je crois...

— Qu'est-ce que vous avez, Gilles ?... Vous êtes tombé ?

— Ce n'est rien... Je crois, tante, que j'ai trouvé...

— Trouvé quoi ?

— *Le mot...*

Et cela l'effrayait. Il avait hâte de savoir s'il avait raison, si le terrible coffre allait enfin livrer son secret.

Depuis trois jours, on s'attendait d'une minute à l'autre à l'arrestation de Colette, à tel point que celle-ci, avec un calme inattendu, avait préparé une petite valise pour le jour où on la conduirait en prison.

Depuis trois jours, aux repas, on n'osait plus aborder certains sujets devant elle, on la traitait comme une malade dont le docteur a dit qu'elle était condamnée.

— La clef est toujours dans le tiroir, tante ?... Venez... Il faut que vous soyez présente.

Elle avait fini de s'habiller et une fine poussière dorée errait dans un rayon de soleil qui traversait sa chambre de biais.

Tous ces détails, il devait les retrouver plus tard, non sans étonnement, car il n'y avait pas pris garde au moment même.

— Voyez-vous, je suis allé ce matin à Nieul...

— La cousine vous a parlé ?

— Non... Je ne sais pas encore si je me trompe... Venez...

Il l'entraînait. Il la frôlait sans le vouloir. Il lui serrait soudain le bras avec fièvre.

Au dernier moment, il avait peur. Non seulement peur de s'être trompé, mais peur d'avoir raison, peur de ce qu'ils allaient découvrir, peur de tout ce qui s'ensuivrait. Il lui semblait que, désormais, les choses ne seraient plus comme elles étaient, que Colette s'en irait, qu'une nouvelle vie commencerait, et il se raccrochait à cette existence dramatique et précaire des derniers mois.

Ses doigts tremblaient en se posant sur les rouages du coffre.

— Composez le mot, vous, tante !... Je crois... Je crois que c'est « *Marie* »...

Et il resta debout derrière elle, en retenant son envie de l'étreindre comme il l'avait fait une fois, une seule, un soir, dans l'ombre du corridor.

IV

« *Mon cher Octave.*

« *J'espère que tu ne m'en veux pas trop d'être resté plus d'un an sans te donner de nos nouvelles. Tu sais comment cela va. Chaque jour, on se promet d'écrire. Presque chaque jour, nous avons parlé de toi avec ma femme, et cependant...* »

Gilles s'était figé. L'expression de son visage était devenue telle que sa tante avait questionné :

— C'est mauvais, Gilles ?

Au même instant, Alice, en fredonnant, entrait dans la pièce et lançait :

— Vous êtes ici tous les deux ?... Je vous cherchais partout... Le déjeuner est servi... Tiens ! Vous êtes enfin parvenus à ouvrir le coffre ?

Pour elle, cette armoire d'acier n'avait rien d'impressionnant. Il n'en était pas de même pour Colette. Quand, quelques instants plus tôt, elle tournait les molettes, cependant que Gilles se tenait derrière elle, elle avait murmuré au dernier déclic :

— *Marie*... C'est le nom de sa mère, n'est-ce pas ?

Alors, sans tourner la clef, elle s'était éloignée du coffre. Elle était debout près de la fenêtre et le soleil éclairait ses cheveux légers à contre-jour. Gilles et elle étaient aussi graves, aussi angoissés l'un que l'autre. Il leur semblait qu'ils touchaient à une matière vivante et ce mot « *Marie* » — Gilles ne pouvait oublier le portrait de sa grand-mère — donnait une valeur nouvelle au secret d'Octave Mauvoisin.

— C'est tout ce qu'il y avait dedans ? s'étonnait Alice en se penchant sur l'épaule de son mari.

Et Colette, agacée, déchirait, dans son énervement, un fin mouchoir bordé de noir.

— Je verrai cela tout à l'heure..., décida Gilles en refermant le dossier.

C'était un dossier de forte toile grise, comme on en voit dans tous les bureaux. Il contenait un certain nombre de chemises en papier bulle et un nom était écrit au crayon rouge sur chaque chemise.

Or, le premier nom qui avait frappé son regard était celui de Mauvoisin, sans prénom. La première lettre qu'il avait commencé à lire était de l'écriture tourmentée de son père.

— Allons déjeuner...

Il referma le coffre avec soin et glissa la clef dans sa poche. Alice dut lui rappeler sans cesse qu'il était à table, car il oubliait de manger.

— Tu crois qu'il y a vraiment des papiers

importants ? Je me demande si ton oncle, dans son testament, ne s'est pas moqué du monde...

Elle leva la tête vers lui, le vit à cran :

— Excuse-moi... Je ne pensais pas te contrarier à ce point...

Il avait espéré que, le repas fini, Colette le suivrait dans la chambre de l'oncle. Il la questionna du regard, mais elle se contenta de secouer la tête. Il comprenait. Si elle avait été la femme de Mauvoisin, elle l'avait trompé et, des années durant, son mari ne lui avait pas adressé la parole.

Ce mot « *Marie* »...

— Quand Rinquet viendra, veux-tu lui faire dire, Alice, que je l'appellerai quand j'aurai besoin de lui ?

Il ferma à clef la porte de la chambre, tourna les molettes du coffre, reprit le dossier gris et alla s'asseoir dans le fauteuil de son oncle, devant le bureau à cylindre.

La lettre de son père était datée de Vienne. Il y avait donc une dizaine d'années qu'elle avait été écrite. Or, à cette époque-là déjà, son père et sa mère ne lui parlaient plus de l'oncle Octave. C'était une question qui était toujours restée pour lui assez mystérieuse.

Lorsqu'il était enfant, on citait assez souvent, en famille, cet oncle qui habitait La Rochelle et, quand Gilles avait commencé à écrire, on lui avait dicté des lettres de nouvel an pour ce parent qu'il ne connaissait pas.

Or, brusquement, on avait cessé de prononcer son nom. Deux ou trois fois, Gilles, enfant, avait posé des questions, et le visage de son père s'était rembruni.

Il lui avait cependant écrit, cette lettre le prouvait, et Gilles devenait plus rouge à mesure qu'il lisait.

« ... *Tu sais que j'avais trouvé une situation intéressante... Depuis près d'un an, en effet, j'étais premier violon et pour ainsi dire chef d'orchestre dans le plus grand café de Vienne... Nous étions heureux de rester enfin en place et de pouvoir envoyer Gilles à l'école...* »

C'était vrai. Vienne représentait une des rares haltes dans l'existence du ménage vagabond. On habitait un appartement confortable, dans un quartier clair et tranquille. On menait une vie presque bourgeoise. Gilles était bien habillé. Ses parents aussi. Plusieurs fois, sa mère l'avait conduit dans ce café surchargé de dorures et d'anges peints où son père, entouré d'autres musiciens, jouait du violon, sur une estrade. Gilles retrouvait même le goût vanillé du café couvert d'une épaisse couche de crème fouettée que sa mère lui commandait...

« *Hélas ! une dispute avec un client ivre m'a fait perdre cette place, et, depuis deux mois, je suis en quête de travail... Une fois de plus, j'ai dû mettre au Mont-de-Piété presque tout ce que nous possédions... A présent, ma femme est malade... Une opération est nécessaire et, si tu ne nous aides pas, si tu ne nous adresses pas de toute urgence deux ou trois mille francs, je ne sais pas ce que...* »

Des larmes tremblèrent aux cils de Gilles. Ce n'était pas vrai ! Sa mère n'avait pas été malade ! Il n'avait jamais été question de l'opérer ! Il eût voulu n'avoir jamais commencé cette lettre et, maintenant, il ne pouvait en arracher les yeux, chaque mot lui faisait mal au plus profond de son être.

Il connaissait la honte. Une fois, quand il avait neuf ou dix ans, il avait volé quelques pièces de monnaie sur la table à maquiller d'une actrice. Des années durant, il avait pensé à ce geste chaque soir en s'endormant et, aujourd'hui encore il lui arrivait d'en rêver.

« *... si tu ne nous adresses pas de toute urgence deux ou trois mille francs, je ne sais ce que...* »

On était déjà brouillés avec l'oncle, sans doute à cause de précédentes demandes d'argent, et pourtant son père lui écrivait à nouveau, mentait, pour l'attendrir.

« *... Je te jure que je rendrai cette somme dès que...* »

Est-ce que sa mère avait lu cette lettre ? Est-ce que son père l'avait écrite en cachette ?

Dans la chemise de papier jaune, il y avait encore deux télégrammes, tous deux datés de Vienne.

« *Situation désespérée. S.O.S. Attends sans faute mandat télégraphique.* »

Gilles pleurait, sans sanglots ; des larmes fluides roulaient sur ses joues et il ne s'en apercevait pas.

« *Te lance dernier appel car situation dramatique...* »

Gilles referma lentement la chemise. Il n'y avait pas de feu dans la pièce. Longtemps il resta là, immobile, la tête dans les deux mains, tandis que le soleil se jouait sur le bois clair du bureau à cylindre.

Quand il ouvrit à nouveau le dossier de toile grise, il était plus calme, mais sans entrain. Il lui semblait qu'il n'était plus un jeune homme, qu'il avait beaucoup vieilli en quelques heures, que désormais il pouvait tout comprendre.

Il lut d'abord les noms sur les chemises. Il y avait celui de Plantel, celui de Babin, ceux de sa tante Éloi, du sénateur et du notaire, d'autres encore qu'il ne connaissait pas, des noms de commerçants ou d'industriels de La Rochelle.

Il choisit le dossier Plantel. Celui-ci ne contenait qu'une feuille, une lettre écrite sur du mauvais papier qu'on vend chez les épiciers, à l'encre violette, avec une plume qui crachait. Sans doute cette lettre avait-elle été composée sur une table de café, car on y voyait encore des taches de vin. Deux photographies y étaient épinglées.

La première était celle d'un homme d'une cinquantaine d'années, en tenue de patronpêcheur, gros chandail et casquette galonnée de noir. L'homme était robuste, le visage large, les yeux clairs. La photographie était du type passeport.

L'autre, une photo de première communion, format carte postale, représentait un jeune garçon au regard vif et rieur qui semblait tout étonné d'être vêtu, ce jour-là, avec tant de magnificence.

Derrière cette photographie, quelques mots, au crayon rouge : « *Jean Aguadil, mort en mer à quinze ans. Sa mère habite encore impasse de la Vierge.* »

Est-ce parce qu'il pensait sans cesse à son père que Gilles fut longtemps à comprendre ? Il relut plusieurs fois la lettre. Elle pouvait paraître incohérente et Gilles eut l'impression qu'elle avait été écrite par un homme qui ne possédait pas tout son sang-froid. Peut-être était-il ivre à ce moment, comme les taches de vin semblaient le confirmer ?

Une écriture tremblée, des ratures, des fins de mots illisibles.

« *Monsieur,*

« *Vous avez dû recevoir mon message de la semaine dernière et pourtant, depuis, je suis allé chaque jour à la poste restante et il n'y avait rien. Cela ne peut pas continuer.* »

Ces derniers mots étaient si énergiquement soulignés que la plume avait troué le papier.

« *Ce serait trop facile et trop injuste ! A vous tout le profit et la tranquillité ! A moi, presque rien, car j'appelle presque rien les cinq mille francs que vous m'envoyez tous les mois.*

« Je vous répète donc que, si vous ne m'envoyez pas tout de suite la somme que je vous demande une fois pour toutes — j'ai dit deux cent mille (200 000) *et vous avouerez que ce n'est pas de trop — je me ficherai de tout et irai raconter à qui de droit comment l'*Espadon *s'est perdu sur la roche aux Dames... »*

Gilles se leva, hésitant. Il y avait longtemps qu'il avait entendu des pas dans l'escalier. Il savait que l'ancien inspecteur devait l'attendre dans le salon du premier étage, son chapeau sur les genoux, selon son habitude. Avant d'aller l'appeler dans la cage d'escalier, il glissa dans sa poche la lettre et les deux télégrammes de son père.

— Venez, monsieur Rinquet... Je pense que vous allez pouvoir m'aider... Avez-vous entendu parler de l'*Espadon ?*

Rinquet regarda le coffre ouvert, les dossiers étalés.

— Ainsi, c'est vrai ?... murmura-t-il.

— Qu'est-ce qui est vrai ?...

— Ce que certains ont chuchoté à l'époque, voilà une quinzaine d'années... Il n'y avait pas encore d'aussi grands chalutiers qu'à présent... C'est la maison Basse et Plantel qui a fait construire le premier, avec un moteur Diesel et je ne sais quel système de réfrigération pour conserver le poisson... L'*Espadon,* qu'on l'appelait...

Que s'est-il passé ?... Y avait-il vraiment un vice de construction ?... Était-ce la formule qui était mauvaise ?... Toujours est-il que l'*Espadon* avait des ennuis à chacune de ses campagnes et qu'il coûtait un argent fou... C'est alors qu'il s'est brisé sur un rocher près de Las Palmas...

— La roche aux Dames ?

— Je crois me souvenir de ce nom... Le capitaine... Attendez... J'ai son nom sur le bout de la langue...

— Borniquet...

— Oui... Un veuf, qui habitait avec sa fille une petite maison neuve dans le quartier Saint-Nicolas... Sa fille était simple d'esprit... Peu importe... Quand l'accident est arrivé, tous les hommes ont été sauvés, sauf un, un jeune mousse appelé...

— Jean Aguadil...

— C'est exact...

Et, fixant avec respect le papier que Gilles avait sous les yeux, Rinquet dit d'une voix sombre :

— Alors, c'est que tout est vrai... Des gens ont trouvé que l'accident venait juste à point... On a été encore plus surpris quand le capitaine Borniquet a quitté le pays en racontant qu'il venait de faire un petit héritage... Il a mis sa fille chez les bonnes sœurs, dans un établissement où on s'occupe des anormaux... Le plus étonnant, c'est qu'au lieu de se retirer quelque part au bord de la mer, comme tous les marins, il est allé vivre à Paris...

« On l'y a rencontré... Il buvait beaucoup... Quand il était ivre, il laissait entendre qu'il pouvait avoir autant d'argent qu'il en voulait et que, si cela ne tenait qu'à lui, on verrait de drôles de changements à La Rochelle... »

— Vous savez ce qu'il est devenu ?

— Il paraît qu'à la fin ce n'était plus qu'une épave... On le ramassait ivre-mort dans la rue et il est mort du delirium tremens dans je ne sais quel hôpital... Certains ont prétendu que c'étaient les remords qui le travaillaient, non pas à cause du bateau, mais à cause du mousse, Jean Aguadil...

Rinquet regardait à nouveau, avec une sorte de stupeur, ce bout de papier, ces deux photos ; il en était aussi effrayé que si on lui eût mis de force entre les mains une arme terrible.

— Je comprends, maintenant, monsieur Gilles... Qu'est-ce que vous allez faire ?

Gilles était presque aussi troublé que lui, pour d'autres raisons. A tel point qu'un instant il se demanda s'il ne remettrait pas les documents dans le coffre et s'il ne brouillerait pas à jamais le chiffre.

Il ne put cependant s'empêcher de tirer à lui la chemise qui portait le nom d'Éloi. Les papiers qu'elle contenait étaient presque neufs.

Il y avait trois traites, toutes les trois de dix mille francs, toutes les trois encaissées, portant des cachets de banque et des timbres fiscaux. Ces traites étaient signées Mauvoisin. Mais la lettre qui les accompagnait révélait le drame.

« *Je soussigné Robert Éloi reconnais avoir mis en circulation, pour payer mes dettes, trois traites de dix mille francs que j'ai subtilisées dans le bureau de mon oncle Mauvoisin et que j'ai signées du nom de celui-ci.*

« *Je m'engage à quitter la France dans un délai d'un mois et à prendre du service dans l'armée coloniale.* »

Que Bob eût employé ce moyen pour se procurer de l'argent, cela n'étonnait pas Gilles. Il lui semblait d'ailleurs que désormais rien ne pourrait plus l'étonner. N'avait-il pas en poche la lamentable lettre de son père ?

Ce qui l'intéressait davantage, c'était la date du billet. Il avait été écrit deux mois environ avant la mort d'Octave Mauvoisin.

— Dites-moi, monsieur Rinquet, vous qui connaissez tout le monde... Savez-vous si mon cousin Éloi a été absent de La Rochelle pendant les quelques semaines qui ont précédé la mort de mon oncle ?

— Je ne me souviens pas, mais ma sœur pourrait vous le dire...

— Allez le lui demander, voulez-vous ?

Jamais printemps n'avait été aussi triomphant, jamais l'air n'avait été si capiteux et Gilles, vêtu de noir, tournait en rond dans la chambre, avec parfois un frisson qui lui courait tout le long de l'échine.

Dix fois, il faillit saisir l'appareil téléphonique. Dans sa chambre, Colette devait attendre...

Il s'impatienta, parce que Rinquet ne remontait pas. Il lui sembla à plusieurs reprises qu'il y avait dans l'escalier des allées et venues anormales.

Quand Rinquet se présenta enfin à la porte, il était pâle.

— Une mauvaise nouvelle, monsieur Gilles...

— Qu'est-ce que c'est ?

— *Elle* n'a pas voulu qu'on vous prévienne...

— On l'a arrêtée ?

— C'est-à-dire que le commissaire, en personne, est venu la chercher pour la conduire une fois de plus chez le juge d'instruction... Elle lui a demandé en souriant si elle devait emporter la valise qu'elle avait préparée...

— Eh bien ?

Rinquet fit, de la tête, un geste affirmatif.

— Ma sœur est en larmes, dans la cuisine... J'ai dû lui faire boire un verre de rhum pour la ranimer...

— Ma femme ?

— Il paraît qu'elle est sortie pour faire des achats.

— Et au sujet de Bob ?

— Ma sœur ne sait plus... Elle prétend que ce n'est pas le moment de lui parler de ça... Elle croit se souvenir qu'il a été quelque temps en voyage et qu'à la mort de son oncle il n'était pas à La Rochelle...

Gilles tendit une main comme découragée vers l'appareil téléphonique, composa un numéro sur le cadran. Mais quand la sonnerie résonna, au bout du fil, il faillit raccrocher. Rinquet, qui ne savait pas qui il appelait, le regardait, impressionné, retenant son souffle.

— Allô... Donnez-moi monsieur Plantel, s'il vous plaît... De la part de Gilles Mauvoisin...

Ses nerfs étaient à tel point exaspérés qu'il aurait été capable d'éclater en sanglots, là, devant le combiné d'ébonite.

— Allô !... monsieur Plantel ?... Ici, Gilles Mauvoisin...

Il fixait, tout en parlant, le tas de chemises. Il y en avait peut-être cinquante. Il n'avait encore fait qu'effleurer le dossier.

— Allô !... s'impatientait Plantel. Je vous écoute. Parlez...

Et Gilles, la gorge étranglée :

— Je voulais seulement vous annoncer... que je viens d'ouvrir le coffre... Oui... C'est tout, monsieur Plantel... Comment ?...

A l'autre bout du fil, l'armateur, dans tous ses états, demandait à le rencontrer d'urgence. Et Gilles répondait tristement :

— Non, monsieur Plantel... Pas aujourd'hui... Non... Je vous assure que c'est impossible...

Quand il eut raccroché, il resta un bon moment immobile.

— Qu'est-ce que vous allez faire ?

Gilles ne comprit pas. Il avait perçu les syllabes, mais il n'avait pas reconstitué les mots.

— Qu'est-ce que vous allez faire, monsieur Gilles ?... S'ils gardent votre tante...

— Je ne sais pas... Venez...

Il n'avait plus le courage, ce jour-là, de pousser plus loin la lecture des dossiers. Il descendit, suivi de Rinquet, aperçut son beau-père qui surveillait, du seuil de l'ancienne église, le mouvement des cars.

Les deux hommes se dirigèrent vers les quais. A cause du passage d'un banc de mulets, il y avait une cinquantaine de pêcheurs à la ligne le long du bassin et la foule se pressait pour les regarder.

En passant devant le « Bar Lorrain », Gilles eut une hésitation. Il poussa la porte, fit entrer son compagnon avec lui, se dirigea vers le comptoir sans jeter un coup d'œil vers la table de Babin.

— Deux fines..., commanda-t-il.

Alors seulement il constata que Babin n'était pas là. Il s'en étonnait quand il vit l'homme au cigare sortir de la cabine téléphonique.

Babin fut frappé par la pâleur de Gilles, par la tension de tout son être. Il vint à lui, les sourcils froncés. Ses yeux n'avaient pas leur ironie habituelle. Il s'était comme humanisé. Il ne parlait plus comme de vieillard à enfant, ou encore, comme il l'avait dit un soir, de loup à mouton.

— Qu'est-ce que vous allez faire ?

La même question que Rinquet, la même question que se posaient cet après-midi-là tant de gens dont Gilles tenait soudain le sort entre ses mains. Car c'était sans doute Plantel qui venait de téléphoner. Il devait être occupé à donner l'alarme de tous côtés.

Rue Gargoulleau, dans l'étude de maître Hervineau, place d'Armes, chez le sénateur Penoux-Rataud, ailleurs encore, les appels se succédaient à une cadence rapide, rapide.

— C'est vous ?... Ici, Plantel... Le coffre est ouvert...

Toute une partie de la ville, celle qui, en apparence, était la plus solide, la mieux assise, se trouvait d'une heure à l'autre à la merci d'un long et maigre jeune homme vêtu de noir.

Chose étrange, Babin ne semblait pas vraiment effrayé pour lui-même. Est-ce qu'il était moins compromis que les autres ? Gilles n'avait pas eu la curiosité d'entrouvrir son dossier.

Il regardait les deux verres de fine, puis le jeune homme. Il comprenait. Il appelait le patron.

— Remettez-nous ça...

Puis, lentement, d'une main qui ne tremblait pas, il frottait une allumette et allumait son cigare.

— N'allez pas trop vite..., souffla-t-il encore en même temps qu'un nuage de fumée bleue...

Voyez-vous, vous risquez de faire beaucoup de mal... beaucoup... et peut-être à des personnes qui...

Il n'acheva pas sa pensée, mais Gilles aurait juré qu'il avait compris, que Babin faisait allusion à sa tante Éloi.

Mauvoisin, sobre d'habitude, but coup sur coup les deux verres d'alcool. Au moment où il allait sortir, Babin questionna avec une humilité qui ne lui était pas habituelle, comme on sollicite un service de quelqu'un :

— Le mot ?...

Gilles ne l'aurait pas confié à Plantel.

— *Marie...*

Et, comme l'autre fronçait ses gros sourcils en cherchant en vain dans sa mémoire, Gilles expliqua :

— Le prénom de *sa* mère...

Babin baissa la tête.

— J'aurais dû m'en douter...

Enfin, au moment où la porte se refermait :

— N'allez pas trop vite, monsieur Gilles...

Celui-ci, debout au bord du trottoir, regardait de loin la maison Éloi aux si chaudes odeurs.

V

— Je pense, murmura Rinquet avec hésitation, qu'il vaudrait mieux que je ne vous accompagne pas dans cet endroit...

Gilles venait de quitter un trottoir lumineux pour pénétrer dans l'ombre du Palais de Justice. Rinquet attendait en vain une réponse, regardait son nouveau maître et comprenait que Mauvoisin ne se souvenait plus de sa présence à ses côtés. Alors, comme un chien de garde, il jetait un coup d'œil hargneux à l'escalier qui sentait la poussière et il allait se camper sur le trottoir d'en face.

Gilles, cependant, était allé d'un seul élan jusqu'à une porte matelassée, au premier étage, et comme il n'y avait personne aux alentours, il l'avait ouverte, la porte avait grincé, un silence impressionnant avait suivi tandis que cinq ou six visages, au-dessus de robes noires, étaient tournés vers lui.

Cette vision baroque devait toujours rester pour lui comme l'image de la justice des hommes. Gilles ne faisait pas de distinction entre les tribunaux civils et les tribunaux criminels. Dans une salle longue, aux murs gris, où il y avait quelques bancs, comme dans une école, des juges étaient assis, des magistrats en tout cas, deux ou trois, tandis que deux ou trois autres personnages debout, en face d'eux, s'accoudaient familièrement à une sorte de comptoir. La fenêtre était ouverte et, toujours comme dans des souvenirs d'école, laissait pénétrer des bouffées de printemps, des bruits lointains.

La porte, en grinçant, avait figé les personnages dans le geste même qu'ils faisaient à l'arrivée de

Mauvoisin et cette porte ouverte, ce jeune homme en noir qui les regardait, semblaient les plonger dans un abîme de stupeur.

C'était faux, sans doute, et pourtant Gilles devait garder l'impression qu'il avait dérangé un conciliabule secret, de même que parfois, à l'école, les maîtres restent à deux ou trois ensemble dans une classe vide et parlent en riant des punitions qu'ils viennent d'infliger.

D'ailleurs, au moment où la porte se refermait sur lui, n'entendait-il pas la voix d'un des hommes en robe qui disait tranquillement :

— C'est le neveu Mauvoisin...

Pendant plusieurs minutes, il erra dans des locaux déserts, dans des corridors qui sentaient le bois moisi et, quand enfin il put demander à quelqu'un où était le cabinet du juge d'instruction, l'employé lui demanda sans détacher le regard du petit pain au chocolat qu'il déballait :

— Lequel ?

— Celui qui s'occupe de l'affaire Mauvoisin...

— A gauche, puis encore à gauche... Tout au fond...

Là, il n'eut plus besoin de questionner quelqu'un. Deux hommes étaient debout dans une antichambre entourée de bancs sans dossier. C'étaient le commissaire de police et un inspecteur qui fumaient et bavardaient et qui se turent, comme les juges du tribunal civil, à son arrivée.

Une porte était garnie d'une vitre dépolie et, à

côté de cette porte, sur le banc, Gilles aperçut la petite valise de Colette. Les moindres détails, ce jour-là, à cause de la tension de tout son être, prenaient une valeur exceptionnelle et cette simple valise qui paraissait attendre lui donna un choc aussi violent que s'il eût assisté à une scène dramatique.

Sans s'inquiéter des policiers, il marcha jusqu'à la porte et frappa, au moment où le commissaire s'apprêtait à l'en empêcher. Trop tard ! Une voix, de l'intérieur, grommelait avec étonnement :

— Entrez...

Gilles entrebâillait l'huis. Il découvrait d'abord Colette, assise sur une chaise, puis, derrière un large bureau, un homme roux aux cheveux en brosse. Sans doute le juge avait-il cru qu'il n'y avait qu'un magistrat ou un policier pour oser le déranger ? Il se leva d'une détente, comme pour empêcher un sacrilège, repoussa Gilles.

— Je ne peux recevoir personne... Vous voyez bien que...

Et il referma la porte si violemment que la vitre frémit, faillit se briser. Le commissaire et le policier se regardèrent en souriant, suivirent des yeux Gilles qui alla s'asseoir sur un des bancs, près d'une tache de soleil.

Des minutes passèrent, un quart d'heure, une demi-heure, et on s'habituait au silence, de même qu'on s'habitue à l'obscurité, on percevait plus nettement le long murmure dans le cabinet du juge d'instruction.

Sur le mur sale, d'un vilain gris, une araignée s'approchait si lentement d'une coccinelle, égarée là Dieu sait comment, qu'il fallait beaucoup d'attention pour s'apercevoir qu'elle avançait et Gilles, les yeux fixés sur elle, avait le front et les mains moites.

La sirène d'un bateau, au loin, le fit tressaillir, lui rappelant peut-être son arrivée à bord du *Flint*, en même temps qu'un souffle d'air tiède évoquait le cimetière de Nieul où deux merles se poursuivaient dans un buisson.

Il ne pensait pas. Il ne pouvait plus penser, puisqu'il était devenu lui-même comme le centre des choses ; il ne les voyait plus telles qu'elles étaient ; tout à l'heure, s'était-il seulement aperçu qu'il marchait le long des trottoirs, qu'il frôlait la foule, toujours plus dense en face de « Prisunic » et qu'une petite marchande de douze à treize ans lui avait tendu des branches de mimosa ?

Il était le fils du couple d'amoureux de la rue de l'Escale, le fils de celui des Mauvoisin qui venait chaque jour de Nieul, à pied, avec sa boîte à violon sous le bras et ses cheveux longs, le fils d'Élise qui avait suivi dans toutes les villes d'Europe, dans tous les meublés tristes, dans tous les restaurants à bon marché, l'homme qu'elle aimait. Il venait de plus loin. Il était le petit-fils de celle des deux sœurs qui avait un si doux visage et qui faisait penser à Colette, le petit-fils aussi du maçon qui, dans les derniers temps de sa vie, conduisait les tombereaux du four à chaux.

Il était tout cela ; des fils se rattachaient à tout cela, et pourtant c'est comme un étranger qu'il avait débarqué un jour d'un cargo qui sentait la morue et que, sa valise à la main, un bonnet de loutre sur la tête, il avait erré sur les quais.

Tous les autres se connaissaient, avaient passé leur vie dans la même ville, parlaient le même langage, avaient des souvenirs communs.

Gérardine Éloi était la sœur de sa mère. Elle avait vécu son enfance, elle aussi, dans la maison pleine de musique de la rue de l'Escale, où Gilles n'avait vu qu'un visage furtif à travers les rideaux.

Elle avait épousé, non un musicien vagabond, mais un homme dont la famille, depuis trois ou quatre générations, tenait le même commerce de fournitures pour la marine, dans la même maison du quai Duperré.

Elle n'avait plus quitté cette maison. Elle y avait eu ses enfants.

Tout cela s'était passé alors qu'il était loin et qu'il ne connaissait La Rochelle que par des phrases évocatrices échappées à ses parents. Dans son esprit, les images s'étaient déformées, il avait rêvé cette ville comme un chromo aux tons chauds et calmes, comme un refuge de paix et d'honnêteté.

Parfois, de l'autre côté de la porte vitrée, le

murmure changeait de ton. C'était Colette qui parlait... Et Gilles devait s'essuyer les mains à son mouchoir cependant que les deux policiers, pour bavarder plus à l'aise, s'étaient accoudés à la fenêtre ouverte.

Il avait découvert le secret du coffre. Il ne pouvait s'empêcher de croire que c'était ce que son oncle avait voulu. Ce mot mystérieux qu'il fallait deviner ne ressemblait-il pas aux dragons qui gardaient jadis, dans les temps fabuleux, les cavernes aux trésors ?

L'épais, le dur Mauvoisin, qui ne parlait à personne et qui méprisait ses semblables, allait chaque semaine à Nieul, s'asseyait dans une pièce en désordre pour contempler un profil de femme que le temps effaçait peu à peu.

C'était cela qu'il fallait découvrir ! Peu importait l'autre Mauvoisin, Mauvoisin-l'Implacable qui, de son pas lent que rien n'arrêtait, suivait chaque jour un même chemin, un même horaire, et dirigeait les événements.

Qu'est-ce que son oncle avait voulu ?

Qu'un jeune homme, presque un enfant, devînt tout à coup juge de la vie et de la mort ?

Parfois les nerfs lui faisaient si mal, tandis que cette attente se prolongeait, qu'il se levait d'une détente. Mais il n'osait pas marcher et, quand les deux policiers, étonnés, se retournaient, il se rasseyait à sa place, les mains à plat sur les genoux.

Il savait... Lui seul savait...

Octave Mauvoisin était le frère de son père... Gérardine Éloi était la sœur de sa mère...

Mais lui, un soir, dans un couloir à peine éclairé, avait serré dans ses bras sa tante Colette et avait bu longuement la vie sur ses lèvres.

C'était elle qui était là, menue et sans défense, derrière la porte vitrée. C'est à cause d'elle qu'une sonnerie se faisait entendre, que le commissaire se précipitait.

Qu'est-ce qu'on allait faire à Colette ? Le commissaire ressortait du bureau, adressait un clin d'œil à l'inspecteur, se dirigeait vers un autre corridor.

Quelques instants plus tard, il revenait accompagné du docteur Sauvaget qui, mal rasé, amaigri, les vêtements fripés, paraissait encore plus crispé et plus misérable qu'autrefois.

On allait confronter les amants du quai des Ursulines.

Et Gilles savait... Et Gilles était l'héritier de son oncle, de celui que cet homme et cette femme avait trompé !

Le commissaire paraissait à nouveau, tirait sa montre de sa poche, disait à l'inspecteur :

— Je crois que je ferais bien de téléphoner à ma femme...

Cela ne signifiait-il pas que l'attente serait longue, que la confrontation allait peut-être durer des heures ?

La valise était toujours là, éloquente. Qu'est-ce que Colette avait mis dedans? Elle n'avait pas pleuré. Elle n'avait pas dit au revoir à Gilles. Elle était partie sans bruit, presque en cachette, comme certaines gens meurent, pour ne pas attrister leur entourage.

Et Gérardine Éloi était sa tante ! Il connaissait, maintenant, son histoire, que Rinquet, qui savait tout, lui avait racontée.

Elle avait failli épouser un employé du Crédit Lyonnais qui était mort tuberculeux après quelques mois de fiançailles. Plus tard, elle avait épousé Désiré Éloi qui avait quinze ans de plus qu'elle.

— C'était un original..., disait Rinquet.

Et, dans sa bouche, ce mot équivalait à demi-fou.

— Il n'avait qu'une passion, celle des montres anciennes. On lui en envoyait de partout, car les antiquaires connaissaient sa manie. Des journées, des soirées, des nuits durant, il travaillait à les démonter et à les faire marcher. Pendant ce temps-là, ses commis le volaient, la maison Éloi, qui avait été une des plus prospères de La Rochelle, tombait peu à peu, de sorte qu'à sa mort la situation était désespérée...

Toute une période que Gilles n'avait pas connue. Gérardine, au premier étage, au-dessus des magasins, ne s'occupait alors que de ses trois enfants. L'été, elle vivait avec eux dans une villa qu'elle possédait à Fouras, au bord de l'Océan.

Et voilà qu'elle devait descendre au bureau, se raidir pour discuter avec les marins et les hommes d'affaires. Elle adoptait ces vêtements de soie noire qui lui donnaient un air si dur. Elle se débattait contre la mauvaise fortune, empruntait à droite et à gauche, obtenait des délais, s'adressait enfin à Octave Mauvoisin.

C'était toujours la mère, chez elle, qui luttait de la sorte, pour sa nichée. Et qu'importait que Bob ne fût qu'un voyou, sa fille Louise une pâte molle, l'autre une écervelée romanesque qui s'était jetée à la tête d'un homme marié ?

Dans les soucis d'Octave Mauvoisin, elle ne représentait qu'une halte de quelques minutes, la halte de cinq heures de l'après-midi, quelques centaines de mille francs qu'il surveillait, une tasse de thé et une tartine à la marmelade d'oranges...

Des pas lents, dans l'escalier. L'homme s'arrêtait toutes les trois ou quatre marches et on entendait son souffle court. Quand il atteignit l'antichambre, Gilles reconnut le sénateur Penoux-Rataud, pour qui les escaliers représentaient un supplice. Il avait, comme d'habitude, son parapluie à la main. Les deux policiers s'éloignaient vivement de la fenêtre pour le saluer avec respect et le sénateur regardait Mauvoisin avec surprise, hésitait peut-être à lui adresser la parole, entrait enfin sans frapper dans le cabinet du juge d'instruction.

Gilles ne bougeait toujours pas, mais son angoisse devenait douloureuse. Qu'est-ce que Penoux-Rataud était venu faire ? Il restait environ dix minutes. Sans doute les deux hommes avaient-ils parlé bas, près de la porte, car on avait vu leur silhouette se découper en ombres chinoises sur la vitre dépolie.

En reconduisant le sénateur, le juge lança à Mauvoisin un coup d'œil intrigué. L'ancien ministre eut une quinte de toux, cracha dans son mouchoir, examina avec attention ce qu'il avait craché, puis s'éloigna de son pas lent de vieil homme.

Encore une demi-heure, trois quarts d'heure. Enfin le timbre résonna, le commissaire se précipita, souriant à l'idée de son dîner qui se rapprochait.

Gilles aurait voulu se cacher, mais il ne quittait pas sa place et il restait assis, dans l'espoir de ne pas être vu.

Colette sortit la première, un mouchoir roulé en boule dans la main droite et, d'un geste résigné, elle saisit sa valise que le commissaire lui prit des mains en murmurant avec une ombre de galanterie :

— Laissez...

Puis elle écarquilla les yeux en voyant Gilles.

Elle parut prête à se raviser, à rentrer dans le cabinet.

— Par ici, madame...

Elle passa tout près de lui, sans un mot, et il regretta de ne pas l'avoir regardée, de ne pas lui avoir adressé un encouragement.

Quant au docteur Sauvaget, il suivait l'inspecteur vers le grand escalier.

— Vous voulez entrer, monsieur ?

C'était le juge aux cheveux roux et drus qui s'adressait à Gilles, du seuil de son bureau. Dans ce bureau, il y avait un greffier, que le jeune homme n'avait pas vu tout à l'heure et qui classait des documents à une petite table.

Le juge s'était assis.

— Qu'est-ce que vous désirez, monsieur Mauvoisin ?... Avant tout, permettez-moi de vous faire remarquer que votre visite est incorrecte, en dehors de toutes les règles, et que je ne devrais pas vous recevoir...

Satisfait de sa phrase, il regardait de bas en haut le jeune homme qu'il n'avait pas invité à s'asseoir et, comme Gilles ne trouvait pas ses mots, il ajouta avec impatience, en tirant un chronomètre en or de la poche de son gilet :

— Je vous écoute...

— Je voudrais vous demander, monsieur, si ma tante est arrêtée ou va l'être...

De vilains petits yeux durs et, dans toute la

personne du juge, un contentement de soi qui faillit mettre Mauvoisin en fureur.

— Je regrette, mais il m'est interdit de vous répondre...

— Ma tante est-elle libre ?

— Si vous voulez savoir si elle dînera avec vous ce soir, je ne le pense pas... Pour le reste...

Il esquissa un geste vague, regarda sa main alourdie par une chevalière qu'il paraissait heureux d'admirer. Il allait se lever, reconduire son visiteur jusqu'à la porte.

— Je sais, monsieur le juge, que ma tante n'a pas empoisonné son mari.

Il se leva.

— Encore une fois, monsieur Mauvoisin, je regrette... Je préfère oublier jusqu'à votre visite et...

Il ouvrait la porte. Gilles hésitait encore et, enfin, il s'élançait dans l'antichambre, des larmes de rage aux yeux. Il se trompa de corridor, erra longtemps dans les locaux du Palais de Justice et repassa devant la porte matelassée qu'il avait poussée en arrivant et qui, maintenant, était ouverte sur une salle vide où pénétraient les ombres du crépuscule.

Dehors, il fut surpris de voir l'honnête Rinquet qui marchait à côté de lui, et qui n'osait pas le questionner.

Les réverbères étaient allumés, mais la nuit

n'était pas encore tombée et des rayons de soleil traînaient encore dans le ciel.

— Je n'aurai plus besoin de vous aujourd'hui, monsieur Rinquet...

— Je vous remercie... Vous savez, n'est-ce pas, qu'elle est arrêtée ? J'ai vu un ancien collègue et...

Gilles le regarda et ne répondit rien. Puis il marcha plus vite. Il marcha jusqu'au bout du quai, sans rien voir, sans penser, et se trouva devant le petit café de Jaja. Il entra. Il n'avait rien à lui dire. Il avait besoin de se détendre un instant.

Malheureusement, Jaja était attablée avec deux autres commères dont une tricotait de la laine blanche.

— Alors, ça va mal, mon garçon ?... Qu'est-ce que tu prends ?

Elle se dirigea vers son comptoir où elle emplit un petit verre d'alcool. Puis elle se tourna vers les deux autres.

— Si ce n'est pas malheureux de me l'avoir arrangé ainsi !...

Gilles avait oublié les marques de l'agression du matin et il fut étonné, en se regardant dans la glace, d'apercevoir deux grandes taches rouges sur son visage.

— Comme si on ne voyait pas tout de suite qu'un garçon comme ça ne peut pas se défendre !... Assieds-toi, mon Gilles... Dieu sait si je me doutais, quand tu es arrivé un soir, avec ton long pardessus et ton drôle de chapeau...

Elle s'adressait aux commères.

— Si vous aviez vu comme il était gentil...

Tant de soirs, cet hiver, Gilles était venu de la sorte s'asseoir un moment chez Jaja ! Pourquoi, aujourd'hui, s'y sentait-il mal à l'aise ? Les trois femmes le détaillaient. Le tricot de l'une d'elles avait déjà la forme d'une chaussette de bébé.

— Maintenant, le voilà marié, sans compter ces tracas qu'il a sur le dos !... Tu t'en vas déjà, mon poulet !... Tu ne veux pas emporter deux belles soles ?...

Il ne fut pas capable de lui répondre, de lui dire gentiment au revoir. C'était la troisième ou quatrième fois, ce jour-là, que sa gorge se serrait si fort qu'elle lui faisait mal comme quand, enfant, il avait une angine.

Les mains dans les poches, il erra le long des quais. La vitrine de la maison Éloi était encore éclairée, moins que les vitrines voisines, parce qu'il ne s'agissait pas d'un commerce où il est besoin d'attirer le client.

Il se rapprocha, s'éloigna. De même que le soir de son arrivée, il rôdait, hésitant, et il voyait sa tante dans son bureau, les commis qui ficelaient des paquets.

Enfin, l'un deux passa sur le trottoir et commença à assujettir les volets. Il n'y eut plus que la porte d'éclairée, puis il fallut regarder avec attention pour distinguer un mince trait lumineux sous le battant.

On jouait de la musique, à la terrasse du « Café Français » où les gens jouissaient d'un des premiers beaux soirs. Un Algérien allait de table en table et déposait sur chacune quelques cacahuètes. Plus loin, au-delà de la Grosse Horloge, deux ou trois silhouettes, dans le noir, des femmes qui guettaient le client, prêtes à s'éloigner à la vue d'un inspecteur.

Toute la ville était éclairée. De la lumière dans toutes les maisons, des familles qui allaient se mettre à table, sous la lampe, des enfants qui rangeaient leurs devoirs ou qui apprenaient à mi-voix leurs leçons.

Il leva les yeux. Au premier étage, les demoiselles Éloi devaient...

Il n'osait pas. Il s'éloignait encore. Il entendait la porte s'ouvrir et il se retournait, il voyait les commis sortir en file indienne, deux d'entre eux monter en vélo.

Il était l'héritier d'Octave Mauvoisin, *son héritier total,* maintenant qu'il avait découvert le secret de son oncle. Seulement, Mauvoisin ne soupçonnait pas qu'il serait un jour empoisonné.

Qu'aurait-il fait s'il avait su, *s'il avait su par qui ?*

Il ne soupçonnait pas non plus qu'un jour, dans ce couloir du second étage qui lui était si familier, son neveu étreindrait Colette et serait submergé par l'émotion la plus intense de sa vie.

La porte s'ouvrait une fois encore. C'était la

dactylographe. Elle regardait autour d'elle. Peut-être attendait-elle un amoureux ? Elle aperçut Gilles et elle rentra un instant. Il devinait qu'elle disait à Gérardine Éloi :

— *Il* est là...

Elle s'éloignait. Il restait de la lumière sous la porte, dix minutes s'écoulaient encore. La lumière ne s'éteignait pas.

Alors, Gilles traversait la rue. Tandis qu'il touchait le bouton, une clef tournait dans la serrure, l'huis s'écartait, il se trouvait devant sa tante qui le regardait fixement.

Ce fut presque d'une voix d'enfant intimidé qu'il prononça :

— Bonsoir, tante...

Elle sourcilla, étonnée de sentir dans l'accent une véritable affection. Et c'était vrai ! Il n'osai pas se tourner vers elle ! Il l'aimait bien ! Il avait honte d'être ici !

Elle refermait la porte à clef et se dirigeait vers son bureau vitré. Il voyait sa silhouette solide devant lui. Il savait qu'elle avait peur, que c'était lui qui lui faisait peur, et il s'en voulait de torturer ainsi la sœur de sa mère.

Il aurait préféré lui parler à cœur ouvert, lui dire tout ce qu'il pensait, tout ce qu'il sentait.

— Entrez...

Le piano résonnait à l'étage au-dessus, une cascade de notes maladroites se heurtaient à tous les murs de la maison.

Les narines de Gérardine Éloi frémirent cependant qu'elle levait un instant les yeux vers le plafond. Puis elle sourit, non pas comme quand on est content, non plus comme quand on veut être poli, mais comme sous le coup d'un tic, spasmodiquement, et, assurant sur le dossier d'une chaise sa main qui tremblait, elle tendit cette chaise à son neveu et prononça :

— Asseyez-vous, Gilles... Qu'est-ce que vous avez à me dire ?

Pourquoi sa voix, à cet instant, ressemblait-elle à celle de sa mère ? Gilles ne regardait pas Gérardine et l'illusion n'en fut que plus grande.

Il se jeta contre le mur, la tête dans les bras, et son long corps maigre fut secoué par les sanglots.

VI

Le piano jouait toujours, au-dessus de sa tête, une phrase qu'on recommençait sans fin, car les doigts de la pianiste — probablement Louise — butaient régulièrement sur le même accord. Sans être tentée de passer par-dessus l'obstacle, elle revenait en arrière, ni plus lentement, ni plus vite.

Les yeux fermés, Gilles n'en avait pas moins conscience du décor qui l'entourait, surtout de ce vaste magasin bas et encombré où les lampes étaient éteintes et où les cloisons vitrées du bureau répandaient une clarté jaune, couleur des cordages empilés. Partout du matériel pendait du plafond, des fanaux, des grappes de poulies, des seaux, des objets sans forme qui dessinaient des ombres mystérieuses et, dans la vitrine, quelque chose bougeait, un chat ou un rat.

Gilles pleurait et, sentant sa tante immobile derrière lui, il retenait ses sanglots pour percevoir sa respiration. Il faudrait bien qu'elle fasse un mouvement, qu'elle prononce des mots quelconques. Elle ne pouvait pas rester ainsi comme en suspens, et pourtant les secondes, les minutes passaient, les larmes devenaient moins abondantes et rien ne bougeait toujours.

Était-ce lui qui allait devoir se retourner et la regarder en face ? Est-ce qu'elle pleurait en silence ? Était-elle figée par l'émotion, le teint blafard, les traits creusés ?

Soudain, elle s'assit, devant son bureau. Les pieds de la chaise avaient un peu crissé sur le plancher. Les mains se posaient sur des papiers. Une voix calme et méchante articulait :

— Quand vous aurez fini vos simagrées...

Il crut avoir mal entendu. Ses larmes se tarirent net. Il resta encore un moment immobile, la tête dans ses bras repliés, puis, lentement, il se redressa. Lentement aussi il se retourna et il la vit, calme comme quand elle recevait un client, qui fixait sur lui un regard dur.

— C'est terminé ? questionnait-elle comme il avait un dernier hoquet. Maintenant, vous pourrez peut-être me dire ce que vous voulez ?...

Elle avait mis à profit le temps qu'il pleurait pour reprendre son sang-froid. Jamais il ne l'avait vue aussi dure, aussi maîtresse d'elle-même et il se demandait comment, un peu plus tôt, il avait pu prendre sa voix pour la voix de sa mère.

Pour lui aussi, l'émotion était passée. Comme après ses crises de larmes d'enfant, il se sentait vide et mou et il s'asseyait sur une chaise, baissait la tête, prononçait d'une voix mal timbrée :

— On ne peut pas la laisser condamner, tante. Vous savez bien qu'elle n'a rien fait...

Et Gérardine Éloi de ricaner en montrant ses grandes dents :

— C'est elle qu'il faut sauver, n'est-ce pas ? C'est elle, elle seule qui importe !

— Elle n'a pas empoisonné mon oncle, vous le savez...

Il aurait donné gros, à ce moment encore, pour que sa tante protestât, mais elle ne s'en donnait pas la peine.

— Vous avez déjà porté les traites au juge d'instruction ?

Il secoua négativement la tête.

— Qu'est-ce que tu lui as dit ?

— Rien, tante... Écoutez... J'ignore ce qu'il va falloir faire...

Si elle n'avait pas été devant lui aussi froide

qu'un caillou, il aurait parlé autrement. Un peu plus tôt, d'autres mots se pressaient sur ses lèvres. Il aurait dit :

— Je sais tout, tante, et je ne parviens pas à vous en vouloir… Je sais que vous avez été très malheureuse, que, depuis la mort de votre mari, vous vous débattez contre des difficultés qui ne sont pas le lot habituel d'une femme… Je sais que, si vous êtes forte en apparence, au point que les hommes prononcent votre nom avec une nuance de respect, c'est parce qu'il le faut, parce que vous veillez farouchement sur vos enfants et sur cette maison Éloi que vous considérez comme leur bien…

« Octave Mauvoisin, sous couleur de vous aider, vous a dépouillée du peu qui vous restait…

« Quand il s'asseyait dans ce bureau, chaque jour à cinq heures, c'était en maître qui réclame des comptes et donne des ordres…

« Il tenait votre sort et celui de vos enfants entre ses mains… Il était inaccessible à tout sentiment et particulièrement à la pitié…

« Vous sentiez que Bob constituait aussi un danger, qu'un jour ou l'autre il ferait des bêtises…

« Et c'est lui, en effet, qui s'est sottement livré pieds et poings liés à Mauvoisin…

« Mon oncle a exigé son départ, son engagement dans les troupes coloniales… L'idée de Bob en Afrique, livré à lui-même et à tous ses vices…

« N'est-ce pas, tante, que c'est ainsi ?… N'est-ce pas que vous avez triché, que vous avez caché Bob quelque part en France ?... N'est-ce pas que Mauvoisin a deviné la supercherie ?... N'est-ce pas qu'alors vous avez envisagé sa mort ?

« Je suis le fils de votre sœur... Je ne suis pas un juge... Je ne parle pas au nom de la Justice et peu m'importe qu'un assassin soit puni...

« Mais vous savez bien, tante, qu'une femme qui n'a rien fait est accusée à votre place... Vous savez bien que... »

Ces phrases-là, il ne les prononça pas et le silence régna à nouveau dans le petit bureau surchauffé, livrant l'espace aux notes du piano. Deux ou trois fois encore, Gérardine regarda le plafond avec impatience. Elle aurait voulu faire taire cette musique exaspérante, mais il aurait fallu aller jusqu'au fond du magasin et crier dans la cage d'escalier. Au surplus, n'était-ce pas la dernière fois qu'on jouait du piano dans la maison ?

— Je suppose que vous allez commencer par envoyer votre cousin Bob en prison ?

Que pouvait-il lui répondre ? Non ! Ce n'était pas nécessairement cela qu'il voulait. Il fallait sauver Colette. Tout le monde l'accuserait d'être son amant, mais il fallait la sauver. Il avait honte. Il se répétait que, sans le baiser qu'ils avaient échangé, il aurait agi de la même manière, et c'était vrai.

— Il faut faire quelque chose, tante... Je ne sais pas quoi... Peut-être que si...

Il hésitait. Il lui semblait qu'un sourire sardonique étirait les lèvres sèches de sa tante.

— J'écoute...

— Si vous partiez tous à l'étranger... Je pourrais...

Il y avait des mots qu'il lui était plus pénible de prononcer qu'à tout autre, surtout le mot argent. Il en avait trop, cet argent lui était venu d'un coup, et il avait quelque répugnance à s'en servir.

Cependant comme ce serait simple ! Il donnerait à sa tante Éloi tout l'argent qu'elle voudrait. Elle partirait pour l'étranger, la nuit même et, une fois en sûreté, elle enverrait une confession de son crime...

Elle l'avait deviné et elle ironisait :

— Vous me donneriez une somme, n'est-ce pas ?

Il fit oui de la tête. Il espérait encore. Il n'osait plus se tourner vers elle, parce qu'alors son courage l'abandonnait.

Le calme monstrueux de sa tante, son sang-froid inattendu, au lieu de l'indigner, lui donnaient encore plus de pitié pour elle. Agressive, elle rispotait :

— Eh bien ! non, mon petit Gilles... Je refuse... Faites tout ce que vous voudrez... Accusez votre cousin... Peu importe, n'est-ce pas, qu'il soit déshonoré ?... Accusez-moi !... On vous demandera des preuves... Quant à moi, je me défendrai...

Elle s'était dressée et elle lui paraissait beaucoup plus grande.

— Je pense que c'est tout ce que nous avons à nous dire...

Elle regardait vers la porte. Elle lui donnait congé. Elle lui tendit même son chapeau qu'il avait posé sur le bureau. Elle eut encore la présence d'esprit de tourner le commutateur qui commandait les lampes du magasin et, quand il fut sur le trottoir, il entendit qu'elle mettait les barres de fer à la porte.

Rinquet l'attendait et marcha à son côté, mais Gilles ne lui adressa pas la parole, ne parut pas s'apercevoir de sa présence et, lorsqu'il rentra dans la maison du quai des Ursulines, l'ancien inspecteur se contenta d'enlever son chapeau et de saluer en silence.

— Ils l'ont gardée ? questionna Alice en s'avançant vers lui pour l'embrasser et en prenant un visage de circonstance.

Il la fixa comme sans comprendre. Il était presque étonné de la trouver là. Jamais encore il n'avait senti à quel point sa femme lui était étrangère.

— Qu'est-ce que tu vas faire ?

Il haussa les épaules Ce qu'il allait faire ? Elle ne pouvait comprendre

— Je ne dînerai pas,.annonça-t-il en voyant les

couverts dressés dans la salle à manger et la bonne qui apportait la soupière.

— Pourquoi ? Où vas-tu ?

— Là-haut...

Elle insistait, maladroite :

— Prends au moins quelque chose... Ne fût-ce qu'un peu de soupe... Veux-tu une tranche de viande ?...

Il s'éloignait déjà sans l'écouter.

Il était près de minuit quand elle monta à pas feutrés et colla son oreille à la porte de la chambre de l'oncle. Elle n'entendit aucun bruit. Elle essaya de regarder par la serrure, mais elle ne vit qu'une partie du lit.

Alors, elle frappa timidement.

— Entrez..., répondit une voix calme.

Sans impatience, il se tourna vers elle. Il n'y avait rien d'extraordinaire dans son attitude. Au contraire, il avait rarement été aussi calme. Devant lui, sur le bureau à cylindre, les documents du coffre étaient étalés et plusieurs feuilles de papier étaient couvertes de notes de la main de Gilles...

— Qu'est-ce que tu fais ? Tu ne viens pas te coucher ?

Entre eux, ce soir-là, il y avait un vide tellement immense que rien ne semblait désormais pouvoir les rapprocher. Ils ne s'étaient pas disputés. Il ne s'était rien passé. Il ne pouvait rien reprocher à Alice, sinon d'être elle, une jeune fille quelconque qui ne l'agaçait même plus, mais qui lui était complètement indifférente.

— Veux-tu que je te fasse monter un bol de bouillon ?

— Oui...

A quoi bon s'impatienter ? Il attendait qu'elle s'en allât. Après, il continuerait le travail commencé dans la solitude de la chambre où son oncle, tout seul, lui aussi, avait passé tant de soirées.

Est-ce qu'il ne devrait pas s'habituer à la solitude ? Colette s'en irait. Elle quitterait la ville avec le docteur Sauvaget, dont on finirait bien par reconnaître l'innocence.

Une fois passée la tempête que Gilles allait déchaîner, il serait en somme le vrai héritier de son oncle, son vrai successeur, et il y aurait autour de lui le même vide qu'il y avait eu autour d'Octave Mauvoisin.

Alice s'approcha pour l'embrasser au front et il la laissa faire. Elle lui caressa les cheveux et, s'il trouva ce geste vulgaire, il n'en dit rien.

— Tu ne ferais pas mieux de te reposer ?

Il fit non de la tête. Il fallait en finir. Après, il n'en aurait peut-être plus le courage.

— Bonsoir, Gilles..., soupira-t-elle, résignée.

— Bonsoir...

Il entendit à peine la bonne qui venait poser un bol de bouillon et un morceau de bœuf froid sur le bureau et il la regarda avec de tels yeux qu'en quittant la pièce elle se demanda s'il l'avait reconnue.

Tout à l'heure, il mettrait au net les documents qu'il avait établis.

« *Monsieur le Procureur,*

« *J'ai l'honneur de porter à votre connaissance...* »

A trois heures du matin, la lettre, dans une grande enveloppe jaune, était close. Il y avait d'autres lettres, sur lesquelles on lisait les adresses de monsieur Plantel, de Raoul Babin, du sénateur Penoux-Rataud, ancien ministre, d'Hervineau, d'autres encore.

Gilles but son bouillon qui s'était refroidi. Il mangea, sans pain, la tranche de viande qui avait un arrière-goût de sang, comme ses propres lèvres quand, le matin, Bob l'avait frappé.

C'était fini. Il n'avait plus rien à faire.

L'idée ne lui vint pas de descendre se coucher auprès de sa femme dans la chambre que celle-ci avait aménagée à son goût et qui, à mesure qu'elle se transformait, semblait à Gilles plus étrangère.

Composant à nouveau le mot « *Marie* », renfermant tous les papiers dans le coffre, puis décomposant le mot, il passa dans la chambre qui avait été la sienne avant son mariage.

Il entrouvrit le rideau. Il savait, pourtant, qu'il n'y avait pas de lumière chez sa tante.

Les toits, sous les rayons de lune, montraient

des arêtes nettes, des surfaces plates comme des déserts, et les pavés des rues étaient blafards.

Les photographies étaient toujours à leur place, sur le marbre noir de la cheminée.

Sur l'une d'elles, le père de Gilles, en habit, le violon à la main, paraissait saluer un public enthousiaste. Il était beau, avec son fin visage toujours pâle et ses moustaches effilées.

C'est ainsi qu'il se montrait à Vienne, dans ce café aux lourdes dorures et aux amours dodus...

Après quoi, rentré chez lui, il écrivait :

« Mon cher Octave... »

— Pauvre papa ! murmura Gilles à mi-voix.

Et il contempla un portrait de sa mère. C'était une de ces cartes postales mal tirées que les artistes de cirque et de music-hall vendent à l'entracte. Sa mère était en costume de scène, les jambes et les cuisses moulées dans un maillot que Gilles savait d'un rose de bonbon fondant.

Il avait toujours été choqué de voir sa mère dans cette tenue. Il détourna les yeux.

— Pardon, maman...

Pardon de quoi ? Il avait fait ce qu'il avait cru devoir faire. Pourtant, il se sentait coupable vis-à-vis d'eux tous, vis-à-vis des Mauvoisin et de son oncle lui-même, vis-à-vis de sa mère dont il allait attaquer la sœur.

Un léger fantôme errait à travers l'appartement, comme le soir où Colette était venue sans bruit prendre la clef du coffre dans la chambre de Gilles...

Cette nuit, elle dormait entre les murs d'une prison. C'était pour elle que...

Et après, elle partirait... Elle partirait avec un autre, avec Sauvaget, tandis que Gilles...

Il dormit tout habillé et fut en proie à des cauchemars comme quand il était gamin. Une fois, il se réveilla en nage, assis sur son lit, et il eut l'impression qu'il avait crié, il tendit l'oreille comme pour retrouver dans le silence de la maison vide l'écho de sa voix.

A neuf heures du matin, Rinquet le trouva, dispos, mais pâle, dans son bureau. Plusieurs lettres étaient posées devant lui.

— Si vous voulez bien aller les porter, monsieur Rinquet...

Puis on le vit dans le hall des autocars, où il échangea quelques phrases, posément, avec son beau-père.

Employés et ouvriers l'observaient à la dérobée, car les journaux du matin annonçaient l'arrestation de Colette Mauvoisin. On y faisait aussi allusion à la scène qui s'était déroulée la veille entre Bob et Gilles au « Café de la Paix ».

A onze heures, il pénétra au « Bar Lorrain ». Il comprit, à la gravité de Babin, que celui-ci avait déjà reçu sa lettre. Pourtant, il n'y avait aucune rancune chez l'armateur. Au contraire, on pouvait lire dans ses yeux une certaine estime et c'est lui qui se dérangea pour venir au comptoir et pour tendre la main au jeune homme.

Il n'y avait plus besoin, entre eux, de beaucoup de paroles.

— Vous avez peut-être raison, monsieur Gilles... Je me demande toutefois si vous vous rendez compte des forces que vous déchaînez... Vous ne connaissez pas encore Gérardine... Elle se défendra avec bec et ongles...

Gilles aperçut sa tante, un peu plus tard, dans son magasin, et un instant elle tourna le visage vers lui.

Il n'avait plus de remords, plus d'hésitation. Quand il pénétra au Palais de Justice, il n'erra plus, comme la veille, dans le dédale des corridors et des escaliers.

— Voulez-vous m'annoncer à monsieur le procureur ? Je crois qu'il m'attend...

A trois heures, une édition spéciale du *Moniteur* sortait des presses et des camelots la criaient le long des rues et des quais, des groupes se formaient, des gens gesticulaient sur le seuil des boutiques.

Coup de théâtre
dans l'Affaire des Empoisonnements.
Gilles Mauvoisin, l'héritier de son oncle, accuse !
Colette Mauvoisin sera-t-elle relâchée ?

— Pourquoi ne m'as-tu rien dit, Gilles ?

Et pourquoi aurait-il parlé de cela à Alice ?

— C'est vrai qu'ils vont mettre ta tante Éloi en prison ? Tu penses que c'est elle qui a empoisonné ton oncle ? A propos... On a téléphoné plusieurs fois pour toi...

— Je sais...

— Monsieur Plantel est déjà venu deux fois...

— Je sais...

— Ah ! bon..., fit-elle, découragée.

Elle n'en passa pas moins à un autre ordre d'idées.

— Je fais continuer les travaux du salon et de la chambre ?

— Si tu veux...

— Qu'est-ce que tu as contre moi, Gilles ? On dirait que tu ne m'aimes plus...

— Mais non... Je t'assure qu'il n'y a rien de changé... Une auto vient de s'arrêter à la porte... On sonne... C'est sans doute Plantel... Veux-tu dire à Marthe qu'elle le fasse monter dans mon bureau ?

Extérieurement, l'armateur n'avait pas changé et sa tenue était toujours aussi élégante, il s'efforçait de porter aussi beau, il s'avançait, la main tendue.

— Bonjour, Gilles... Je suis déjà venu deux fois et...

Gilles ne lui serra pas la main et se contenta de murmurer :

— Asseyez-vous, monsieur Plantel...

— Je peux fumer ?

— Je vous en prie...

La fenêtre était ouverte et une odeur d'essence brûlée montait des cars rangés devant la grille.

— Je n'ai pas besoin de vous dire..., commença Plantel, après avoir croisé et décroisé les jambes deux ou trois fois.

Gilles admirait ses souliers aussi polis que des miroirs.

— Vous n'avez rien besoin de me dire, monsieur Plantel... Puisque vous avez reçu ma lettre, vous êtes au courant...

— Gérardine m'a téléphoné et...

— Je l'ai vue aussi...

— J'ai eu beau lui conseiller de...

— Je ne doute pas, monsieur Plantel, que vous lui ayez donné de bons conseils... Malheureusement, ma tante ne veut rien entendre... Il est pourtant indispensable que Colette soit relâchée et qu'on reconnaisse son innocence...

Plantel, mal à l'aise, regardait avec stupeur ce jeune homme qu'il avait connu timide et balbutiant et qui parlait avec un calme effrayant de faire condamner la sœur de sa mère.

— Vous n'auriez pas dû vous déranger, poursuivait Gilles avec un détachement presque inhumain. Je sais que vous ferez tout ce qui est en votre pouvoir pour que Colette et le docteur Sauvaget soient reconnus innocents, n'est-ce pas ?

— Mais... Puisqu'ils sont réellement innocents, il est naturel que...

Le dossier de toile grise était sur le bureau. L'armateur, l'ayant aperçu, hésitait à parler à nouveau.

— Pour ce qui est de...

Et Gilles, férocement calme :

— De l'*Espadon* et de la mort du petit Jean Aguadil...

— Je vous jure, Gilles, que si on avait pu prévoir...

— Peu importe, monsieur Plantel... C'est fait, n'est-ce pas ?... Il paraît que sa maman vend des sardines au coin de la rue du Palais...

— Je suis prêt à...

— Je n'en doute pas... Plus tard, quand tout sera rentré dans l'ordre, il est probable qu'en votre présence j'ouvrirai ce dossier et que nous brûlerons ensemble certains documents...

Il se levait.

— Pour le moment, monsieur Plantel, j'ai beaucoup de travail et...

— Excusez-moi si je vous ai dérangé... J'ai tenu à vous dire personnellement que je ferai tout pour... A propos... Penoux-Rataud est venu me voir hier au soir... Il est prêt à vous rendre personnellement visite...

— C'est superflu...

— Il est évidemment tout à fait d'accord avec vous... c'est pénible, pour un homme d'une aussi haute situation...

— D'être accusé de captation d'héritage...

Gilles avait négligemment ouvert le dossier et sa main s'était posée sur la chemise qui portait le nom du sénateur.

— ... et cependant, cette nièce qu'il a fait interner pendant quatre ans et qui est réellement devenue folle...

Des gamins, dans la rue, sortaient d'une école et jouaient aux billes le long des trottoirs en poussant des cris perçants.

— Bonsoir, monsieur Plantel...

— Bonsoir, monsieur Gilles. Encore une fois, croyez...

— Je crois, monsieur Plantel...

Et il referma la porte derrière l'élégant armateur, ouvrit une autre porte, celle du bureau de son oncle.

— Entrez, monsieur Rinquet... Nous avons du travail, tous les deux...

VII

— Vous m'accordez encore deux minutes, mon petit Gilles ?... Je vous demande pardon... Je suis insupportable, n'est-ce pas ?

Il ne souriait pas. Assis devant son volant, il regardait sa belle-mère, vêtue de clair, qui se précipitait dans une pâtisserie et il la voyait encore, dans le magasin, qui gesticulait. Elle devait dire, avec l'animation qui s'emparait d'elle chaque fois qu'elle sortait avec lui :

— Faites vite, mademoiselle... Mon gendre m'attend dans la voiture... Il est tellement occupé !...

Brave madame Lepart ! C'était elle que le mariage de sa fille avait le plus changée. Depuis qu'elle avait une servante et qu'elle sortait presque chaque après-midi, elle apportait beaucoup de soin à sa toilette et sa petite personne en paraissait plus dodue, plus rose, plus tendre.

Elle revenait déjà, suivie d'une jeune vendeuse qui portait des paquets de gâteaux.

— Posez cela ici, mademoiselle... Merci... Mon Dieu, Gilles, Alice n'est pas encore descendue ?... Il faut toujours qu'elle exagère... Elle n'a pas l'air de se douter que vous êtes ici à attendre en plein soleil...

Esprit Lepart, lui, avait profité de ce que sa fille s'attardait pour entrer dans un bureau de tabac où il achetait une pipe, en guettant l'auto à travers la vitrine.

Ils étaient à Royan, dans la rue principale, et c'était la Pentecôte.

Jadis, pendant sa vie errante avec ses parents, Gilles ne connaissait les fêtes carillonnées que par ouï-dire, ou encore parce que, ces jours-là, il y avait deux représentations au lieu d'une. Depuis qu'il avait débarqué à La Rochelle, une veille de Toussaint, ces fêtes avaient pris une autre valeur et elles auraient pu servir à jalonner les étapes de son existence.

Noël d'abord, un Noël sans neige, mais tout feutré de brume, sous le pin maritime qu'Alice appelait leur parapluie, avec elle qui se serrait contre lui des pieds à la tête et qui avait le nez glacé. C'était à six heures du soir et, à huit heures, il avait pénétré chez les Éloi et traversé le vaste magasin parfumé, car sa tante l'avait invité à veiller en famille.

Louise avait joué du piano. A minuit, tout le monde s'était embrassé et il avait gardé toute la nuit dans la bouche un arrière-goût de foie gras et de champagne.

Quant à Colette, elle avait passé cette nuit-là chez sa mère, rue de l'Evescot, pour moins sentir sa solitude, mais avant de rentrer chez lui, tard dans la nuit, il avait fait un détour, pour se rapprocher d'elle un instant, pour regarder les fenêtres obscures tandis que des noctambules chantaient dans les rues.

Nouvel An... Roide, correct, embarrassé de sa longue personne, il était allé présenter ses vœux chez les Plantel et il avait à nouveau bu du porto dans le fumoir qui sentait le cuir de Russie...

Alice lui avait donné un mouchoir qu'elle avait brodé elle-même et il n'avait pas pensé à lui faire un cadeau. Il ne savait pas. Ses parents ne se faisaient pas de cadeaux...

Depuis, la vie de la maison des Ursulines avait changé, chambre et salon avaient été transformés au goût d'Alice.

— Si nous allions passer les fêtes de Pâques à Paris ? avait-elle proposé. Tu n'as jamais vu Paris. Cela te reposera...

Ils y étaient allés, en voiture. Cette fois, ils n'étaient que deux. Ils étaient descendus dans un grand hôtel de la rue de Rivoli.

Dès le premier soir, Gilles avait tenu à aller voir un petit meublé, derrière le cirque Médrano, où il était né. Tous les Parisiens s'élançaient vers les gares, vers les campagnes et les banlieues. Les rues se vidaient. Les magasins étaient fermés et, du jour de Pâques, il lui restait un souvenir de marches interminables le long des trottoirs ensoleillés, puis, des deux jours qu'ils étaient restés encore, d'allées et venues dans les magasins où, à chaque instant, Alice le suppliait du regard.

— Je peux ?...

Elle était folle de joie. Elle achetait sans compter. Chaque fois qu'ils rentraient à l'hôtel, ils trouvaient dans leur appartement de nouveaux colis que les fournisseurs avaient livrés en leur absence.

Maintenant, c'était la Pentecôte.

— Je vais te demander quelque chose, Gilles... Si cela t'ennuie le moins du monde, dis-le-moi franchement... Je sais que maman serait si heureuse de passer deux jours à Royan avec nous...

Madame Lepart s'était commandé un tailleur chic, un chapeau clair ; elle avait couru tous les magasins pour trouver des chaussures assorties et son regard se posait sans cesse sur Gilles avec reconnaissance.

Si sa fille proposait ceci ou cela, d'aller au casino ou de visiter les environs, elle murmurait avec reproche :

— Voyons, Alice !... C'est à Gilles de décider...

Et, à chaque instant, elle éprouvait le besoin de prononcer le nom de son gendre.

— N'est-ce pas, Gilles, que cette plage est la plus belle de France ?... Que pensez-vous, Gilles, de...

Plus humble encore, Esprit Lepart n'oubliait jamais qu'il était l'employé de Mauvoisin et il avait été impossible de lui faire adopter d'autres vêtements que sa tenue noire, avec cravate noire sur un plastron blanc et raide.

Alice descendit enfin, s'assit à côté de son mari.

— Je t'ai fait attendre ?

— Non...

Les beaux-parents se casèrent derrière. Alice aperçut les paquets blancs de sa mère.

— J'en étais sûre !... Maman ne peut aller nulle part sans acheter des gâteaux pour toutes ses voisines...

Alice, cependant, paraissait préoccupée. Plusieurs fois, tandis qu'il conduisait, sur la route où les voitures, ce jour-là, se suivaient en file indienne, elle regarda son mari à la dérobée.

— Il ne faut pas le tracasser..., lui avait recommandé maintes fois sa mère. Il a beaucoup de soucis... Tant que toutes ces histoires ne seront pas finies...

Trois semaines plus tôt, un non-lieu avait été rendu en faveur du docteur Sauvaget, contre qui on n'avait pu relever aucune preuve matérielle. Il avait quitté La Rochelle aussitôt pour s'installer à Fontenay-le-Comte où il y avait un cabinet médical à céder et, deux jours plus tard à peine, Colette le rejoignait.

Il n'y avait pas eu d'adieux. Colette était toujours aussi fébrile, elle vivait toujours dans une sorte de provisoire aérien, comme si rien de définitif n'eût été décidé encore.

— Vous comprenez, n'est-ce pas, Gilles, que je

ne peux pas le laisser seul après tout ce qu'il a souffert ?... Il se remet péniblement... C'est un grand nerveux...

— Mais oui, tante...

— Avec l'auto, vous n'en avez pas pour une heure à venir nous voir...

— Mais oui...

Depuis lors, la chambre du bout de l'aile gauche était vide. La maison de la rue de l'Evescot était vide aussi, car Colette avait emmené sa mère avec elle et madame Rinquet les avait accompagnées.

— N'oublie pas, Alice, que c'est un homme, qu'il a des soucis, des responsabilités que tu n'as pas. D'ailleurs, moi, j'aurais plus peur d'un mari qui n'a pas un travail régulier...

Car, dès huit heures du matin, Gilles montait dans son bureau où Rinquet, gros chien fidèle, ne tardait pas à le rejoindre.

C'était déjà la vie d'un vrai ménage. Alice avait pris une cuisinière pour remplacer madame Rinquet. En tenue légère du matin, toujours un peu trop éclatante, elle accompagnait cette cuisinière au marché, pénétrait dans les boutiques.

Puis elle s'occupait des transformations de la maison. Elle pensait déjà à aménager le rez-de-chaussée. Chaque fois qu'elle demandait conseil à Gilles, celui-ci répondait :

— Mais oui, chérie... Comme tu voudras...

Du moment qu'on ne touchait pas au second étage qui était son domaine personnel !...

Étranges semaines que celles-là. Un printemps comme Gilles ne se souvenait pas d'en avoir connu. Les pierres du sol qui tiédissaient à mesure que le soleil montait dans le ciel, une langueur qui vous saisissait soudain à l'improviste et qui vous donnait envie de ne plus penser à rien, de vous dissoudre lentement dans la nature...

Et demain le procès viendrait aux assises. Ce matin même, à Royan, Gilles avait lu dans les journaux le récit complet de l'affaire Mauvoisin, le non-lieu de Colette, définitivement mise hors de cause par le Parquet, l'arrestation de Gérardine Éloi et enfin l'histoire du fameux bidon de « Raticide ».

Est-ce que d'autres, pendant ce temps-là, avaient vécu une vie normale ? Les marées suivaient leurs cours, les bateaux défilaient en chapelet le long du chenal pour gagner la haute mer, les cotres et les dundees aux voiles bleues partaient à la pêche à la sardine et on vendait les poissons brillants dans les rues où se déplaçaient au gré des heures les frontières d'ombre et de soleil.

Dans son bureau à porte vitrée, le juge d'instruction aux cheveux en brosse vivait, lui, entre les pages d'un dossier. Un commissaire, trois inspecteurs, des avocats ne s'occupaient que du fameux bidon.

Dans la réalité triomphante du printemps, c'était une autre réalité sordide et crue dont dépendait peut-être la vie d'une femme.

Pas un instant, Gérardine Éloi n'avait faibli. Tête haute, elle était entrée dans le cabinet du juge, un sourire un peu méprisant aux lèvres, et tête haute enfin elle s'était soumise aux formalités d'écrou.

Malgré les passions populaires, malgré les difficultés de toutes sortes, elle avait refusé que son magasin fût fermé et ses deux filles étaient en bas, à aider les commis.

Y avait-il eu dénonciation ? Gérardine le prétendait.

— Lorsque le commissaire s'est présenté avec deux inspecteurs, j'ai tout de suite compris qu'on venait chercher quelque chose de précis...

— Sur quoi basez-vous cette affirmation ?

— Sur le fait qu'ils n'auraient pu s'y retrouver dans mon magasin encombré de marchandises aussi diverses... S'ils l'avaient fouillé pour le fouiller, comme ils l'ont prétendu, ils auraient mis au moins une heure — et encore, d'une visite superficielle ! — pour en arriver à l'escalier en colimaçon...

C'était le coin le plus sombre des locaux et, à cause de cela, on y fourrait de tout, surtout des marchandises peu appétissantes, des bonbonnes d'huile, des sacs de produits chimiques.

Là, sur les planches d'un rayon, il y avait une vingtaine de bidons rouges ornés d'une tête de mort et portant le nom : « Raticide Cornu ». Les bidons étaient de cinq litres chacun.

— Vous en vendiez beaucoup ?

— Vous le savez aussi bien que moi, puisque vous avez examiné mes livres…

Non, elle n'en vendait pas beaucoup. Le produit servait à dératiser les bateaux de moyen tonnage pour lesquels il eût été trop coûteux d'employer des procédés modernes.

— Il vous arrivait d'en vendre au détail ?

— Je vous répète que vous avez toute ma comptabilité entre les mains…

— Les derniers mois, vous en avez vendu huit bidons, dont un au capitaine Huard…

— C'est possible…

— Vous souvenez-vous de la visite que vous a faite le capitaine Huard ?

— Je recevais chaque jour la visite de cinq ou six patrons pêcheurs…

— Vous lui avez offert un cigare de La Havane…

— C'est une tradition dans notre métier…

— Un cigare qui, comme les autres que l'on a trouvés chez vous, est entré en France sans payer les droits…

— Je pourrais dire que c'est encore une tradition…

— Jolie tradition !… Le capitaine Huard avait l'habitude, sa commande faite, de circuler dans votre magasin, de toucher un peu à tout pour s'assurer qu'il n'avait rien oublié…

— La plupart de mes clients en usaient de la sorte...

— C'était en juillet.

— Je ne m'en souviens pas...

— C'est-à-dire deux mois environ après la mort d'Octave Mauvoisin. . Le capitaine Huard est arrivé sous l'escalier et a aperçu les bidons de « Raticide »... Il en a pris un, pensant débarrasser son bateau des rats qui l'infestaient... Il l'a posé au milieu du magasin en disant de l'ajouter à sa commande... C'est exact ?

— C'est en tout cas plausible... Si je vous demandais ce que vous avez fait le 22 juillet, par exemple, à quatre heures de l'après-midi...

— Je vous prie de ne pas intervertir les rôles... A certain moment, et comme on pesait diverses marchandises, le capitaine s'est penché et a saisi le bidon...

« — Il a été ouvert..., a-t-il remarqué. La capsule est enlevée... Je vais en prendre un autre...

« Il a fait comme il le disait... Comprenez-vous maintenant pourquoi cette visite de Huard, dans le courant de juillet, non pas le 22, mais le 19, d'après vos livres de comptabilité et vos factures, a son importance ?... Le " Raticide Cornu ", pour appeler le produit par son nom exact, est à base d'arsenic... Nous avons retrouvé la date à laquelle sont arrivées chez vous les deux dernières caisses... C'était tout au début de l'année, en janvier...

« Comme vous ne vendiez jamais ce produit au détail, il est assez curieux que l'on ait retrouvé un bidon ouvert et ne contenant plus la totalité du liquide...

— Où est ce bidon ?

— Je sais... Vous l'avez fait disparaître... La déposition du capitaine Huard n'en est pas moins formelle...

Ainsi, ce bidon rouge à tête de mort était devenu le pivot de l'affaire.

— S'il a disparu, c'est qu'il a été vendu...

— Dans ce cas, comment expliquez-vous que l'on ne retrouve aucune trace de cette vente ?... Vos comptes sont parfaitement tenus, madame Éloi, excepté en ce qui concerne les cigares de La Havane et certaines caisses de pernod à 68° qu'il vous arrive de débarquer des bateaux qui ont fait escale aux Canaries...

— Il est possible qu'un de mes commis... Je ne suis pas toujours au magasin...

— Vos commis ont été interrogés...

Toujours le bidon ! Que d'heures passées à fouiller à nouveau les locaux et jusqu'aux combles de la maison ! Que de questions insidieuses posées aux membres du personnel, aux clients habituels, voire aux voisins !

Un coiffeur, par exemple, dont la façade peinte en violet touchait à la maison Éloi.

— Vous ouvrez votre salon de bonne heure... Vous travaillez très tard... Ne vous est-il jamais arrivé, le matin, de voir votre voisine ou quelqu'un de sa famille se diriger vers le bassin pour y jeter quelque objet ?

— Je ne sais pas...

— Le fait vous frapperait-il ?

— Non... Tous les habitants du quai ont cette habitude... Si on a des détritus à jeter et que les poubelles ont déjà été ramassées, on a le bassin en face et la marée se charge de...

— C'était en juillet... Rappelez vos souvenirs...

— En juillet, mon salon était fermé, car je tiens un autre salon à Fouras pendant la saison...

Le témoignage le plus accablant était celui qu'avait fait, sans en mesurer l'importance, un vieux magasinier à moitié sourd qui était dans la maison Éloi depuis l'âge de quatorze ans.

— Un bidon sans capsule ?... Oui, je l'avais bien remarqué... Je pensais que la capsule avait sauté dans la caisse, en cours de transport... Même que j'ai agité le bidon...

— Il manquait du liquide ?

— Pas beaucoup, mais il en manquait... J'ai reniflé... J'ai noté que ça ne sentait presque pas... Faut croire que ça se volatilise.

— C'est la remarque que vous vous êtes fait ?... A quel moment ?

— C'était en été, car, ce jour-là, Joseph était

encore en congé... Or, il prend toujours ses vacances aux mois de juillet...

— Vous ne pouvez pas fixer la date ?

— Non... Un client est entré dans le magasin et j'ai laissé le bidon où il était... Quelques jours plus tard, je m'en suis souvenu en faisant le grand nettoyage...

— Vous ne vous rappelez toujours pas la date ?

— Attendez... Il y avait des yachts plein le bassin à flot... C'était donc au moment des régates...

— Et les régates ont eu lieu le 26 juillet... Continuez...

— J'avais peur que le bidon coule et je voulais le montrer à la patronne... Quand j'ai été pour le prendre, il n'était plus dans le rayon... J'ai pensé qu'on l'avait vendu...

Du drame moral qui s'était joué entre Gérardine Éloi et le vieux Mauvoisin, nul ne s'était occupé. Bob avait été laissé en liberté, car il n'y avait aucune plainte contre lui au sujet des fausses traites.

— Comprenez-vous maintenant, madame, ce que signifie l'absence de ce bidon ?... Il était là, sous l'escalier de fer, le 19 juillet... Deux personnes au moins en témoignent, que nous n'avons pas le droit de suspecter... Ces deux personnes, votre magasinier et le capitaine Huard, affirment que la capsule avait été retirée et qu'une partie du liquide manquait...

« Ne pensant pas qu'on pourrait vous soupçonner d'avoir provoqué la mort d'Octave Mauvoisin, vous n'aviez pas cru devoir vous débarrasser de ce bidon qui était à sa place dans un magasin qui, comme vous le dites vous-même, est encombré de marchandises diverses... Peut-être n'y avez-vous plus pensé ?...

« Quand le capitaine Huard l'a posé près de vous, quand il a fait la réflexion que le bidon avait été débouché et qu'il en a choisi un autre, vous vous êtes rendu compte du danger...

« Voilà pourquoi, quelques jours plus tard, selon le témoignage d'un de vos employés, le bidon avait disparu...

« Il vous a suffi de traverser le quai et de le jeter à l'eau... D'autres témoins nous disent que c'est un fait courant et que votre geste n'aurait pas attiré l'attention... »

Des semaines durant, Gilles, de son bureau du quai des Ursulines, avait aidé sa tante par tous les moyens dont il disposait. Rinquet l'assistait, qui parvenait, grâce à ses relations dans la police, à le tenir jour par jour au courant de l'enquête.

Presque chaque matin, à onze heures, Mauvoisin pénétrait au « Bar Lorrain ». Et l'homme qui s'approchait de Babin et lui serrait silencieusement la main n'était plus tout à fait Gilles

Mauvoisin, n'était pas non plus Octave Mauvoisin.

De celui-ci, il avait pourtant acquis une certaine lourdeur dans les gestes, une avarice de paroles et comme ce voile de solitude qui entourait jadis l'homme du quai des Ursulines.

— Vous l'avez vu ?

Babin répondait d'un battement de paupières.

— Il a compris ?... Il n'exagérera pas ?...

Il lui arrivait aussi de téléphoner à Plantel, voire au sénateur Penoux-Rataud. C'était l'ancien ministre — Gérardine ignorait que c'était sur les instances de Gilles — qui défendait la veuve Éloi.

Des heures durant, Gilles mettait de l'ordre dans ses dossiers, signait des chèques, déchirait un certain nombre de documents et parfois convoquait dans son bureau du second étage un commerçant ou un entrepreneur qui quittait la maison ébloui.

Qu'importait d'aller à Royan avec Alice et ses parents ? Il était aussi seul en leur compagnie. Ils ne lui avaient rien fait et la joie, l'orgueil de madame Lepart, quand elle pénétrait dans la salle du casino à l'heure du thé, faisait plaisir à voir.

— Un mari comme celui-là, vois-tu, Alice...

— Oui, maman... Je sais... Il fait tout ce que je veux...

Pour ce que ça lui coûtait ! C'était en dehors de lui, dans un univers qui ne l'intéressait pas.

— Tu ne vas pas voir Colette ?

Pas encore... Il irait, mais il ne savait pas quand...

Ils avaient dépassé Rochefort... Ils roulaient sur la route toute droite où ils dépassaient de longues théories de cyclistes que la Pentecôte avait éreintés. Derrière, madame Lepart souriait aux anges et parfois saluait quelqu'un qu'elle croyait reconnaître. Lepart fumait sa nouvelle pipe.

Pourquoi Alice glissait-elle sa main sur le genou de Gilles et appuyait-elle avec insistance ? Il fit semblant de ne pas le remarquer. Dix, quinze kilomètres plus loin, elle se pencha et murmura :

— Gilles...

Il devait regarder la route et ne pouvait se tourner vers elle.

— Il faudra que je te parle, Gilles...

Et lui, le plus naturellement du monde :

— Demain...

Ils virent de loin les terrasses noires de monde. Ils évitèrent de passer devant et contournèrent la ville. La voiture s'arrêta rue Jourdan, devant la maison des Lepart.

— Vous ne descendez pas un moment ?... Non... Je suis sotte... Gilles doit être fatigué...

Bien que ce fût un jour de fête, il monta dans son bureau.

— Je te dérange, Gilles ?

Elle jetait un bref coup d'œil à ce bureau où elle

se sentait une étrangère. Tranquillement, Gilles lui faisait signe que oui et elle s'éloignait à reculons tandis qu'il décrochait le téléphone.

Encore quelques heures et ce serait fini. Rarement la sonnerie restait une demi-heure sans retentir et il arrivait à Gilles d'attendre, la main sur l'écouteur.

— Rinquet ?

— Cela va bien, patron... Au début, la salle était assez houleuse... Le président a menacé de faire évacuer et tout est rentré dans l'ordre...

Gilles était allé jeter un coup d'œil, quelques jours plus tôt, à la salle des assises. Par ce temps-là, les fenêtres devaient être grandes ouvertes, la chaleur, à cause de la foule, intolérable.

— Elle était très calme... Dès son entrée, elle a promené un regard ferme sur les spectateurs...

A onze heures, un appel venait de Fontenay-le-Comte...

— C'est vous, Gilles ?... Vous n'y êtes pas allé ?... Je l'ai bien pensé... Je crois aussi que cela vaut mieux... Vous permettez que je vous téléphone de temps en temps pour avoir des nouvelles ?... Comment est-elle ?

— Bien...

Un silence.

— A tout à l'heure, Gilles...

— A tout à l'heure, tante...

Puis c'était le tour de Babin. Il téléphonait, lui, du vestiaire des avocats, la main en cornet devant la bouche. Il parlait bas. Il fallait deviner les mots.

— Tout va bien... Huard vient de passer... Comme nous l'avions prévu, oui...

C'est-à-dire que le capitaine Huard s'était étonné, à l'audience, de l'importance qu'on avait attachée à ses paroles. Il avait, certes, souvenance d'un bidon décapsulé. Mais était-ce un bidon de « Raticide » ?... Le commissaire avait tellement insisté que, pour s'en débarrasser, il avait dit oui... Ce jour-là, il avait acheté plusieurs bidons de vernis pour le canot de sa fille... Il était possible que... C'était si vieux !...

Midi.

— C'est vous, patron ?... *Ils* veulent en finir aujourd'hui... L'audience reprend déjà à une heure... Il y a eu des murmures. Voulez-vous que...

L'auto de Plantel s'arrêtait devant la maison. L'armateur montait l'escalier à grands pas. Sans frapper, il poussa la porte du bureau, en familier de la maison, se laissa tomber dans l'unique fauteuil et s'épongea.

— Quelle chaleur !... Et encore, j'ai une place de choix derrière la Cour !... J'ai pu échanger quelques mots avec Penoux-Rataud... Selon lui, tout marchera... Si cet imbécile de magasinier se souvient de la leçon qu'on lui a apprise...

— Et ma tante ?

— Plus en forme que jamais... A croire, par moments, que c'est elle qui est là pour juger les autres... Deux fois, elle a interrompu le président... Je vous laisse... J'ai juste le temps de manger un morceau et...

Il s'arrêta à la porte. Il avait soudain moins d'assurance.

— C'est toujours convenu pour ce soir si...

Un signe de tête.

— Allô, patron...

Rinquet, à nouveau.

— Ça chauffe !... Penoux-Rataud devient féroce... Si cela continue, c'est le procès de la police qu'il va faire... Le commissaire est fou furieux... On l'a déjà entendu deux fois et, comme il répond avec humeur, on a dû le rappeler à l'ordre...

— Qu'est-ce que c'est, Marthe ?

La bonne avait frappé et était entrée.

— Madame fait demander à Monsieur si Monsieur...

— Dites à Madame que je désire ne pas être dérangé...

Les plaidoiries, enfin.

— Allô... Il y a au moins deux cents personnes en face du Palais de Justice...

Six heures.

— Le jury vient de se retirer pour délibérer...

Sept heures.

— Le jury est toujours en délibération... Il paraît que c'est bon signe... Le président a prononcé un petit discours dans lequel il a dit que, dans le doute, le devoir de chacun était...

Gilles était exténué quand il décrocha une dernière fois l'appareil.

— J'écoute, oui...

— Gérardine Éloi est acquittée... Il y a eu des manifestations. La moitié de l'assistance était pour et...

Pendant dix minutes encore, Gilles resta seul. Il les passa devant le bureau à cylindre de son oncle, où il rangea des chemises de papier jaune dans une serviette de cuir.

Le téléphone encore...

— Oui, tante... Acquittée...

— Vous êtes content, Gilles ?

Il oublia qu'il était au téléphone et il fit oui de la tête.

— Allô... Pourquoi ne dites-vous rien ?... Si vous saviez comme vous me manquez...

— Entrez...

C'était Plantel. Gilles avait encore le cornet à la main.

— Bonsoir, tante... Un de ces jours, oui...

Il remarqua un léger sourire sur les lèvres de

l'armateur, haussa les épaules en saisissant la serviette et prononça :

— Allons !...

La ville qu'ils traversèrent était plus animée que d'habitude et des gens se retournèrent sur l'auto. Ils pénétrèrent chez maître Hervineau, non par l'étude, mais par l'entrée particulière.

Le notaire était là, dans la pénombre, ainsi que le sénateur Penoux-Rataud et Babin.

— Vous servirez le porto et vous nous laisserez, Joseph...

Gilles remarqua que, malgré la saison, un feu de bûches avait été allumé dans l'âtre, comme la première fois qu'il avait pénétré dans ce salon.

— Je vous remercie, messieurs, dit Gilles en posant sa serviette sur un guéridon.

— Je crois, monsieur Mauvoisin, que nous avons tenu l'engagement que nous avions pris de...

Mais Gilles regarda le notaire de telle façon que celui-ci se tut.

Puis il ouvrit sa serviette, en tira quelques documents.

— C'est bien cela, monsieur Plantel ?... C'est bien cela, monsieur Babin ?... Et vous, monsieur Hervineau ?... Et...

Il savait bien que le feu n'avait été allumé qu'en prévision de cette cérémonie. D'un geste indifférent, il y laissa tomber les papiers qui flambèrent aussitôt.

Hervineau se dirigea alors vers le guéridon où l'apéritif était servi.

— J'espère que vous ne refuserez pas de...

Mais Gilles les regarda une fois encore et, reprenant sa serviette dégonflée, laissa tomber :

— Bonsoir, messieurs...

Quand il rentra quai des Ursulines, il fut surpris par le silence qui régnait. Le salon était vide. Il entrouvrit la porte de la cuisine.

— Madame est couchée..., lui dit Marthe.

Les sourcils froncés, il pénétra dans la chambre qui n'était éclairée que par une veilleuse. Alice, tout habillée, était étendue sur le lit non défait et elle avait les yeux rouges.

Debout, il la regardait, vaguement inquiet de cette étrange mise en scène.

— Gilles... Je me demande... Tu vas peut-être être fâché ?... Ce n'est pas ma faute, je te le jure !... Maman ne voulait pas que je te le dise avant que tout ça soit fini... Assieds-toi près de moi, Gilles... Prends ma main... Je crois...

Il était gauchement assis au bord du lit et il tenait la main de sa femme un peu comme un médecin tient celle d'un malade à qui il tâte le pouls.

— ... Je crois... Je crois que je vais avoir un enfant, Gilles...

Elle n'osait pas le regarder et elle s'effrayait du silence qui régnait soudain dans la chambre.

Il la vit qui bougeait légèrement pour l'observer entre ses cils mi-clos.

— Tu ne dis rien ?

— Qu'est-ce que tu voudrais que je dise ?

Et, parce que des larmes gonflaient les paupières d'Alice, il se pencha pour l'embrasser.

ÉPILOGUE

LA SOIRÉE DE FONTENAY

Quand l'auto eut franchi un dernier vallonnement, Gilles découvrit les lumières de Fontenay qui clignotaient comme des étoiles dans le soir humide. Il pouvait lire dans ce chaos apparent comme d'autres lisent dans les étoiles. Près du nuage de vapeur laiteuse qui s'échappait d'une locomotive, cette grande artère toute droite, aux lampes plus fortes que les autres, c'était la rue de la République et, à l'endroit où le halo lumineux permettait de distinguer le contour des toits, s'alignaient les quelques grands magasins de la ville.

Gilles franchirait le pont, monterait jusqu'à la place Viète en passant au pied de la cathédrale livide et, dans une rue en pente peuplée de petits artisans, il soulèverait un marteau de cuivre, ou plutôt il n'aurait pas besoin de le soulever. Il passait si peu de monde dans cette rue de Cordouan que Gilles, par une sorte de pudeur, laissait sa voiture place Viète.

C'était son heure, entre chien et loup, quand les ombres paraissaient plus moelleuses, comme gonflées de mystère.

N'est-ce pas à cette heure-là qu'il avait débarqué à La Rochelle, un soir de Toussaint, et n'est-ce pas à cette heure-là encore qu'il rencontrait Alice — une bouche humide, un visage estompé, un corps serré contre le sien — dans les allées du parc ?

Cette pensée le frappait tandis qu'il suivait la partie la moins éclairée de la rue de la République. Les bêtes ont leur heure, l'heure à laquelle elles vivent plus pleinement. Pourquoi les hommes n'auraient-ils pas la leur aussi ?

Si loin qu'il remontât dans ses souvenirs, toutes les villes, toutes les rues qu'il revoyait, c'était toujours au crépuscule. Peut-être parce que ses parents étaient des errants ? Les heures légères, ensoleillées de la matinée, ils ne les voyaient pas. Dans quelque chambre d'hôtel, ils dormaient pesamment, tous rideaux tirés, et parfois des bruits de la rue pénétraient violemment la couche de sommeil et remuaient des lambeaux de conscience.

On se levait tard. Souvent à deux heures, parfois plus tard encore, et on ne faisait pas de vrai repas autour d'une table familiale, on mangeait des choses froides achetées la veille dans une boutique inconnue ; il y avait toujours des miettes de pain ou des restes de charcuterie sur la cheminée ou sur la table de nuit.

La vie commençait quand, pour les autres, la journée finissait. Et dans tous les pays du monde, les villes, à cette heure-là, avaient le même goût, les ombres se glissaient de la même façon le long des vitrines.

Enfin, après le spectacle, quand la population était endormie, il restait toujours quelque part, derrière le cirque ou le théâtre, un petit restaurant tenu par un ancien artiste et on y retrouvait la plupart des numéros de la soirée, les jongleurs japonais et le couple de danseurs, la bonne dame aux pigeons et les trapézistes volants.

On mangeait des plats de partout, du goulash hongrois et des blinis à la mode lettonne, de l'oie fumée de Pologne et des poissons de la Baltique, on parlait du « Palladium » de Londres, du « Kursaal » de Vienne, du « Palais de Glace » de Bruxelles...

Gilles, seul au volant, atteignait le bout de la rue de la République. Devant le « Café du Pont-Neuf », à sa droite, il reconnut une petite auto verdâtre, celle du docteur Sauvaget.

Bien que les rideaux du café fussent tirés, Gilles savait que, dans la lumière sirupeuse de la salle aux boiseries sombres, le docteur était assis dans le coin droit, avec trois autres hommes, devant un tapis cramoisi sur lequel ils jetaient gravement des cartes.

Tous les jours, à la même heure... Tous les jours aussi il buvait le même nombre d'apéritifs et devenait plus fébrile à mesure que la partie s'avançait, pour finir, amer, révolté, par des discussions véhémentes.

Place Viète, Gilles quitta sa voiture. Son pas résonna dans le calme de la rue du Cordouan. De loin, déjà, il repérait la lumière tamisée à telle fenêtre de droite et il n'eut pas davantage besoin de soulever le marteau que les autres fois. Un pas furtif sur les dalles du corridor. Une porte entrouverte. Un coin d'intimité.

— Bonsoir, Gilles...

La maison de la rue de l'Evescot devait ressembler à celle-ci. Les objets, les meubles étaient fort simples, mais on aurait dit que chacun, fût-ce le tisonnier à boule de cuivre, avait sa vie propre. On avait l'impression de sentir le cours du temps, la fuite lente des minutes, comme on sent le frémissement d'un ruisseau dans lequel on trempe la main.

Un ouvrage sur la table... Colette reprenait sa place... Depuis quinze jours, elle vivait seule dans cette maison de quatre pièces, car sa mère était morte d'une pneumonie.

Un regard qui signifiait :

— Il est au café ?

Elle savait que Gilles ne manquait pas, en passant, de jeter un coup d'œil à la voiture.

Chose curieuse, c'est Alice qui avait insisté, quelques mois plus tôt :

— Tu devrais aller voir ta tante...

Elle pensait que cela lui ferait du bien. Parfois Gilles l'effrayait un peu, tant le bloc de solitude était dense autour de lui.

— Tu devrais essayer de le distraire..., lui conseillait sa mère qui venait de plus en plus souvent dans la maison du quai des Ursulines.

— J'essaie, maman... Souvent, quand il est près de moi, il a l'air de ne pas me voir...

— Il travaille trop...

Et pourtant Gilles faisait tout ce qu'elle voulait, ne disait jamais non. Depuis toujours, madame Lepart rêvait de passer des vacances à Royan et, comble de bonheur, d'y vivre dans une villa dont les fenêtres donneraient sur la mer.

— Je me demande, Gilles, si dans l'état d'Alice, cela ne lui ferait pas du bien de...

Il avait loué une villa à Royan. Il y avait installé sa femme et sa belle-mère. Il venait y coucher tous les soirs. Alice portait sa future maternité avec crânerie et parfois on eût dit qu'elle le faisait exprès de bomber orgueilleusement son petit ventre. Cela ne l'empêchait pas d'aller au casino, de danser, d'avoir des amies et des amis...

— Pourquoi ne prends-tu pas quelques jours de repos complet, Gilles ?

Oui, pourquoi ? Rien ne l'obligeait à monter chaque jour à la même heure dans son bureau du second étage. Plantel avait raison, les affaires, quand elles ont atteint un certain degré de solidité, vivent en quelque sorte par la force acquise.

Mais qu'aurait-il pu faire d'autre ? Son circuit quotidien n'était pas encore invariable, complètement fermé, comme celui de son oncle ; cependant il y avait déjà une débauche d'horaires, certaines haltes invariables, comme le porto d'onze heures au « Bar Lorrain », auxquelles ils se raccrochait.

Autour de lui, il y avait une ville, avec ses maisons, ses habitants, ses groupes plus ou moins distincts, ses familles plus ou moins unies ; il y avait des pêcheries, des usines, des entreprises de toutes sortes, mais il semblait que la maison du quai des Ursulines fût plantée, toute seule, au milieu du reste.

Dans cette maison aussi, une vie étrangère s'organisait. Quand Gilles entrait au salon, il y trouvait sa belle-mère, ou une tante de sa femme, ou encore des amies qu'il connaissait à peine.

Il saluait. Il allait s'asseoir dans un coin, puis bientôt, en s'excusant, il montait au second étage.

— Tu devrais aller voir ta tante...

Toute la ville, maintenant, qui s'était dressée contre lui quand il était venu de si loin pour recueillir sans s'y attendre l'héritage Mauvoisin, toute la ville était prête à l'accueillir.

Les gens croyaient-ils qu'il était devenu comme eux ? C'était probable. On devait dire :

« Le petit Mauvoisin a compris... »

Parce qu'il s'asseyait à heure fixe dans un bureau, parce qu'il donnait des coups de téléphone, alignait des chiffres, s'occupait de cars, de camions, de mètres cubes de matériaux ou de consommation d'essence, parce qu'il réglait des factures, signait des chèques ou des traites et saluait distraitement les gens dans la rue.

— Tu dînes avec moi, Gilles ?

Colette allait ranimer son feu sur le coin duquel le dîner mijotait. A cause de la mort de sa mère, elle était à nouveau en deuil, si bien que Gilles ne l'avait jamais vue que vêtue de noir des pieds à la tête et il ne l'imaginait pas autrement.

Elle allait, venait, étendait une nappe sur la table, prenait des assiettes et des couverts dans l'armoire.

— Le petit va bien ?

Oui. Il allait bien, puisqu'il n'était pas malade. A vrai dire, Gilles ne s'en préoccupait pas. Il s'en voulait parfois. Au début, il avait été effrayé de se sentir sans émotion devant le nouveau-né qui était cependant son fils. Il l'avait avoué à Colette.

— Je n'y peux rien, tante... J'essaie... Malgré moi, je le regarde comme un étranger... D'autres personnes l'entourent et ce sont elles qui constituent sa vraie famille, sa mère, sa nounou, sa grand-mère, des amies qui viennent presque chaque jour...

Ici, dans cette petite maison où le balancier de cuivre d'une vieille horloge étirait un reflet, tandis que Colette allait et venait, disparaissait parfois dans la cuisine où résonnaient des bruits familiers, il avait l'impression d'un ménage...

Sauvaget ne venait plus tous les jours. Il trouvait des excuses, prétextait des malades à aller voir. Au début, Colette avait beaucoup pleuré.

— Ce n'est plus le même homme, avouait-elle à Gilles. Il est sorti de prison aigri, révolté... Parfois, il a l'air de me détester, de me considérer comme responsable de ce qui est arrivé...

Un amour qui avait été si beau quand Colette était comme cloîtrée quai des Ursulines et que les amants se retrouvaient furtivement rue de l'Evescot !

De l'homme exalté, au visage tourmenté, aux yeux fiévreux, il ne restait, à l'heure où l'amour aurait pu enfin s'épanouir en paix, qu'un joueur de cartes, un buveur d'apéritifs qui était aussi désaxé qu'un toxicomane quand il ne s'asseyait pas à heure fixe devant sa table de café !

— Tu ne dis rien, Gilles...

C'était fréquent, entre Colette et lui, ces longs silences, et le plus souvent cela leur faisait peur.

— Je me demande, tante...

Il n'osait pas encore. Il lui semblait qu'il allait toucher à une chose très fragile, à ce bonheur un peu mélancolique mais si tiède qui les enveloppait le soir dans la maison de la rue du Cordouan.

Est-ce qu'un mot, une phrase ne suffirait pas à tout dissiper et ne se trouveraient-ils pas alors, l'un devant l'autre, au milieu d'un vide effrayant ?

Il y avait des jours, des semaines qu'il y pensait.

— Je ne veux pas devenir comme mon oncle, tante…

Depuis longtemps elle le savait, elle le sentait se débattre contre lui-même. L'héritage d'Octave Mauvoisin l'écrasait. Il avait peur de s'enliser et il s'enlisait presque volontairement, farouchement.

— Écoutez, tante…

— Qu'est-ce que tu veux faire ?

— Vous le savez bien… Je veux partir… Mais…

Il vit qu'elle tremblait, qu'elle était sans défense.

— Je veux partir avec vous, comme mon père et ma mère sont partis, vous comprenez ?

Les mots ne traduisaient pas sa pensée. C'était par des images, par des taches d'ombre et de lumière, par des sensations qu'il aurait voulu s'exprimer… Par exemple, les arcades de la rue de l'Escale, près du conservatoire vibrant de musique, et le jeune couple qui décidait de fuir…

Le cimetière de Nieul… La grand-mère aux traits fins… Elle avait deux fils, il y avait deux

Mauvoisin... Et celui qui allait chaque jour à la Rochelle, sa boîte à violon sous le bras, était parti...

L'autre était resté...

La sœur de sa mère était devenue une Éloi et était restée...

Lui était de l'autre sorte, de la souche des fugitifs, des errants, et il avait bien senti, la première fois qu'il avait mis les pieds dans la maison du quai des Ursulines, que Colette était de sa race.

N'était-ce pas à cause d'elle, pour échapper à un vertige, qu'il avait épousé Alice ?

Maintenant, c'était fini. Il savait. Il répétait à voix basse :

— N'est-ce pas, Colette ?... Nous partirons tous les deux ?...

Il ne s'approchait même pas d'elle pour l'embrasser, pour la serrer dans ses bras. C'était beaucoup plus profond qu'une étreinte et, la gorge serrée, il la regardait ardemment, il disait encore, dans un souffle :

— N'est-ce pas ?...

La table, entre eux, était dressée. Un décor simple, banal, des assiettes, un morceau de fromage, un quignon de pain, et pourtant Gilles y retrouvait la poésie des chambres d'hôtel où il avait mangé de la sorte avec son père et sa mère, au milieu d'un monde inconnu, d'une ville quelconque qui continuait sa vie propre sans aucun rapport avec leur vie.

Colette n'avait pas protesté. Elle le regardait toujours. Elle étendait un bras et le bout de ses doigts touchait la main de Gilles.

— Tu crois ? murmura-t-elle, rêveuse, comme si elle entrevoyait toutes les années à venir, comme si elle faisait le compte de leurs joies et de leurs peines.

— Je crois...

Alors il lui sembla qu'un voile s'écartait du visage de Gilles, que son vrai visage se faisait jour, qu'un sourire, un vrai, un jeune sourire y apparaissait enfin.

Il se leva. Il renversa une tasse. Et, posant les deux mains sur les épaules de sa tante, il la força à se lever aussi.

— Oh ! Colette...

Ce n'était pas seulement un élan de tendresse, mais un grand geste de reconnaissance. Elle venait de le délivrer. Il regardait en avant, lui aussi. Il se dégageait définitivement de toute cette existence dans laquelle on avait voulu l'enfermer et pour laquelle il n'était pas fait.

Il redevenait presque un enfant.

— Colette !... Colette !... répétait-il en la serrant si fort qu'elle étouffait.

Il hésitait à balbutier le seul mot qui lui vînt aux lèvres :

— Merci...

Quand ils regardèrent à nouveau autour d'eux, ils se sentaient le corps vide comme après une longue maladie et ils avaient aux lèvres un joyeux sourire.

— Parlons sérieusement, Gilles...

Et elle disait cela sans y croire. Plus rien, maintenant, n'avait d'importance. Ils pouvaient évoquer des détails pratiques, mais c'était presque un jeu aux règles convenues entre eux.

— Qu'est-ce que nous ferons ?

Il savait que cela lui était égal, qu'elle n'avait pas peur, que, du moment qu'ils seraient deux...

— Nous ferons n'importe quoi... Je joue de trois instruments... Et même...

Un petit sourire tendre et triomphant :

— Je connais un peu le dernier métier de mon père... S'il le faut, nous ferons comme mes parents, n'est-ce pas ?...

Ce fut à ce moment seulement que ses yeux s'embuèrent et il détourna pudiquement la tête. Il lui semblait qu'à cet instant il associait ses parents à la décision qu'il venait de prendre, qu'il se rapprochait d'eux — et c'était à tel point qu'il avait envie de leur parler.

Il n'était pas question de l'argent Mauvoisin ; il ne pouvait en être question. Alice le garderait. Elle serait plus heureuse sans Gilles qu'avec lui.

— Si vous saviez, Colette, comme je...

Quel mot trouver ? Tous étaient trop faibles. Son cœur bondissait, il n'était plus fait de chair, il n'avait plus les pieds sur la terre.

— Comme je...

Elle était toute menue devant lui, si menue, si fragile qu'il ne résista pas au désir de la soulever dans ses bras comme s'il allait l'emporter tout de suite au loin.

Quand il la reposa sur le sol, tous les deux pleuraient en riant, et, à travers les larmes, ils se voyaient des visages déformés comme des visages de rêve.

Fontenay-le-Comte, février 1941.

COLLECTION FOLIO

Dernières parutions

2531.	Pierre Moinot	*La descente du fleuve.*
2532.	Vladimir Nabokov	*La transparence des choses.*
2533.	Pascal Quignard	*Tous les matins du monde.*
2534.	Alberto Savinio	*Toute la vie.*
2535.	Sempé	*Luxe, calme & volupté.*
2537.	Avraham B. Yehoshua	*L'année des cinq saisons.*
2538.	Marcel Proust	*Les Plaisirs et les Jours* suivi de *L'Indifférent* et autres textes.
2539.	Frédéric Vitoux	*Cartes postales.*
2540.	Tacite	*Annales.*
2541.	François Mauriac	*Zabé.*
2542.	Thomas Bernhard	*Un enfant.*
2543.	Lawrence Block	*Huit millions de façons de mourir.*
2544.	Jean Delay	*Avant Mémoire (tome II).*
2545.	Annie Ernaux	*Passion simple.*
2546.	Paul Fournel	*Les petites filles respirent le même air que nous.*
2547.	Georges Perec	*53 jours.*
2548.	Jean Renoir	*Les cahiers du capitaine Georges.*
2549.	Michel Schneider	*Glenn Gould piano solo.*
2550.	Michel Tournier	*Le Tabor et le Sinaï.*
2551.	M. E. Saltykov-Chtchédrine	*Histoire d'une ville.*
2552.	Eugène Nicole	*Les larmes de pierre.*
2553.	Saint-Simon	*Mémoires II.*

2554.	Christian Bobin	*La part manquante.*
2555.	Boileau-Narcejac	*Les nocturnes.*
2556.	Alain Bosquet	*Le métier d'otage.*
2557.	Jeanne Bourin	*Les compagnons d'éternité.*
2558.	Didier Daeninckx	*Zapping.*
2559.	Gérard Delteil	*Le miroir de l'Inca.*
2560.	Joseph Kessel	*La vallée des rubis.*
2561.	Catherine Lépront	*Une rumeur.*
2562.	Arto Paasilinna	*Le meunier hurlant.*
2563.	Gilbert Sinoué	*La pourpre et l'olivier.*
2564.	François-Marie Banier	*Le passé composé.*
2565.	Gonzalo Torrente Ballester	*Le roi ébahi.*
2566.	Ray Bradbury	*Le fantôme d'Hollywood.*
2567.	Thierry Jonquet	*La Bête et la Belle.*
2568.	Marguerite Duras	*La pluie d'été.*
2569.	Roger Grenier	*Il te faudra quitter Florence.*
2570.	Yukio Mishima	*Les amours interdites.*
2571.	J.-B. Pontalis	*L'amour des commencements.*
2572.	Pascal Quignard	*La frontière.*
2573.	Antoine de Saint-Exupéry	*Écrits de guerre (1939-1944).*
2574.	Avraham B. Yehoshua	*L'amant.*
2575.	Denis Diderot	*Paradoxe sur le comédien.*
2576.	Anonyme	*La Châtelaine de Vergy.*
2577.	Honoré de Balzac	*Le Chef-d'œuvre inconnu.*
2578.	José Cabanis	*Saint-Simon l'admirable.*
2579.	Michel Déon	*Le prix de l'amour.*
2580.	Lawrence Durrell	*Le sourire du Tao.*
2581.	André Gide	*Amyntas.*
2582.	Hervé Guibert	*Mes parents.*
2583.	Nat Hentoff	*Le diable et son jazz.*
2584.	Pierre Mac Orlan	*Quartier Réservé.*
2585.	Pierre Magnan	*La naine.*
2586.	Naguib Mahfouz	*Chimères.*
2587.	Vladimir Nabokov	*Ada ou l'Ardeur.*
2588.	Daniel Boulanger	*Un été à la diable.*
2589.	Louis Calaferte	*La mécanique des femmes.*
2590.	Sylvie Germain	*La Pleurante des rues de Prague.*
2591.	Julian Gloag	*N'éveillez pas le chat qui dort.*
2592.	J.M.G. Le Clézio	*Étoile errante.*

2593. Louis Malle — *Au revoir, les enfants.*
2595. Jean-Bernard Pouy — *L'homme à l'oreille croquée.*
2596. Reiser — *Jeanine.*
2597. Jean Rhys — *Il ne faut pas tirer les oiseaux au repos.*
2598. Isaac Bashevis Singer — *Gimpel le naïf.*
2599. Andersen — *Contes.*
2600. Jacques Almira — *Le Bar de la Mer.*
2602. Dominique Bona — *Malika.*
2603. John Dunning — *Les mécanos de la mort.*
2604. Oriana Fallaci — *Inchallah.*
2605. Sue Hubbell — *Une année à la campagne.*
2606. Sébastien Japrisot — *Le passager de la pluie.*
2607. Jack Kerouac — *Docteur Sax.*
2608. Ruth Rendell / Helen Simpson — *Heures fatales.*
2609. Tristan L'Hermite — *Le Page disgracié.*
2610. Alexandre Dumas — *Les Trois Mousquetaires.*
2611. John Updike — *La concubine de saint Augustin* et autres nouvelles.
2612. John Updike — *Bech est de retour.*
2613. John Updike — *Un mois de dimanches.*
2614. Emmanuèle Bernheim — *Le cran d'arrêt.*
2615. Tonino Benacquista — *La commedia des ratés.*
2616. Tonino Benacquista — *Trois carrés rouges sur fond noir.*
2617. Rachid Boudjedra — *FIS de la haine.*
2618. Jean d'Ormesson — *La gloire de l'Empire.*
2619. Léon Tolstoï — *Résurrection.*
2620. Ingmar Bergman — *Cris et chuchotements* suivi de *Persona* et de *Le lien.*
2621. Ingmar Bergman — *Les meilleures intentions.*
2622. Nina Bouraoui — *Poing mort.*
2623. Marguerite Duras — *La Vie matérielle.*
2624. René Frégni — *Les nuits d'Alice.*
2625. Pierre Gamarra — *Le maître d'école.*
2626. Joseph Hansen — *Les ravages de la nuit.*
2627. Félicien Marceau — *Les belles natures.*
2628. Patrick Modiano — *Un cirque passe.*
2629. Raymond Queneau — *Le vol d'Icare.*
2630. Voltaire — *Dictionnaire philosophique.*

2631.	William Makepeace Thackeray	*La Foire aux Vanités.*
2632.	Julian Barnes	*Love, etc.*
2633.	Lisa Bresner	*Le sculpteur de femmes.*
2634.	Patrick Chamoiseau	*Texaco.*
2635.	Didier Daeninckx	*Play-back.*
2636.	René Fallet	*L'amour baroque.*
2637.	Paula Jacques	*Deborah et les anges dissipés.*
2638.	Charles Juliet	*L'inattendu.*
2639.	Michel Mohrt	*On liquide et on s'en va.*
2640.	Marie Nimier	*L'hypnotisme à la portée de tous.*
2641.	Henri Pourrat	*Bons, pauvres et mauvais diables.*
2642.	Jacques Syreigeol	*Miracle en Vendée.*
2643.	Virginia Woolf	*Mrs Dalloway.*
2645.	Jerome Charyn	*Elseneur.*
2646.	Sylvie Doizelet	*Chercher sa demeure.*
2647.	Hervé Guibert	*L'homme au chapeau rouge.*
2648.	Knut Hamsun	*Benoni.*
2649.	Knut Hamsun	*La dernière joie.*
2650.	Hermann Hesse	*Gertrude.*
2651.	William Hjortsberg	*Le sabbat dans Central Park.*
2652.	Alexandre Jardin	*Le Petit Sauvage.*
2653.	Philip Roth	*Patrimoine.*
2655.	Fédor Dostoïevski	*Les Frères Karamazov.*
2656.	Fédor Dostoïevski	*L'Idiot.*
2657.	Lewis Carroll	*Alice au pays des merveilles. De l'autre côté du miroir.*
2658.	Marcel Proust	*Le Côté de Guermantes.*
2659.	Honoré de Balzac	*Le Colonel Chabert.*
2660.	Léon Tolstoï	*Anna Karénine.*
2661.	Fédor Dostoïevski	*Crime et châtiment.*
2662.	Philippe Le Guillou	*La rumeur du soleil.*
2663.	Sempé-Goscinny	*Le petit Nicolas et les copains.*
2664.	Sempé-Goscinny	*Les vacances du petit Nicolas.*
2665.	Sempé-Goscinny	*Les récrés du petit Nicolas.*
2666.	Sempé-Goscinny	*Le petit Nicolas a des ennuis.*
2667.	Emmanuèle Bernheim	*Un couple.*
2668.	Richard Bohringer	*Le bord intime des rivières.*
2669.	Daniel Boulanger	*Ursacq.*

2670.	Louis Calaferte	*Droit de cité.*
2671.	Pierre Charras	*Marthe jusqu'au soir.*
2672.	Ya Ding	*Le Cercle du Petit Ciel.*
2673.	Joseph Hansen	*Les mouettes volent bas.*
2674.	Agustina Izquierdo	*L'amour pur.*
2675.	Agustina Izquierdo	*Un souvenir indécent.*
2677.	Philippe Labro	*Quinze ans.*
2678.	Stéphane Mallarmé	*Lettres sur la poésie.*
2679.	Philippe Beaussant	*Le biographe.*
2680.	Christian Bobin	*Souveraineté du vide* suivi de *Lettres d'or.*
2681.	Christian Bobin	*Le Très-Bas.*
2682.	Frédéric Boyer	*Des choses idiotes et douces.*
2683.	Remo Forlani	*Valentin tout seul.*
2684.	Thierry Jonquet	*Mygale.*
2685.	Dominique Rolin	*Deux femmes un soir.*
2686.	Isaac Bashevis Singer	*Le certificat.*
2687.	Philippe Sollers	*Le Secret.*
2688.	Bernard Tirtiaux	*Le passeur de lumière.*
2689.	Fénelon	*Les Aventures de Télémaque*
2690.	Robert Bober	*Quoi de neuf sur la guerre?*
2691.	Ray Bradbury	*La baleine de Dublin.*
2692.	Didier Daeninckx	*Le der des ders.*
2693.	Annie Ernaux	*Journal du dehors.*
2694.	Knut Hamsun	*Rosa.*
2695.	Yachar Kemal	*Tu écraseras le serpent.*
2696.	Joseph Kessel	*La steppe rouge.*
2697.	Yukio Mishima	*L'école de la chair.*
2698.	Pascal Quignard	*Le nom sur le bout de la langue.*
2699.	Jacques Sternberg	*Histoires à mourir de vous.*
2701.	Calvin	*Œuvres choisies.*
2702.	Milan Kundera	*L'art du roman.*
2703.	Milan Kundera	*Les testaments trahis.*
2704.	Rachid Boudjedra	*Timimoun.*
2705.	Robert Bresson	*Notes sur le cinématographe.*
2706.	Raphaël Confiant	*Ravines du devant-jour.*
2707.	Robin Cook	*Les mois d'avril sont meurtriers.*
2708.	Philippe Djian	*Sotos.*
2710.	Gabriel Matzneff	*La prunelle de mes yeux.*
2711.	Angelo Rinaldi	*Les jours ne s'en vont pas longtemps.*

2712. Henri Pierre Roché	*Deux Anglaises et le continent.*
2714. Collectif	*Dom Carlos* et autres nouvelles françaises du XVIIe siècle.
2715. François-Marie Banier	*La tête la première.*
2716. Julian Barnes	*Le porc-épic.*
2717. Jean-Paul Demure	*Aix abrupto.*
2718. William Faulkner	*Le gambit du cavalier.*
2719. Pierrette Fleutiaux	*Sauvée!*
2720. Jean Genet	*Un captif amoureux.*
2721. Jean Giono	*Provence.*
2722. Pierre Magnan	*Périple d'un cachalot.*
2723. Félicien Marceau	*La terrasse de Lucrezia.*
2724. Daniel Pennac	*Comme un roman.*
2725. Joseph Conrad	*L'Agent secret.*
2726. Jorge Amado	*La terre aux fruits d'or.*
2727. Karen Blixen	*Ombres sur la prairie.*
2728. Nicolas Bréhal	*Les corps célestes.*
2729. Jack Couffer	*Le rat qui rit.*
2730. Romain Gary	*La danse de Gengis Cohn.*
2731. André Gide	*Voyage au Congo* suivi de *Le retour du Tchad.*
2733. Ian McEwan	*L'enfant volé.*
2734. Jean-Marie Rouart	*Le goût du malheur.*
2735. Sempé	*Âmes sœurs.*
2736. Émile Zola	*Lourdes.*
2737. Louis-Ferdinand Céline	*Féerie pour une autre fois.*
2738. Henry de Montherlant	*La Rose de sable.*
2739. Vivant Denon Jean-François de Bastide	*Point de lendemain,* suivi de *La Petite Maison.*
2740. William Styron	*Le choix de Sophie.*
2741. Emmanuèle Bernheim	*Sa femme.*
2742. Maryse Condé	*Les derniers rois mages.*
2743. Gérard Delteil	*Chili con carne.*
2744. Édouard Glissant	*Tout-monde.*
2745. Bernard Lamarche-Vadel	*Vétérinaires.*
2746. J.M.G. Le Clézio	*Diego et Frida.*
2747. Jack London	*L'amour de la vie.*
2748. Bharati Mukherjee	*Jasmine.*
2749. Jean-Noël Pancrazi	*Le silence des passions.*
2750. Alina Reyes	*Quand tu aimes, il faut partir.*
2751. Mika Waltari	*Un inconnu vint à la ferme.*

2752.	Alain Bosquet	*Les solitudes.*
2753.	Jean Daniel	*L'ami anglais.*
2754.	Marguerite Duras	*Écrire.*
2755.	Marguerite Duras	*Outside.*
2756.	Amos Oz	*Mon Michaël.*
2757.	René-Victor Pilhes	*La position de Philidor.*
2758.	Danièle Sallenave	*Les portes de Gubbio.*
2759.	Philippe Sollers	*PARADIS 2.*
2760.	Mustapha Tlili	*La rage aux tripes.*
2761.	Anne Wiazemsky	*Canines.*
2762.	Jules et Edmond de Goncourt	*Manette Salomon.*
2763.	Philippe Beaussant	*Héloïse.*
2764.	Daniel Boulanger	*Les jeux du tour de ville.*
2765.	Didier Daeninckx	*En marge.*
2766.	Sylvie Germain	*Immensités.*
2767.	Witold Gombrowicz	*Journal I (1953-1958).*
2768.	Witold Gombrowicz	*Journal II (1959-1969).*
2769.	Gustaw Herling	*Un monde à part.*
2770.	Hermann Hesse	*Fiançailles.*
2771.	Arto Paasilinna	*Le fils du dieu de l'Orage*
2772.	Gilbert Sinoué	*La fille du Nil.*
2773.	Charles Williams	*Bye-bye, bayou!*
2774.	Avraham B. Yehoshua	*Monsieur Mani.*
2775.	Anonyme	*Les Mille et Une Nuits III (contes choisis).*
2776.	Jean-Jacques Rousseau	*Les Confessions.*
2777.	Pascal	*Les Pensées.*
2778.	Lesage	*Gil Blas.*
2779.	Victor Hugo	*Les Misérables I.*
2780.	Victor Hugo	*Les Misérables II.*
2781.	Dostoïevski	*Les Démons (Les Possédés).*
2782.	Guy de Maupassant	*Boule de suif* et autres nouvelles.
2783.	Guy de Maupassant	*La Maison Tellier. Une partie de campagne* et autres nouvelles.
2784.	Witold Gombrowicz	*La pornographie.*
2785.	Marcel Aymé	*Le vaurien.*
2786.	Louis-Ferdinand Céline	*Entretiens avec le Professeur Y.*
2787.	Didier Daeninckx	*Le bourreau et son double.*
2788.	Guy Debord	*La Société du Spectacle.*
2789.	William Faulkner	*Les larrons.*

2790.	Élisabeth Gille	*Le crabe sur la banquette arrière.*
2791.	Louis Martin-Chauffier	*L'homme et la bête.*
2792.	Kenzaburô Ôé	*Dites-nous comment survivre à notre folie.*
2793.	Jacques Réda	*L'herbe des talus.*
2794.	Roger Vrigny	*Accident de parcours.*
2795.	Blaise Cendrars	*Le Lotissement du ciel.*
2796.	Alexandre Pouchkine	*Eugène Onéguine.*
2797.	Pierre Assouline	*Simenon.*
2798.	Frédéric H. Fajardie	*Bleu de méthylène.*
2799.	Diane de Margerie	*La volière* suivi de *Duplicités.*
2800.	François Nourissier	*Mauvais genre.*
2801.	Jean d'Ormesson	*La Douane de mer.*
2802.	Amos Oz	*Un juste repos.*
2803.	Philip Roth	*Tromperie.*
2804.	Jean-Paul Sartre	*L'engrenage.*
2805.	Jean-Paul Sartre	*Les jeux sont faits.*
2806.	Charles Sorel	*Histoire comique de Francion.*
2807.	Chico Buarque	*Embrouille.*
2808.	Ya Ding	*La jeune fille Tong.*
2809.	Hervé Guibert	*Le Paradis.*
2810.	Martín Luis Guzmán	*L'ombre du Caudillo.*
2811.	Peter Handke	*Essai sur la fatigue.*
2812.	Philippe Labro	*Un début à Paris.*
2813.	Michel Mohrt	*L'ours des Adirondacks.*
2814.	N. Scott Momaday	*La maison de l'aube.*
2815.	Banana Yoshimoto	*Kitchen.*
2816.	Virginia Woolf	*Vers le phare.*
2817.	Honoré de Balzac	*Sarrasine.*
2818.	Alexandre Dumas	*Vingt ans après.*
2819.	Christian Bobin	*L'inespérée.*
2820.	Christian Bobin	*Isabelle Bruges.*
2821.	Louis Calaferte	*C'est la guerre.*
2822.	Louis Calaferte	*Rosa mystica.*
2823.	Jean-Paul Demure	*Découpe sombre.*
2824.	Lawrence Durrell	*L'ombre infinie de César.*
2825.	Mircea Eliade	*Les dix-neuf roses.*
2826.	Roger Grenier	*Le Pierrot noir.*
2827.	David McNeil	*Tous les bars de Zanzibar.*
2828.	René Frégni	*Le voleur d'innocence.*

2829.	Louvet de Couvray	*Les Amours du chevalier de Faublas.*
2830.	James Joyce	*Ulysse.*
2831.	François-Régis Bastide	*L'homme au désir d'amour lointain.*
2832.	Thomas Bernhard	*L'origine.*
2833.	Daniel Boulanger	*Les noces du merle.*
2834.	Michel del Castillo	*Rue des Archives.*
2835.	Pierre Drieu la Rochelle	*Une femme à sa fenêtre.*
2836.	Joseph Kessel	*Dames de Californie.*
2837.	Patrick Mosconi	*La nuit apache.*
2838.	Marguerite Yourcenar	*Conte bleu.*
2839.	Pascal Quignard	*Le sexe et l'effroi.*
2840.	Guy de Maupassant	*L'Inutile Beauté.*
2841.	Kôbô Abé	*Rendez-vous secret.*
2842.	Nicolas Bouvier	*Le poisson-scorpion.*
2843.	Patrick Chamoiseau	*Chemin-d'école.*
2844.	Patrick Chamoiseau	*Antan d'enfance.*
2845.	Philippe Djian	*Assassins.*
2846.	Lawrence Durrell	*Le Carrousel sicilien.*
2847.	Jean-Marie Laclavetine	*Le rouge et le blanc.*
2848.	D.H. Lawrence	*Kangourou.*
2849.	Francine Prose	*Les petits miracles.*
2850.	Jean-Jacques Sempé	*Insondables mystères.*
2851.	Béatrix Beck	*Des accommodements avec le ciel.*
2852.	Herman Melville	*Moby Dick.*
2853.	Jean-Claude Brisville	*Beaumarchais, l'insolent.*
2854.	James Baldwin	*Face à l'homme blanc.*
2855.	James Baldwin	*La prochaine fois, le feu.*
2856.	W.-R. Burnett	*Rien dans les manches.*
2857.	Michel Déon	*Un déjeuner de soleil.*
2858.	Michel Déon	*Le jeune homme vert.*
2859.	Philippe Le Guillou	*Le passage de l'Aulne.*
2860.	Claude Brami	*Mon amie d'enfance.*
2861.	Serge Brussolo	*La moisson d'hiver.*
2862.	René de Ceccatty	*L'accompagnement.*
2863.	Jerome Charyn	*Les filles de Maria.*
2864.	Paule Constant	*La fille du Gobernator.*
2865.	Didier Daeninckx	*Un château en Bohême.*
2866.	Christian Giudicelli	*Quartiers d'Italie.*

2867. Isabelle Jarry — *L'archange perdu.*
2868. Marie Nimier — *La caresse.*
2869. Arto Paasilinna — *La forêt des renards pendus.*
2870. Jorge Semprun — *L'écriture ou la vie.*
2871. Tito Topin — *Piano barjo.*
2872. Michel Del Castillo — *Tanguy.*
2873. Huysmans — *En Route.*
2874. James M. Cain — *Le bluffeur.*
2875. Réjean Ducharme — *Va savoir.*
2876. Mathieu Lindon — *Champion du monde.*
2877. Robert Littell — *Le sphinx de Sibérie.*
2878. Claude Roy — *Les rencontres des jours 1992-1993.*
2879. Danièle Sallenave — *Les trois minutes du diable.*
2880. Philippe Sollers — *La Guerre du Goût.*
2881. Michel Tournier — *Le pied de la lettre.*
2882. Michel Tournier — *Le miroir des idées.*
2883. Andreï Makine — *Confession d'un porte-drapeau déchu.*
2884. Andreï Makine — *La fille d'un héros de l'Union soviétique.*
2885. Andreï Makine — *Au temps du fleuve Amour.*
2886. John Updike — *La Parfaite Épouse.*
2887. Daniel Defoe — *Robinson Crusoé.*
2888. Philippe Beaussant — *L'archéologue.*
2889. Pierre Bergounioux — *Miette.*
2890. Pierrette Fleutiaux — *Allons-nous être heureux ?*
2891. Remo Forlani — *La déglingue.*
2892. Joe Gores — *Inconnue au bataillon.*
2893. Félicien Marceau — *Les ingénus.*
2894. Ian McEwan — *Les chiens noirs.*
2895. Pierre Michon — *Vies minuscules.*
2896. Susan Minot — *La vie secrète de Lilian Eliot.*
2897. Orhan Pamuk — *Le livre noir.*
2898. William Styron — *Un matin de Virginie.*
2899. Claudine Vegh — *Je ne lui ai pas dit au revoir.*
2900. Robert Walser — *Le brigand.*
2901. Grimm — *Nouveaux contes.*
2902. Chrétien de Troyes — *Lancelot ou Le chevalier de la charrette.*
2903. Herman Melville — *Bartleby, le scribe.*

2904.	Jerome Charyn	*Isaac le mystérieux.*
2905.	Guy Debord	*Commentaires sur la société du spectacle.*
2906.	Guy Debord	*Potlatch* (1954-1957).
2907.	Karen Blixen	*Les chevaux fantômes* et autres contes.
2908.	Emmanuel Carrère	*La classe de neige.*
2909.	James Crumley	*Un pour marquer la cadence.*
2910.	Anne Cuneo	*Le trajet d'une rivière.*
2911.	John Dos Passos	*L'initiation d'un homme : 1917.*
2912.	Alexandre Jardin	*L'île des Gauchers.*
2913.	Jean Rolin	*Zones.*
2914.	Jorge Semprun	*L'Algarabie.*
2915.	Junichirô Tanizaki	*Le chat, son maître et ses deux maîtresses.*
2916.	Bernard Tirtiaux	*Les sept couleurs du vent.*
2917.	H.G. Wells	*L'île du docteur Moreau.*
2918.	Alphonse Daudet	*Tartarin sur les Alpes.*
2919.	Albert Camus	*Discours de Suède.*
2921.	Chester Himes	*Regrets sans repentir.*
2922.	Paula Jacques	*La descente au paradis.*
2923.	Sibylle Lacan	*Un père.*
2924.	Kenzaburô Ôé	*Une existence tranquille.*
2925.	Jean-Noël Pancrazi	*Madame Arnoul.*
2926.	Ernest Pépin	*L'Homme-au-Bâton.*
2927.	Antoine de Saint-Exupéry	*Lettres à sa mère.*
2928.	Mario Vargas Llosa	*Le poisson dans l'eau.*
2929.	Arthur de Gobineau	*Les Pléiades.*
2930.	Alex Abella	*Le Massacre des Saints.*

Impression Bussière Camedan Imprimeries
à Saint-Amand (Cher),
le 24 février 1997.
Dépôt légal : février 1997.
1er dépôt légal dans la collection : avril 1977.
Numéro d'imprimeur : 1/485.
ISBN 2-07-036932-3./Imprimé en France.